Een hard gelag

Ellis Peters

Een hard gelag

Tweede druk

1990 – De Boekerij – Amsterdam

Oorspronkelijke titel: An Excellent Mystery
Vertaling: Pieter Janssens
Omslagontwerp: Studio Caro

CIP-GEGEVENS KONINKLIJKE BIBLIOTHEEK, DEN HAAG

Peters, Ellis

Een hard gelag / Ellis Peters ; [vert. uit het Engels door Pieter Janssens]. –
Amsterdam : De Boekerij
Vert. van: An excellent mystery. - Londen [etc.] : MacMillan, 1985 – (The
eleventh chronicle of Brother Cadfael).
ISBN 90-225-1061-1
UDC 82-31 NUGI 332
Trefw.: romans ; vertaald.

1

Augustus begon die zomer van 1141 tanig als een leeuw en soeze-
rig en spinnend als een kat bij de haard. Na de overvloedige voor-
jaarsregens was het weer voor het feest van Sint Winifred engel-
achtig kalm en zonnig geworden en het had gedurende de hele
graanoogst hetzelfde goedmoedige aanzien bewaard. Het oogst-
feest viel bij uitzondering stipt samen met het begin van de oogst.
De tarwevelden waren al gelezen en wit en ze wachtten op de
koeien en schapen die ernaar toe zouden worden gedreven om het
nagewas te benutten. De oogstprocessie was met grote tevredenheid gehouden en de vroege pruimen in de boomgaard langs de
rivier begonnen donker te rijpen. De schuren van de abdij waren
vol, het goed gedroogde stro was gebonden en geopperd en al viel
er geen regen om op de gemaaide velden vers groenvoer voor de
schapen te laten groeien, er lag elke ochtend een dikke laag dauw.
Als dit uitgelezen weer ten slotte zou omslaan, konden er wel eens
zware stormen losbarsten. Maar voorlopig was de hemel onbewolkt en helder en van het lichtst denkbare blauw.
'Een voldane glimlach op de gezichten van de huisvaders,' zei
Hugh, pas teruggekeerd van zijn eigen oogst in het noorden van
het graafschap en bruin verbrand door het werk op het land, 'en
verwarring onder de koningen. Als ze zelf graan moesten verbou-
wen, meel moesten malen en brood moesten bakken, hadden ze
misschien geen tijd om te ruziën en te moorden. Nou ja, laten we
God danken voor wat we hebben, dan zal God ons hier behoeden
voor de dood. Niet dat ik het de minder gelukkigen aanreken dat ze
ginds in het zuiden wonen, maar dit graafschap is mijn akker en
mijn mensen zijn aan mijn hoede toevertrouwd. Ik heb het al druk
genoeg met mijn eigen volk en als ik zie dat ze bruin, welvarend en
dik zijn, volle stallen en schuren hebben en een overvloedige, goede woloogst, dan ben ik tevreden.'
Hugh en broeder Cadfael waren elkaar tegen het lijf gelopen bij de

hoek van de abdijmuur, waar de Voorstraat rechtsaf boog naar Saint Giles, naast de grote, grazige driehoek van de paardenmarkt, verbleekt en hobbelig in het zonlicht. De drie dagen durende jaarmarkt van Sint Petrus was al meer dan een week voorbij; de kramen waren afgebroken, de kooplui vertrokken. Hugh zat hoog op zijn schonkige, nukkige appelschimmel, die sterk genoeg was om een zwaargewicht te dragen in plaats van deze lichte, lenige jongeman die hij als zijn meester gedoogde, hoewel het dier bijster weinig op had met enig ander menselijk wezen. De schout van Shropshire was weliswaar niet verantwoordelijk voor het ordelijk ontruimen en schoonmaken van de marktplaats na het driedaagse gebruik, maar Hugh gaf er de voorkeur aan de boel zelf in ogenschouw te nemen. Het waren tenslotte zíjn rakkers die de orde hier moesten handhaven en ervoor moesten zorgen dat de marktmeesters van de abdij niet werden opgelicht met het marktgeld of werden beroofd of anderszins mishandeld tijdens het innen ervan. Dat was nu weer voor een jaar achter de rug. En hier waren de overblijfselen ervan: de paalgaten her en der, de bleke rechthoeken van de kramen, de groene randen en de kaalgetrapte paden tussen de stallen. Van door de zon geblakerd geel tot welig groen en opnieuw verbleekt, met hier en daar op de platgetreden paden plekken taaie, platte klaver als de ronde, groene voetsporen van een buitenissig beest.

'Eén flinke bui en alles is weer goed,' zei broeder Cadfael terwijl hij het merkwaardige schaakbord van verbleekt en fris groen met tuinmansoog bekeek. 'Niets ter wereld is zo taai als gras.'

Hij was onderweg van de abdij van de heilige Petrus en Paulus naar de kapel en het gasthuis van Saint Giles, een halve mijl verderop aan de uiterste rand van de stad. Het behoorde tot zijn taak de geneesmiddelenkast daar te voorzien van alle middeltjes die de bewoners nodig konden hebben. Hij maakte deze reis elke paar weken, maar vaker wanneer het aantal bewoners en de behoefte stegen. Op deze vroege ochtend in augustus was hij in gezelschap van de jonge broeder Oswin, die al meer dan een jaar samen met hem in de kruidentuin werkte en nu op weg was om zijn vaardigheden op de behoeftigsten toe te passen. Oswin was een stevig gebouwde, uit de kluiten gewassen jongeman die brandde van geestdrift. Er was een tijd geweest dat hij heel wat had gekost aan gebroken spullen, onherstelbaar verbrande potten en misleidende kruiden die hij per ongeluk had aangezien voor andere die er maar al te veel op leken. Die tijd was voorbij. Alles wat hij nu nodig had om van onschatbare waarde te zijn voor het gasthuis, was een koelbloedige meerdere die Oswins ijver op tijd wist in te tomen. De abdij had het recht van benoeming en de leke-overste die ze hadden aangesteld zou méér dan bestand zijn tegen broeder Oswins te uitbundige daadkracht.

'Jullie hebben al met al een goede markt achter de rug,' zei Hugh. 'Beter dan ik ooit had verwacht, nu het halve zuiden is afgesneden door de woelingen in Winchester. Ze kwamen zelfs uit Vlaanderen,' zei Cadfael waarderend. Oost-Engeland was niet bepaald een rustig gebied de laatste tijd, maar wolkooplui vormen een taai ras en een beetje bloedvergieten en gevaar weerhielden hen niet van het maken van winst.

'We hebben een uitgelezen wooloogst gehad.' Hugh had zelf schapen op zijn havezaat in Maesbury, in het noorden; hij kende de uitstekende eigenschappen van de vachten van dit jaar. Bovendien waren er langs de hele grens goede zaken gedaan met Wales. Shrewsbury had banden van bloed, genegenheid en wederzijds voordeel met de Welshmen uit Powys en Gwynedd, ongeacht de uitbarstingen van rassenstrijd die de gewapende vrede af en toe verstoorden. Deze zomer hield de vrede met Gwynedd stevig stand onder de bekwame leiding van Owain Gwynedd, aangezien ze beiden belang hadden bij het intomen van de eerzucht van graaf Ranulf van Chester. Powys was minder voorspelbaar, maar hij hield zijn angel de laatste tijd ingetrokken, na hem enkele keren pijnlijk te hebben gestoten aan Hughs voorzorgsmaatregelen.

'De graanoogst is beter dan in jaren. Wat het fruit betreft... het ziet er goed uit,' zei Cadfael voorzichtig, 'als we een paar malse regenbuien krijgen om het te laten zwellen en geen storm voordat het is geoogst. Nou ja, het koren is geoogst en het stro ligt op mijten en de hooioogst is beter dan ooit sinds ik me kan heugen. Je zult mij niet horen klagen.'

Toch, dacht hij, mild verbaasd terugblikkend, was het een woelig jaar geweest, waarin het lot van koningen en keizerinnen niet één, maar zelfs twee keer een wending had genomen terwijl het lot welwillend glimlachte naar de kerkelijke feestdagen en het hoopvolle werk van de gewone stervelingen, althans hier in de binnenlanden. In februari was koning Stephen tijdens de rampzalige slag bij Lincoln gevangen genomen en door zijn aartsvijandin, nicht en mededingster naar de troon van Engeland, keizerin Maud, opgesloten in het kasteel van Bristol. Er waren na die kentering aardig wat huiken ijlings naar de wind gehangen, niet het minst die van Stephens broer en Mauds neef, Henry van Blois, de bisschop van Winchester en pauselijke gezant. Deze had zich voorzichtig ingedekt en was naar het winnende kamp overgelopen, waarna hij had gemerkt dat hij beter wat langer had kunnen talmen. Want die dwaze vrouw, wier bedje in Westminster was gespreid en die de kroon al bijna op haar hoofd had, had zich zo hooghartig en aanmatigend gedragen tegenover de burgers van Londen, dat deze woedend in opstand waren gekomen, haar smadelijk op de vlucht hadden gejaagd en koning Stephens dappere koningin in haar plaats in de stad hadden gelaten.

Niet dat deze omwenteling van het rad der fortuin koning Stephen kon bevrijden. Integendeel, er werd gezegd dat het er de oorzaak van was geweest dat hij voor alle zekerheid in de kluisters was geslagen, aangezien hij het enige geduchte wapen was dat de keizerin nog in handen had. Maar het had er in elk geval voor gezorgd dat de kroon van Mauds hoofd was gerukt, hoogstwaarschijnlijk voorgoed, en het had haar de niet te versmaden steun gekost van bisschop Henry, die er niet de man naar was om twee keer in één jaar overhaast een nieuw bondgenootschap te sluiten. Het gerucht ging dat die vrouw haar halfbroer en trouwste voorvechter, graaf Robert van Gloucester, naar Winchester had gestuurd om het bij te leggen met de bisschop en hem weer naar haar kamp te lokken, maar dat hij geen duidelijk antwoord had gekregen. Het gerucht ging ook, en waarschijnlijk op goede gronden, dat Stephens koningin haar te vlug af was geweest tijdens een persoonlijke ontmoeting met Henry in Guildford en dat zíj heel wat meer steun van hem had gekregen dan de keizerin had kunnen verwerven. En dat was Maud ongetwijfeld ter ore gekomen, want het laatste nieuws dat laatkomers uit het zuiden tijdens de abdijmarkt hadden verspreid, was dat de keizerin met een inderhaast opgetrommelde strijdmacht was opgerukt naar Winchester en zich in het koninklijke kasteel daar had gevestigd. Wat haar volgende zet zou zijn, was ongetwijfeld het onderwerp van bange gissingen door de bisschop, zelfs in zijn eigen stad.

En intussen scheen hier in Shrewsbury de zon en vierde de abdij blij en plechtig het feest van haar maagdelijke heilige. De kudden gedijden, de oogst rijpte en werd met voorbeeldig weer binnengehaald. De jaarmarkt de eerste drie dagen van augustus verliep vreedzaam en van heinde en ver stroomden kooplui toe. Ze deden levendig zaken, maakten winst, kochten gewiekst in en verspreidden zich weer vreedzaam om naar huis terug te keren alsof koning en keizerin niet bestonden of niet bij machte waren gewone, verstandige mensen in hun bewegingsvrijheid te beperken of een bedreiging te vormen voor hun leven.

'Je hebt sinds de kooplui zijn vertrokken zeker geen nieuws meer gehoord?' vroeg Cadfael terwijl hij zijn blik liet glijden over de verbleekte sporen die hun kramen hadden achtergelaten.

'Nog niets. Het schijnt dat ze elkaar over de stad heen beloeren, wachtend tot de ander iets doet. Winchester zal zijn adem wel inhouden. Het laatste nieuws is dat de keizerin bisschop Henry naar haar kasteel heeft ontboden en dat hij een halfslachtig antwoord heeft gestuurd dat hij zich voorbereidt op de ontmoeting. Maar hij heeft tot dusver geen voet in haar richting gezet. Dat neemt niet weg,' zei Hugh nadenkend, 'dat ik durf te wedden dat hij zich voorbereidt. Vast en zeker. Zíj heeft haar troepen gemonsterd; hij zal de zijne oproepen voordat hij naar haar toe gaat – áls hij dat doet!'

'En terwijl zij hun adem inhouden, kun jij geruster ademhalen,' zei Cadfael schrander.

Hugh lachte. 'Zolang mijn vijanden ruzie maken, denken ze tenminste niet aan mij en mijn mensen. Zelfs als ze het bijleggen en ze hem terugwint, heeft de partij van de koning minstens enkele weken gewonnen. En zo niet – nou ja, het is beter dat ze elkaar verscheuren dan hun pijlen voor ons te bewaren.'

'Denk je dat hij zijn poot stijf zal houden?'

'Ze heeft hem even hooghartig behandeld als iedereen toen hij haar horigendiensten bewees. Nu hij haar min of meer heeft getart, zou hij wel eens heel goed kunnen bedenken dat ze het niet licht opneemt als ze wordt gedwarsboomd en dat een bisschop even gemakkelijk in de boeien kan worden geslagen als een koning, als ze hem eenmaal in handen heeft. Nee, ik vermoed dat zijne hoogwaardigheid zijn kasteel in Wolvesey bevoorraadt om een beleg te doorstaan, als het zover mocht komen, en haastig zijn manschappen oproept. Wie met de keizerin onderhandelt, kan dat beter vanachter een leger doen.'

'Dat van de koningin?' vroeg Cadfael scherpzinnig.

Hugh had zijn paard al bijna in de richting van de stad gekeerd, maar hij keek met een flitsende glinstering van zwarte ogen om over zijn blote, bruine schouder. 'Dat zullen we wel zien! Ik gok erop dat de eerste koerier die hij erop uitstuurt om hulp te halen naar koningin Matilda gaat...'

'Broeder Cadfael...' begon Oswin, monter naast hem voortsukkelend terwijl ze naar de rand van de stad liepen, waar het gasthuis en de kapel eenvoudig en grijs oprezen binnen de lange, gevlochten omheining.

'Jawel, zoon?'

'Zou zelfs de keizerin haar hand durven opheffen tegen de bisschop van Winchester, de gezant van de heilige vader?'

'Wie zal het zeggen? Maar er is niet veel dat ze niet durft.'

'Maar... Dat het tot een gevecht tussen hen zou kunnen komen...' Oswin blies zijn ronde jonge wangen op in een diepe zucht van verbazing en afkeuring. Het leek hem onvoorstelbaar. 'Broeder, jij bent in de wereld geweest en je hebt ervaring met oorlogen en veldslagen. En ik weet dat er bisschoppen en kerkelijke hoogwaardigheidsbekleders zijn geweest die net als jij ten strijde zijn getrokken voor het heilige graf. Maar mogen ze zich voor een minder belangrijke zaak omgorden?'

Of ze het mogen, dacht Cadfael, moeten ze tijdens het laatste oordeel zelf maar met hun rechter opnemen, maar dat ze het doen, het hebben gedaan en het zullen blijven doen, is buiten kijf. 'Omwille van de barmhartigheid,' zei hij voorzichtig, 'misschien beschouwt zijne hoogwaardigheid zijn eigen vrijheid, veiligheid en leven in dit geval als een uiterst belangrijke zaak. Er zijn er die geroepen zijn om het martelaarschap gedwee te ondergaan, maar zeker niet voor iets minder dan hun geloof. En een dode bisschop zou zijn Kerk van weinig nut zijn en een gezant die in de gevangenis wegkwijnt van weinig voordeel voor de heilige vader.'

Broeder Oswin deed er enkele ogenblikken verstandig het zwijgen toe om die pleitrede te verwerken. Klaarblijkelijk vond hij haar wat twijfelachtig of vermoedde hij dat hij het niet helemaal had begrepen. Toen vroeg hij onschuldig: 'Broeder, zou jíj de wapens weer opnemen? Nu je ze eenmaal hebt afgezworen? Voor welke zaak dan ook?'

'Zoon,' zei Cadfael, 'je hebt er een handje van vragen te stellen die niet te beantwoorden zijn. Hoe moet ik weten wat ik zou doen als de nood aan de man komt? Als broeder van onze orde zou ik me willen onthouden van geweld tegen wie ook. Maar dat neemt niet weg dat ik hoop dat ik me niet zou afwenden als ik zou zien dat onschuld of hulpeloosheid geweld zou worden aangedaan. Denk eraan dat zelfs een bisschop een staf draagt, evenzeer bedoeld om de kudde te beschermen als om haar te hoeden. Laat vorsten, keizerinnen en krijgers zich met hun eigen zaken bemoeien en wijd je met hart en ziel aan de jouwe, dan doe je goed genoeg.'

Ze naderden het gebaande pad dat over een grazige helling naar de openstaande poort in de gevlochten omheining leidde. De bescheiden toren van de kapel keek hen over het dak van het gasthuis aan. Broeder Oswin, wiens engelachtige gezicht straalde van zelfvertrouwen, rende geestdriftig de helling op, op weg naar een nieuwe uitdaging, ervan overtuigd dat hij haar aankon. Er was hier waarschijnlijk niet één sloot waar hij niet in zou lopen, maar ze zouden hem niet lang ophouden of zijn onblusbare ijver doven.

'Denk aan alles wat ik je heb geleerd,' zei Cadfael. 'Gehoorzaam broeder Simon. Je zult enige tijd onder hem werken, zoals hij onder broeder Mark heeft gewerkt. De overste is een leek uit de Voorstraat, maar die zul je tussen zijn onregelmatige bezoeken en bezichtigingen zelden zien. Het is een goede ziel, die naar raad wil luisteren. En ik kom af en toe aanlopen, voor het geval je me ooit nodig mocht hebben. Kom, dan maak ik je wegwijs.'

Broeder Simon was een inschikkelijke, gezette man van in de veertig. Hij kwam hen tot aan het portaal tegemoet met een slungelige jongen van een jaar of twaalf aan de hand. Er lag een wit vlies over de blinde ogen van het kind, maar verder was het gezond en welgeschapen. Lang niet de droevigste aanblik die je hier kon aantreffen, waar de lijders aan besmettelijke en andere ziekten zowel een toevluchtsoord als een gevangenis voor hun aandoening vonden, aangezien het hun niet toegestaan was zich in de straten van de stad te begeven, te midden van de gezonden. In de kleine boomgaard achter het gasthuis koesterden kreupele, oude, pokdalige mannen zich in de zon en in de schuur vlochten weggekwijnde vrouwen banden voor de stuiken, de bijeengebonden korenschoven. Wie enigszins kon werken, was blij dat te kunnen doen voor de kost; wie dat niet kon, zat te luieren in de zon, tenzij hij een huidaandoening had die door de warmte alleen maar erger werd. Deze laatsten bleven in de schaduw van de vruchtbomen en de meest koortsigen in de koelte van de kapel.

'Op dit ogenblik,' zei broeder Simon, 'hebben we er achttien, wat niet veel is voor zo'n warme tijd. Drie van hen zijn gezond van lijf en leden en herstellend van hun ziekte, die niet besmettelijk was, en die zullen over enkele dagen vertrekken. Maar er komen anderen, jongeman, er komen altijd weer anderen. Ze komen en gaan. Sommigen over de wegen, sommigen uit dit aardse tranendal, hopelijk zonder er nadeel van te hebben dat ze op deze plek door die deur zijn gegaan.'

Hij had een enigszins prekerige manier van praten, waar Cadfael inwendig om moest glimlachen terwijl hij zich Marks bevallige eenvoud herinnerde. Maar Simon was een goede, hardwerkende, meelevende man en heel bekwaam met die grote handen van hem. Oswin zou zijn plechtige sermoenen eerbiedig en verbaasd in zich opnemen en verfrist en zonder iets te vragen aan het werk gaan.

'Ik leid de jongen zelf rond, als ik mag,' zei Cadfael terwijl hij de zware ransel aan zijn gordel naar voren trok. 'Ik heb alle geneesmiddelen meegebracht waar je om hebt gevraagd en nog een paar waarvan ik dacht dat je ze zou kunnen gebruiken. We vinden je wel weer als we klaar zijn.'

'En het nieuws van broeder Mark?' vroeg Simon.

'Mark is al diaken. Ik hoef mijn meest gevreesde biecht nog maar een paar jaar te bewaren; daarna kan ik desnoods in vrede vertrekken.'

'Zijn dat Marks woorden?' vroeg Simon, onvermoede diepten onthullend en glimlachend om ze te bedekken. Het gebeurde niet vaak dat hij zo op goed geluk iets zei.

'Nou,' zei Cadfael uiterst bedachtzaam, 'ik heb Marks woorden altijd goed genoeg gevonden. Je kunt heel goed gelijk hebben.' En hij wendde zich tot Oswin, die het gesprek met een plichtsgetrouw aandachtig gezicht en een verbijsterde glimlach had gevolgd, in een oprechte poging iets te begrijpen dat hem ontglipte als disteldons. 'Kom jongen, laten we dit ding uitladen en ons eerst van het gewicht ontdoen; daarna laat ik je alles zien wat er in Saint Giles gebeurt.'

Ze liepen door de ruimte die werd gebruikt als eet- en slaapzaal, behalve door degenen die te ziek waren om te midden van hun gezondere medemensen te verkeren. Er stond een grote kast met een slot waarvan Cadfael een eigen sleutel had. De schappen stonden vol kruiken, flessen, houten doosjes met zalf, smeersels, stroop, wondwater, alle voortbrengselen van Cadfaels werkplaats. Ze laadden hun ransels uit en vulden de lege plekken op de schappen. Oswin groeide door de belangrijkheid van dit geheim waarin hij werd ingewijd en dat hij nu in ernst ging uitoefenen.

Achter het gasthuis lagen een kleine moestuin, een boomgaard en voorraadschuren. Cadfael leidde zijn leerling overal rond en tegen het eind van hun ronde werden ze achternagelopen door drie nieuwsgierige bewoners: de oude man die voor de kool zorgde en zijn voortbrengselen trots liet zien; een lamme jongen die behendig op twee krukken rondhobbelde en het blinde kind dat broeder Simon in de steek had gelaten en zich, Cadfaels vertrouwde stem herkennend, vastklampte aan diens riem.

'Dit is Warin,' zei Cadfael en hij pakte de jongen bij de hand terwijl ze terugkeerden naar broeder Simons kleine schrijftafel in het portaal. 'Hij zingt heel mooi in de kapel en kent de mis van buiten. Maar je zult ze al gauw allemaal bij naam kennen.'

Broeder Simon liet zijn rekeningen in de steek toen hij hen zag terugkomen. 'Heeft hij je alles laten zien? Het is geen groot huishouden, maar het doet geweldig werk. Je zult gauw aan ons gewend zijn.'

Oswin bloosde stralend en zei dat hij zijn best zou doen. Waarschijnlijk wachtte hij vol ongeduld tot zijn leermeester vertrok, zodat hij zijn nieuwe taak kon gaan uitoefenen zonder het onbehaaglijke gevoel van een leerling die zijn beste beentje voorzet voor zijn meester. Cadfael gaf hem een vrolijke mep op zijn schouder, gebood hem braaf te zijn op de toon van iemand die dienaangaande geen enkele twijfel koestert en liep in de richting van de poort. Ze hadden de schemering van het portaal verwisseld voor het felle zonlicht.

'Heb je geen nieuws uit het zuiden?' De bewoners van Saint Giles, aan de uiterste rand van de stad, waren gewoonlijk de eersten die nieuws hoorden.

'Niets bijzonders, maar je vraagt je onwillekeurig af... Drie dagen geleden kwam er een bedelaar aan, recht van lijf en leden, maar al wat ouder. Hij is maar één nacht gebleven. Hij kwam uit de Staceys, bij Andover. Een beetje rare kerel, misschien een tikkeltje geschift, wie zal het zeggen? Hij schijnt opwellingen te krijgen die hem dwingen te verkassen en als die opborrelen, móet hij weg. Hij zei dat hij in zijn hoofd had gehoord dat hij maar beter naar het noorden kon gaan zolang het nog kon.'

'Iedereen in die omgeving die niets bezit dat hem tegenhoudt, zou op dit ogenblik die aandrang kunnen krijgen,' zei Cadfael bedroefd, 'ook als hij wél goed bij zijn verstand is. Sterker nog: misschien was het zijn verstand dat hem aanraadde verder te trekken.'

'Best mogelijk. Maar deze kerel zei – als hij het niet heeft gedroomd – dat hij op de dag dat hij vertrok op een heuveltop omkeek en rookwolken boven Winchester zag en die nacht hing er een rosse gloed boven de stad, die flakkerde alsof er nog brand was.'

'Dat kon best eens waar zijn,' zei Cadfael terwijl hij peinzend op zijn lip beet. 'Het zou me niets verbazen. Het laatste betrouwbare nieuws dat we hoorden, was dat de keizerin en de bisschop elkaar voorzichtig op een afstand hielden en hun houding probeerden te bepalen. Een beetje geduld... Maar dat schijnt ze nooit veel te hebben gehad. Ik vraag me af of ze hem heeft belegerd. Hoe lang zou die man van je onderweg zijn geweest?'

'Ik vermoed dat hij zoveel mogelijk haast heeft gemaakt,' zei Simon, 'maar zeker vier dagen. Dat betekent dat het een week geleden zou zijn en we hebben nog geen enkele bevestiging.'

'Die komt wel, als het klopt,' zei Cadfael grimmig, 'die komt wel. Van alle verslagen die over de wereld vliegen, is slecht nieuws het meest doelbewust.'

Hij piekerde nog over deze onheilspellende schaduw toen hij over de Voorstraat terugkeerde. Hij was zo in gedachten verzonken, dat hij de bekenden die hij onderweg tegenkwam soms pas op het laatste ogenblik en dan nog verstrooid begroette. Het liep tegen de sexten, het was druk op de stoffige weg en er waren maar weinig leden van de parochie van het Heilige Kruis die hij niet kende buiten de stadsmuren. Hij had in de loop van zijn kloosterjaren velen van hen of hun kinderen behandeld en soms zelfs hun beesten. Immers, wie zich verdiept in de ziekten van de mens, doet onontkoombaar hier en daar enige kennis op van de ziekten van zijn dieren, die even erg kunnen lijden als hun meesters, maar die minder mogelijkheden hebben om te klagen en die ook veel minder tot klagen zijn geneigd. Cadfael had vaak gewenst dat de mensen hun beesten beter zouden behandelen en had geprobeerd hun te laten zien dat het goed rentmeesterschap zou zijn. De krijgspaarden hadden deel uitgemaakt van die merkwaardige, geleidelijke geestelijke ontwikkeling die erin was uitgemond dat hij het krijgsmansvak had geruild voor het kloosterleven.

Niet dat alle abten en priors hun muilezels en kuddedieren wél goed behandelden. Maar de besten en verstandigsten onder hen beseften tenminste dat het wijs beleid was en bovendien goed christelijk.

Maar wat kon er in Winchester aan de hand zijn waardoor de hemel overdag zwart betrok en 's nachts rood? Net als de zuilen van wolken en vuur die de tocht door de woestijn van de uitverkorenen hadden aangeduid, hadden deze tekenen de vlucht van die bedelaar voor het gevaar begeleid. Hij zag geen reden om aan diens woorden te twijfelen. Hetzelfde voorgevoel moest de afgelopen weken door veel verhevener gedachten hebben gespeeld terwijl de hete, droge zomer, die volle neef van het vuur, met een fakkel in de aanslag wachtte. Maar wat moest ze dwaas zijn, die vrouw, dat ze probeerde de bisschop in zijn eigen kasteel in zijn eigen stad te belegeren, terwijl de koningin, in alle opzichten haar evenknie, niet ver weg aan het hoofd stond van een sterk leger en de Londenaren onverzoenlijk vijandig bleven. En hoe fel moest de bisschop nu tegen haar gekant zijn, dat hij alles in de waagschaal stelde om haar te tarten. En die beide hooggeplaatste personen zouden alle twee goed worden beschermd en het er levend afbrengen. Maar hoe stond het met de minder hooggeplaatste stervelingen die ze in gevaar brachten? Arme, eenvoudige kooplui, ambachtslieden en werklui, die geen bolwerk hadden om hen te beschermen?

Hij was al mijmerend overgestapt van het verzorgen van paarden en vee op de wederwaardigheden van de mens en schrok op toen hij achter zich, op een ogenblik dat het verkeer in de Voorstraat even minder druk was, het scherpe, driftige geluid hoorde van muilezelhoeven, die hem in gestage draf inhaalden. Op de hoek van de paardenmarkt bleef hij staan en keek om. Hij hoefde niet ver te kijken, want ze waren vlak bij.

Het waren er twee: één mooi, hoog, bijna volmaakt wit dier, passend voor een abt, en een kleiner, lichter, vaalbruin beest dat plechtig enkele passen achter het eerste liep. Maar wat Cadfael reden gaf om te blijven staan, zich helemaal naar hen om te draaien en verbaasd te wachten tot ze langskwamen, was dat beide ruiters het zwarte habijt van de benedictijnen droegen. Het waren broeders, van elkaar en van hem. Klaarblijkelijk hadden ze zijn eigen zwarte pij opgemerkt en hadden ze zich gehaast om hem in te halen, want zodra hij bleef staan en hen herkende als soortgenoten, lieten ze hun dieren overgaan in stap en kwamen op hun gemak langs hem rijden.

'God zij met jullie, broeders,' zei Cadfael terwijl hij hen belangstellend aankeek. 'Zijn jullie onderweg naar ons huis hier in Shrewsbury?'

'En God zij met jou, broeder,' zei de voorste ruiter met een welluidende stem, waarin echter een enigszins schorre, krakende bijklank hoorbaar was, alsof zijn borstkas een knarsende weergalm veroorzaakte. Cadfael spitste zijn oren bij het geluid. Hij had de ademhaling van heel wat oude mannen die lange tijd blootgesteld waren geweest aan een zwaar buitenleven op dezelfde manier horen kraken en weerklinken, maar deze man was niet oud. 'Jij behoort tot dit huis van de heilige Petrus en Paulus? Ja, daar zijn we naar onderweg, met brieven voor de heer abt. Ik neem aan dat dit hier naast ons de abdijmuur is? Dan is het niet ver meer.'

'Heel dichtbij,' zei Cadfael. 'Ik loop met jullie mee, want ik ben ook op weg naar huis. Komen jullie van ver?'

Hij keek in een ingevallen, bleek, maar ook fijnbesneden en gebiedend gezicht met donkere, rustige, dieppliggende ogen. De kap was achterovergeslagen over de schouders van de vreemdeling en het lange, magere hoofd droeg de krans van sluik, zwart haar als een kroon. Een lange man, taai maar uitgemergeld. Hij had een lichter wordende bruinverbrande huid, opgelopen in warmere landen dan Engeland. Het was een in meer dan één jaar verworven bronskleur, nu echter enigszins vaal en grauw en hoewel hij in het zadel zat alsof hij erin was geboren, hadden zijn gebaren iets kwijnends en zijn gezicht iets stil vermoeids, een vreedzame berusting die beter bij een oude man zou hebben gepast. Deze man was ergens midden in de veertig, zeker niet veel ouder.

'Ver genoeg,' zei hij met een zwakke, sombere glimlach, 'maar vandaag van niet verder dan Brigge.'

'En reizen jullie verder of blijven jullie een tijdje bij ons? Jullie zijn van harte welkom, jij en de jonge broeder.'

De jongere ruiter hield zich zwijgend op de achtergrond, zoals een knecht zou hebben gedaan die plichtsgetrouw op zijn meester wachtte. Hij was stellig nauwelijks twintig, lenig en lang, al zou zijn metgezel een kop groter zijn als ze naast elkaar stonden. Hij had het ovale, gladde, jongensachtige gezicht dat bij zijn leeftijd hoorde, maar ondanks alle zachtheid gevormd en sterk. Hij had zijn kap voor zijn gezicht getrokken, misschien tegen de felle zon. Grote, beschaduwde ogen staarden onder de kap uit en richtten zich strak op de oudere man. De ene blik die ze op Cadfael wierpen, werd snel weer afgewend.

'We zouden enige tijd willen blijven, als de heer abt ons onderdak wil geven,' zei de oudere man, 'want we hebben het ene dak verloren en moeten om toelating onder een ander bedelen.'

Ze hadden zich op hun gemak in beweging gezet. Het stof van de Voorstraat was fijn als poeder onder de hoeven van de muildieren. De jongeman volgde hen gedwee en liet hen voorgaan. De oudere man beantwoordde de beleefde begroetingen die hen onderweg, waar Cadfael goed bekend was, werden toegevoegd kalm en hoffelijk. De jongere zei geen woord.

Het poorthuis en de kerk doemden links van hen op; de stenen van de hoge muur naast hen weerkaatsten de hitte. De ruiter liet de teugels los op de nek van zijn muilezel liggen, vouwde zijn slanke, bruine, dooraderde handen en slaakte een diepe zucht. Cadfael zei niets.

'Neem me niet kwalijk als ik je vragen bijna onbehouwen beantwoord, broeder; het is niet zo bedoeld. Als je dagelijks in gezelschap van de stilte hebt verkeerd, valt praten je soms moeilijk. En na een slachtpartij en verwoestende branden is je keel te droog om veel woorden te kunnen uitbrengen. Je vroeg of we van ver kwamen. We zijn al enkele dagen onderweg, want ik kan de laatste tijd niet snel meer rijden. We zijn als bedelaars uit het zuiden gekomen...'

'Uit Winchester!' zei Cadfael stellig terwijl hij zich het voorgevoel, de wolk en de brand herinnerde.

'Uit wat er van Winchester is overgebleven.' De oude maar sterke handen verroerden zich niet en lieten het aan Cadfael over de muilezel om de westkant van de kerk heen en onder de boog van de poort door te leiden. Het was geen verdriet of hartstocht wat de man het spreken bemoeilijkte; hij had ongetwijfeld ergere dingen gezien dan waaraan hij nu terugdacht. Zijn stembanden kraakten door het weinige gebruik en zijn stem sleepte door de schorre weerklank. Het moest vroeger een mooie stem zijn geweest, voordat het fluweel begon te rafelen. 'Is het mogelijk,' zei hij verbaasd, 'dat we de eersten zijn? Ik had gedacht dat het nieuws al bijna een week geleden tot het noorden zou zijn doorgedrongen. Maar inderdaad, dan hadden we niet zo gemakkelijk kunnen vluchten. Moeten wij het nieuws dan brengen? De groten der aarde zijn over ons heen gevallen. Wie ben ik dat ik zou klagen; ik heb elders mijn aandeel gehad in soortgelijke dingen. De keizerin heeft beleg geslagen om het kasteel van de bisschop in Wolvesey, in de stad, en de bisschop liet een regen van vuurpijlen neerdalen over de daken in plaats van over zijn vijanden. De stad is verwoest. Een nonnenklooster is volkomen platgebrand, kerken zijn met de grond gelijk gemaakt en mijn priorij van Hyde Mead, die de bisschop zo graag in handen wilde krijgen, is voorgoed verdwenen, in vlammen opgegaan. Wij tweeën zijn dakloos en vragen onderdak. De broeders zijn verspreid over alle benedictijnse huizen van het land, overal waar ze verwanten of vrienden hebben. Niemand zal ooit meer naar huis in Hyde gaan.'

Het was dus waar. De vinger van God had één arme donder de weg gewezen uit de val en hem op een heuveltop laten omkijken naar het rood en het zwart van vuur en rook die een stad verslonden. Bisschop Henry's eigen stad, eigenhandig door hem in brand gestoken.

'God brengt alles in orde,' zei Cadfael.

'Ongetwijfeld.' De stem met zijn honingzoete warmte en schorre weerklank galmde onder de boog van het poorthuis. Broeder poortwachter kwam met een verwelkomende glimlach naar buiten en een stalknecht rende bij het zien van de bezoekende broeders op de muildieren af. De binnenplaats opende zich voor hun ogen in het vredige zonlicht. Drukbezette mensen, broeders, lekebroeders, beheerders, allemaal bezig met hun dagelijkse, vertrouwde werk, liepen af en aan. De jonge oblaten en de schooljongens hadden even vrij en gooiden met een bal. Hun schrille stemmen klonken vrolijk en doordringend in het rustige halve uur voor de middag. Het leven hier maakte zich hoorbaar, voelbaar en zichtbaar, even regelmatig als de jaargetijden.

Binnen de poort bleven ze staan. Cadfael hield de stijgbeugel voor de vreemdeling vast, hoewel het niet nodig was, want hij steeg even natuurlijk af als een vogel die neerstrijkt en zijn vleugels vouwt, zij het langzaam, met lome bevalligheid. Toen hij stond, bleek zijn lichaam lang en sierlijk, maar verzwakt, meer dan zes voet lang en even recht als het lenig was. De jongere man was in een oogwenk uit het zadel gesprongen en drentelde teleurgesteld in het rond, afgunstig op Cadfaels helpende hand. Maar hij gaf nog steeds geen kik, niet van dankbaarheid noch van onvrede.

'Ik zal jullie aankondigen bij abt Radulfus,' zei Cadfael, 'als jullie het goed vinden. Wat kan ik tegen hem zeggen?'

'Zeg dat broeder Humilis en broeder Fidelis van de voormalige, nu verwoeste priorij van Hyde Mead, gehoor vragen en zijn welwillende bescherming, in alle onderdanigheid en in de naam van de benedictijnse regel.'

Deze man had vroeger ongetwijfeld weinig ervaring opgedaan met nederigheid of onderdanigheid, hoewel hij ze nu van ganser harte had aanvaard.

'Dat zal ik zeggen,' zei Cadfael en hij draaide zich even om naar de jonge broeder, in de verwachting dat die dit zou beamen. Het hoofd onder de kap boog bescheiden, het ovale gezicht werd verborgen in de schaduw, maar nog steeds geen geluid.

'Neem het mijn jonge vriend niet kwalijk,' zei broeder Humilis, kaarsrecht naast de melkblanke kop van zijn muilezel, 'dat hij geen woord van begroeting zegt. Broeder Fidelis is stom.'

2

'Laat onze broeders binnenkomen,' zei abt Radulfus terwijl hij verbaasd en bezorgd opstond van zijn schrijftafel nadat Cadfael hem hun aankomst had gemeld en hun verhaal in grote lijnen had verteld. Hij schoof perkament en pen opzij en ging rechtop staan, donker en lang tegen het schitterende zonlicht dat door het raam van de spreekkamer viel. 'Dat het zover heeft kunnen komen! Stad en kerk beide verwoest. Vanzelfsprekend zijn ze hier welkom, hun hele leven als het moet. Breng ze hierheen, Cadfael. En blijf erbij. Je kunt hen na afloop rondleiden en naar prior Robert brengen. We moeten een goede plaats voor hen zoeken in de slaapzaal.'

Voldaan dat hij niet werd weggestuurd, voerde Cadfael zijn opdracht uit en leidde de nieuwkomers over de binnenplaats naar de hoek waar het huis van de abt beschut lag in de kleine tuin. Hij was benieuwd wat de reizigers over de toestand in het zuiden konden zeggen en dat zou ook gelden voor Hugh wanneer die van hun aankomst op de hoogte werd gesteld. Want ditmaal was het nieuws ongewoon lang onderweg geweest en het was mogelijk dat de ontwikkelingen ginds in Winchester veel sneller waren gegaan sinds de ongelukkige broeders van Hyde zich hadden verspreid om elders onderdak te zoeken.

'Vader abt, hier zijn broeder Humilis en broeder Fidelis.'

Het leek donker in de kleine, met hout betimmerde spreekkamer na het felle zonlicht buiten en de twee lange, gebiedende mannen keken elkaar onderzoekend aan in de warme, schemerige stilte. Radulfus had persoonlijk een kruk voor de nieuwkomers bijgeschoven en nodigde hen met een gebaar van zijn slanke hand uit plaats te nemen. Maar de jongeman trok zich eerbiedig terug in de diepere schaduw en bleef staan. Hij kon nooit de woordvoerder zijn; dat kon heel goed de reden zijn voor zijn zelfverloochening. Maar Radulfus, die nog niet op de hoogte was van het gebrek van de jongeman, had ongetwijfeld gezien wat deze deed en nam het zonder goed- of afkeuring in zich op.

'Broeders, jullie zijn hartelijk welkom in ons huis. We zullen alles voor jullie doen wat in ons vermogen ligt. Ik hoor dat jullie een lange rit achter de rug hebben. Het is een droevig verlies dat jullie heeft verdreven. Ik treur om onze broeders in Hyde. Maar we hopen jullie hier althans gemoedsrust en een veilig onderkomen te kunnen bieden. Wij hebben geluk gehad gedurende die beklagenswaardige oorlogen. Jij, de oudste van de twee, bent broeder Humilis?'

'Jawel, vader. Ik heb een brief voor u van onze prior, waarin hij ons in uw goedheid aanbeveelt.' Hij had de brief achter het borststuk van zijn pij gestopt. Hij haalde hem nu te voorschijn en legde hem op de schrijftafel van de abt. 'U weet ongetwijfeld, vader, dat de abdij van Hyde al twee jaar een abdij zonder abt is. Het is algemeen bekend dat bisschop Henry voornemens was het zelf in handen te nemen als bisschopsklooster. De broeders waren daar fel tegen gekant en het niet benoemen van een abt kan heel goed een poging zijn geweest om ons te verzwakken en onze stem te smoren. Nu is dat van geen belang meer, want het huis van Hyde bestaat niet meer, is met de grond gelijk gemaakt en zwartgeblakerd.'

'Is het zo volledig verwoest?' vroeg Radulfus terwijl hij zijn wenkbrauwen fronste boven zijn gevouwen handen.

'Volledig. Het is mogelijk dat er te zijner tijd een nieuw huis wordt gebouwd, wie zal het zeggen? Maar van het oude is niets meer over.'

'Vertel me alles wat je weet,' zei Radulfus ernstig. 'We wonen hier ver van die gebeurtenissen verwijderd, bijna in vrede. Hoe is het tot zo'n slachting kunnen komen?'

Broeder Humilis – wat kon zijn trotse naam zijn geweest voordat hij zo weloverwogen nederigheid voor zichzelf opeiste? – vouwde zijn handen in de schoot van zijn habijt en richtte zijn diepliggende, donkere ogen op het gezicht van de abt. De linkerkant van zijn kruinschering vertoonde een bleek, onregelmatig, lang geleden genezen litteken, zag Cadfael, en hij herkende de sikkelvorm van een afgeschampte zwaardslag door een rechtshandige zwaardvechter. Het verbaasde hem niet. Geen recht westers zwaard, maar een Seldjoeks kromzwaard. Dus daar had hij die bronskleur opgedaan die nu verbleekt en muisgrauw was geworden.

'Eind juli, welke dag het was weet ik niet meer, trok de keizerin Winchester binnen en nam haar intrek in het koninklijke kasteel bij de westpoort. Ze stuurde iemand naar bisschop Henry om hem te ontbieden. Ze zeggen dat hij liet weten dat hij zou komen, maar enig uitstel vroeg. De reden daarvoor heb ik nooit vernomen. Hij talmde te lang, maar te oordelen naar wat erop volgde, heeft hij goed gebruik gemaakt van de paar dagen uitstel die hij had gekregen. Want tegen de tijd dat de keizerin haar geduld verloor en met haar troepen tegen hem optrok, zat hij veilig en wel in zijn nieuwe kasteel Wolvesey, in de zuidoostelijke hoek van de stad, tegen de muur. En de koningin, zo werd althans in de stad beweerd, verplaatste haastig haar Vlamingen om hem te hulp te komen. Hoe het ook zij, hij had een sterk garnizoen daarbinnen en volop voorraden. Ik vraag God en u vergeving, vader,' zei broeder Humilis zachtmoedig, 'dat ik zoveel moeite heb gedaan om die oorlogsverslagen te volgen, maar ik ben met wapens opgevoed en dat vergeet je nooit helemaal.'

'God verhoede,' zei Radulfus, 'dat een mens zich genoodzaakt zou voelen iets te vergeten dat hij in goed vertrouwen en trouwe dienst heeft gedaan. Onder de wapenen of in het klooster, allemaal zijn we dit land en dit volk iets verschuldigd. Aan doen alsof je blind bent hebben ze geen van beide iets. Ga door. Wie sloeg het eerst toe?'

Slechts een paar weken tevoren waren ze bondgenoten geweest!

'De keizerin. Ze omsingelde Wolvesey zodra ze besefte dat hij zichzelf had verschanst. Ze zetten alles wat ze hadden in tegen het kasteel, zelfs alle oorlogswerktuigen waar ze de hand op konden leggen. En ze braken alle gebouwen, winkels en huizen af, alles wat te dichtbij lag, om een vrij schootsveld te hebben. Maar de bisschop had een sterk garnizoen en zijn muren zijn nieuw. Hij is, naar ik heb gehoord, nog maar tien jaar geleden of zo begonnen met bouwen. Het waren zíjn mannen die als eersten vuurpijlen gebruikten. Een groot deel van de stad binnen de muur is verbrand: kerken, een nonnenklooster, winkels – het zou misschien niet zo verschrikkelijk zijn geweest als het geen hoogzomer was geweest en zo droog.'

'En Hyde Mead?'

'We weten niet van welke kant de pijlen kwamen die ons in brand staken. De strijd had zich inmiddels verplaatst tot buiten de stads-muren en er werd zoals altijd geplunderd,' zei broeder Humilis. 'We bestreden het vuur zolang we konden, maar er was niemand om ons te helpen en het brandde te fel; we konden het niet bedwin-gen. Onze prior gaf ons opdracht ons terug te trekken naar het plat-teland en dat deden we, zij het enigszins in aantal verminderd,' zei hij. 'Er waren doden gevallen.'

Er vielen altíjd doden, meestal onschuldigen en hulpelozen. Ra-dulfus staarde met diep gefronste wenkbrauwen naar de kelk van zijn gevouwen handen en dacht na.

'De prior leefde nog en kon een brief schrijven. Waar is hij nu?'

'Veilig in een havezaat van een verwant, enkele mijlen van de stad. Hij gaf het bevel tot de terugtocht en verspreidde de broeders naar waar ze het beste onderdak zouden vinden. Ik vroeg of ik hier in Shrewsbury onderdak mocht vragen, samen met broeder Fidelis. En hier zijn we dan, in uw handen.'

'Waarom?' vroeg de abt. 'Vanzelfsprekend zijn jullie welkom; ik vraag alleen maar: waarom hier?'

'Vader, ik ben een mijl of twee stroomopwaarts geboren, op een havezaat die Salton wordt genoemd. Ik verlangde ernaar die plek terug te zien of er minstens in de buurt te zijn voordat ik sterf.' Hij glimlachte en zag de doordringende blik onder de gefronste wenk-brauwen. 'Het was mijn vaders enige bezit in dit graafschap. Ik ben er toevallig geboren. Een man die uit zijn laatste huis is verjaagd, keert graag terug naar zijn eerste.'

'Zoals je zegt. Wij zullen je een thuis bieden, voor zover dat in ons vermogen ligt. En je jonge broeder?' Fidelis sloeg zijn kap terug, boog eerbiedig zijn hoofd en maakte een gebaar van onderwer-ping, maar geen enkel geluid.

'Vader, hij kan niet voor zichzelf spreken. Ik dank u namens ons beiden. Ik ben niet in opperbeste gezondheid geweest in Hyde en broeder Fidelis is uit pure vriendelijkheid mijn trouwe vriend en verzorger geworden. Hij heeft geen verwanten naar wie hij toe kan gaan; hij blijft liever bij mij om me zoals altijd te verzorgen. Als u het goed vindt.' Hij wachtte op het goedkeurende knikken en glim-lachen voordat hij eraan toevoegde: 'Broeder Fidelis zal God hier dienen met alle vermogens waarover hij beschikt. Ik ken hem, ik sta borg voor hem. Maar één vermogen, dat van de spraak, kan hij niet benutten. Broeder Fidelis is stom.'

'Hij is niet minder welkom,' zei Radulfus, 'want zijn gebeden moet hij stilzwijgend zeggen. Zijn zwijgen is wellicht welsprekender dan onze woorden.' Als hij verrast was, herstelde hij zich zo snel dat het niet te merken was. Het gebeurde niet vaak dat abt Radulfus in verwarring was gebracht. 'Jullie zullen wel vermoeid zijn na deze reis,' zei hij, 'en nog steeds enigszins in de war tot jullie weer een bed, een eigen plaats en werk om handen hebben. Ga met broeder Cadfael mee; hij zal jullie naar prior Robert brengen en jullie alles binnen de muren laten zien: slaapzaal en eetzaal, tuinen en kruidentuin, waar hij de baas is. Hij zal jullie verfrissing en rust aanbieden, jullie eerste behoeften. En tijdens de vespers komen jullie in aanbidding met ons samen.'

Het nieuws van de nieuwkomers uit het zuiden bracht Hugh Beringar spoorslags vanuit de stad om te beraadslagen, eerst met de abt en daarna met broeder Humilis, die bereidwillig herhaalde wat hij al eerder had verteld. Toen hij alles had gehoord wat er te horen viel, ging Hugh Cadfael zoeken in de kruidentuin, waar hij aan het sproeien was. Het was nog een uur voor de vespers, het tijdstip van de dag waarop alle noodzakelijke werk was verricht en zelfs een tuinman een tijdje ontspannen in de schaduw kon gaan zitten. Cadfael zette zijn gieter weg, liet de open, door de zon beschenen bedden wachten tot de avondkoelte en ging naast zijn vriend op de bank tegen de hoge zuidmuur zitten.

'Nou, je kunt in elk geval even ademhalen,' zei hij. 'Ze vliegen elkaar naar de strot en laten de jouwe met rust. Maar jammer dat poorters, kloosterlingen en arme nonnen het moeten bezuren. Maar zo gaat het nu eenmaal in deze wereld. En de koningin en haar Vlamingen moeten inmiddels in de stad zijn of heel dichtbij. Wat gaat er nu gebeuren? Heel goed mogelijk dat de belegeraars nu zelf worden belegerd.'

'Het zou niet de eerste keer zijn,' beaamde Hugh. 'En de bisschop was tijdig gewaarschuwd dat hij een welvoorziene voorraadkast nodig zou kunnen hebben; zij daarentegen heeft haar bevoorrading misschien verwaarloosd. Als ik de opperbevelhebber van de koningin was, zou ik eerst op mijn gemak alle wegen naar Winchester versperren en ervoor zorgen dat er geen voedsel kan worden binnengebracht. Nou ja, we zullen wel zien. En ik hoor dat jij de eerste bent geweest die die twee broeders uit Hyde heeft gesproken.'

'Ze haalden me in in de Voorstraat. Wat denk jij van hen, nu je zo uitvoerig met hen hebt gepraat?'

'Wat zou ik van hen moeten denken, zo op het eerste gezicht? Een zieke en een stomme. Belangrijker is, wat júllie van hen denken.'

Hugh wierp een scherpe blik op het gezicht van zijn oude vriend, nietszeggend, slaperig en teruggetrokken in de late middaghitte, maar voor Hugh nooit helemaal gesloten. 'De oudste is duidelijk een edelman. Bovendien is hij ziek. Ik gok op een verleden als soldaat, want ik geloof dat hij oude wonden heeft. Heb je gemerkt dat hij een beetje scheef loopt, met zijn linkerzij naar voren? Iets dat nooit helemaal genezen is. En de jongste… ik kan heel goed begrijpen dat hij in de ban van zo iemand is geraakt en hem aanbidt. Een geluk voor hen alle twee. Híj heeft een machtige beschermer en zijn heer een toegewijde verpleger. Nou?' zei Hugh, met een zelfverzekerde glimlach Cadfaels oordeel afwachtend.

'Heb je nog niet geraden wie onze nieuwe oude broeder is? Misschien hebben ze je niet alles verteld,' gaf Cadfael toe, 'want het kwam er bijna per ongeluk uit. Een verleden als soldaat, ja, dat heeft hij toegegeven, al had je het met niet minder zekerheid kunnen raden. Hij is ouder dan vijfenveertig, schat ik, en heeft zichtbare littekens. Hij heeft ook verteld dat hij hier op Salton is geboren, indertijd een van zijn vaders havezaten. En hij heeft een litteken op zijn hoofd dat na zijn kruinschering zichtbaar is geworden, een litteken dat enkele jaren geleden is veroorzaakt door een Seldjoeks kromzwaard. Een onschuldige, snel genezen schram, maar wél een die een litteken heeft achtergelaten. Salton was vroeger bezit van de bisschop van Chester en is geschonken aan de kerk van Sint Chad, hier binnen de muren. Die heeft het jaren geleden overgedragen aan een adellijk geslacht, het geslacht Marescot. Een plaatselijke rentmeester beheert het voor hen.' Hij opende een van zijn nuchtere bruine ogen onder een borstelige, herfstbruine wenkbrauw. 'Broeder Humilis is een Marescot. Ik ken maar één Marescot van die leeftijd die op kruistocht is geweest. Het moet een jaar of zestien, zeventien geleden zijn. Ik was toen nog maar pas monnik, een deel van me had nog heimwee en ik hield altijd één oog gericht op het lot van degenen die het kruis volgden. Even ruw en gretig als ikzelf ongetwijfeld, en voorbestemd voor eenzelfde bittere ontnuchtering, maar met zuivere bedoelingen. Er was een zekere Godfrid Marescot die zestig mensen meebracht van zijn eigen land. Hij verwierf aanzienlijke faam vanwege zijn dapperheid.'

'En je denkt dat hij dat is? Zo diep gevallen?'

'Waarom niet? De groten der aarde zijn even kwetsbaar voor verwondingen als de eenvoudigen. Te meer,' zei Cadfael, 'als ze in de voorhoede vechten in plaats van in de achterhoede. Ze zeggen dat hij nooit later dan de eerste kwam.'

Het kruisvaardersbloed stroomde nog steeds door Cadfaels aderen, hij kon niet anders dan er gehoor aan geven, hoezeer de waarheid ook was tekortgeschoten tegenover al zijn dromen, al zijn hoop, al die jaren geleden. Anderen, niet minder dan hij, hadden geloofd en vertrouwd en hadden zich niet minder huiverend afgewend van veel van wat in de naam van het geloof werd gedaan.

'Prior Robert is op dit ogenblik ongetwijfeld de geschiedenis van de heren van Salton aan het uitpluizen,' zei Cadfael, 'en hij zal deze man zeker vinden. Hij kent de stamboom van elke heer van een havezaat in dit graafschap en daarbuiten, tot dertig en meer jaren terug. Broeder Humilis zal het niet moeilijk krijgen; zijn aanwezigheid verleent ons luister; hij hoeft verder niets te doen.'

'Maar goed ook,' zei Hugh wrang, 'want ik denk dat er verder niet veel is dat hij kan doen, behalve hier doodgaan en begraven worden. Kom, jij hebt een beter oog voor dodelijke ziekten dan ik. Die man is op weg naar zijn einde. Zonder haast, maar onontkoombaar.'

'Net als jij en ik,' zei Cadfael scherp. 'En wat die haast betreft: het is niet aan jou of aan mij om de ons toegemeten tijd te bepalen. Het einde komt wanneer het komt. Tot dat ogenblik is elke dag belangrijk, de laatste niet minder dan de eerste.'

'Zo zij het,' zei Hugh en hij glimlachte onverholen. 'Maar hij komt naar je toe voordat er veel dagen zijn verstreken. En die jongeling van hem – die stomme knaap?'

'Van hem weet ik niets! Niets dan stilte en wegkruipen in de schaduw. Gun ons de tijd,' zei Cadfael, 'en we zullen hem beter leren kennen.'

Een man die alle bezit heeft afgezworen, kan vrijelijk van het ene onderdak naar het andere zwerven. Hij zal zich niet minder thuis voelen en in Shrewsbury even goed genoegen nemen met niets als in Hyde Mead. Een man die dezelfde kleren draagt als alle anderen onder dezelfde tucht, hoeft niet langer dan een dag op te vallen. Broeder Humilis en broeder Fidelis hervatten hier in het binnenland dezelfde regelmaat die ze in het zuiden hadden gevolgd en de getijden van de dag omsloten hen niet minder stevig en kalm. Maar prior Robert had zijn onderzoek naar de feodale landerijen en geslachten in het graafschap naar tevredenheid afgesloten en al gauw wist iedereen, bij monde van zijn slaafse volgeling broeder Jerome, dat de abdij een hoogst eerbiedwaardige zoon rijker was: een kruisvaarder wiens dapperheid buiten kijf stond, een die faam had verworven in de strijd tegen Zengi, de atabeg van Mosoel, de nieuwste bedreiging van het koninkrijk Jeruzalem. Prior Roberts persoonlijke eerzucht was geheel en al op het klooster gericht, maar dat nam niet weg dat hij niet één belangrijke gebeurtenis in de wereld daarbuiten miste. Vier jaar geleden had Jeruzalem op zijn grondvesten gewankeld door de nederlaag van de koning tegen diezelfde Zengi, maar het koninkrijk had standgehouden dank zij een bondgenootschap van de emir van Damascus. Tijdens die ongelukkige slag, zo liet Robert doorsijpelen, had Godfrid Marescot een heldhaftige rol gespeeld.

'Hij neemt deel aan alle getijden en werkt alle uren die voor werken bestemd zijn stug door,' zei broeder Edmund, de ziekenbroeder, terwijl hij de nieuwe broeder nakeek terwijl die in de stralende stilte en dralende warmte van de avond langzaam over de binnenplaats naar de kerk schuifelde voor de completen. 'En hij heeft jouw of mijn hulp niet ingeroepen. Maar ik zou willen dat hij wat meer kleur had en wat meer vlees op die lange botten. Die bronskleur is vaal geworden doordat er geen bloed meer achter stroomt...'

En daar liep zijn trouwe schaduw achter hem aan, jong, lenig, met sterke, soepele passen, zijn hand voortdurend enigszins uitgestoken om een elleboog te ondersteunen wanneer die mocht verslappen of een mager lichaam te omvatten wanneer het mocht struikelen of vallen.

'Daar gaat iemand die het allemaal weet,' zei Cadfael, 'maar niets kan zeggen. En al zou hij het kunnen, dan nog zou hij het niet doen zonder toestemming van zijn heer. Wat denk je; een zoon van een van zijn pachters? Iets van dien aard in elk geval. De jongen is van goede komaf en goed opgevoed. Hij kent bijna even goed Latijn als zijn meester.'

Als je erover nadacht leek het haast ongepast iemand die zichzelf Humilis noemde en die de wereld had verzaakt als iemands meester te beschouwen.

'Ik dacht eerder,' zei Edmund, aarzelend en eerbiedig, 'een natuurlijke zoon. Ik kan het mis hebben, maar die gedachte is in me opgekomen. Hij lijkt me een man die zijn nazaten zou liefhebben en beschermen en het is heel goed mogelijk dat die jongeman hem daarom, en om andere redenen, bemint en bewondert.'

Het was heel goed mogelijk. De rijzige man en de rijzige jongen, een zekere gelijkenis zelfs in het open gezicht – voor zover, dacht Cadfael, iemand het gezicht had gezien van de jonge broeder Fidelis, die zich zo stil en onopvallend door de abdij bewoog, geduldig de weg zoekend in deze vreemde omgeving. Doordat hij minder zelfvertrouwen en minder ervaring had en alle onrust van de jeugd, leed hij misschien meer onder de verandering dan zijn oudere metgezel. Hij klampte zich vast aan zijn leidstar en richtte al zijn bewegingen naar diens licht. Ze hadden een gezamenlijke nis in de schrijfkamer, want het was overduidelijk dat broeder Humilis zittend werk moest doen en hij had blijk gegeven van een fijnzinnige hand van afschrijven en kunstzinnigheid in het verluchten van boeken. En omdat hij, wanneer hij enige tijd had gewerkt, zijn ontlasting moeilijk kon ophouden en zijn hand bij het fijnere werk de neiging had te gaan beven, had abt Radulfus verordend dat broeder Fidelis bij hem zou blijven om hem te helpen wanneer hij zich moest verlichten. De ene hand evenaarde de andere alsof de ene de andere had onderwezen, hoewel het misschien alleen maar navolging en liefde was. Samen verrichtten ze traag maar bewonderenswaardig werk.

'Ik heb nooit beseft,' zei Edmund, hardop denkend, 'hoe veraf en vreemd iemand kan zijn die geen stem heeft en hoe moeilijk hij te bereiken is. Ik heb mezelf erop betrapt dat ik, over zijn hoofd heen, met broeder Humilis over hem praatte – alsof hij ook nog doof en dom is. Ik schaamde me tegenover hem. Maar hoe bereik je zo iemand? Ik heb er geen ervaring mee en ik tast volkomen in het duister.'

'Wie niet?' zei Cadfael.

Inderdaad, hij had het ook opgemerkt. De stilte, of beter gezegd de matigheid van spreken die de regel van de orde gebood, was iets heel anders dan de stilte die om broeder Fidelis hing. Wie hem iets duidelijk moest maken, had de neiging om, in een afspiegeling van zijn zwijgen, veel gebaren te gebruiken en weinig of geen woorden. Inderdaad alsof hij ook nog doof en dom was. Maar het was overduidelijk dat hij geen van beide was. Hij had een snel en scherp verstand en een scherp gehoor, waarmee hij de zwakste geluiden opving. En ook dat was vreemd. Stommen waren vaak stom doordat ze nooit geluiden hadden gehoord en er daarom ook geen maakten. En deze jongeman had leren lezen en schrijven en kende een beetje Latijn, wat een meer dan gemiddeld scherp verstand deed vermoeden. Tenzij, dacht Cadfael weifelend, zijn stomheid iets was van de laatste jaren, veroorzaakt door een verlamming van de spieren van tong of keel. Of zelfs wanneer hij ermee was geboren, kon het zijn veroorzaakt door enkele te strak gespannen pezen onder zijn tong, die door oefening konden worden ontspannen of met een mes konden worden losgemaakt.

'Je bent een bemoeial,' hield Cadfael zichzelf boos voor terwijl hij zijn gissingen, die nergens toe konden leiden, opgaf. En hij begaf zich in ongewoon boetvaardige stemming naar de completen en deed er bij wijze van boetedoening de rest van de avond het zwijgen toe.

De volgende dag plukten ze de donkerpaarse pruimen, want ze waren juist rijp genoeg. Een deel ervan zou onmiddellijk worden opgegeten, een ander deel zou door broeder Petrus worden ingekookt tot een dikke brij zo donker als papaverzaadkoeken. Een ander deel zou in het drooghuis op rekken worden gelegd, waar ze zouden verrimpelen en versuikeren tot een taaie lekkernij. Cadfael had een paar bomen in de kleine bongerd binnen de muren, maar de meeste vruchtbomen stonden in de grote tuin van de Gaye, het welige grasland langs de rivier. De novicen en de jongere broeders plukten de vruchten. De oblaten en scholieren mochten helpen en ook al wist iedereen dat er enkele handenvol achter de tunieken verdwenen in plaats van in de manden, kneep Cadfael een oogje toe, vooropgesteld dat de plundering binnen de perken bleef.

Het was te veel gevraagd om bij zulk mooi weer en zo'n feestelijke gelegenheid stilte te eisen. De stemmen van de jongens klonken opgewekt in Cadfaels oren terwijl hij in zijn werkplaats wijn overschonk en tussen zijn planten langs de beschaduwde muur heen en weer liep om te wieden en te begieten. Een aangenaam geluid. Je kon er de bekende stemmen uit pikken, die van de kinderen schril en hoog, die van de ouderen een hele reeks toonhoogten omspannend. Die warme, heldere roep, dat was broeder Rhun, de jongste novice, zestien jaar oud, nog maar twee maanden aan zijn proeftijd bezig. Hij had de kruinschering nog niet ontvangen, voor het geval hij zou terugkomen op zijn in een opwelling genomen besluit een wereld te verlaten die hij nauwelijks had gezien. Maar Rhun zou geen spijt krijgen van zijn keus. Hij was kreupel en pijn lijdend naar de abdij gekomen voor het feest van Sint Winifred en door haar voorspraak liep hij nu recht, soepel en behendig. Zijn verrukking straalde af op iedereen die in zijn buurt kwam, zoals nu op wie ook maar zijn metgezel mocht zijn in de dichtstbijzijnde pruimeboom. Cadfael liep naar de rand van de boomgaard om een kijkje te nemen en daar stond de eertijds kreupele jongen hoog tussen de takken, stevig en blij. Zijn slanke, vaardige handen koesterden de vruchten zo behoedzaam dat zijn vingers het waas nauwelijks bezoedelden terwijl hij zich bukte om ze in de mand te leggen die naar hem werd opgehouden door een lange broeder, die met zijn rug naar Cadfael stond en wiens gestalte hij niet onmiddellijk herkende. Tot hij meedraaide om de bewegingen van Rhun beter te kunnen volgen en het gezicht van broeder Fidelis te voorschijn kwam. Het was de eerste keer dat Cadfael dat gezicht zó duidelijk zag, in het zonlicht, met de kap achterover geslagen. Rhun was blijkbaar een van de weinigen die geen moeite had om de stomme broeder te benaderen, maar opgewekt tegen hem praatte en zijn zwijgen niet vreemd vond. Rhun leunde lachend voorover en Fidelis keek glimlachend omhoog, twee gezichten die elkaar weerspiegelden. Hun handen raakten elkaar bij het hengsel van de mand toen Rhun die met gestrekte arm liet zakken, terwijl Fidelis enkele laaghangende vruchten plukte die hem van boven werden aangewezen.

Het was ook wel te verwachten, dacht Cadfael, dat onvervaarde onschuld vrijmoedig binnen zou stappen waar de meesten van ons aarzelen een voet te zetten. Bovendien was Rhun een groot deel van zijn leven gebukt gegaan onder een wrede verminking die hem eenzaam had gemaakt, zonder er verbitterd door te worden. Het sprak vanzelf dat hij onversaagd in andermans eenzaamheid doordrong. En God zij dank voor hem en voor de vrijmoedigheid van kinderen!

Diep in gedachten verzonken ging Cadfael verder met wieden. Hij dacht terug aan die ongedwongen, door de zon verlichte glimp die hij had opgevangen van iemand die zich gewoonlijk in de schaduw terugtrok. Een ovaal gezicht met sterke trekken en ernstig van nature, met een hoog voorhoofd en krachtige jukbeenderen, een gave, ivoorblanke huid, glad en jeugdig. Daar in de boomgaard leek hij nauwelijks ouder dan Rhun, hoewel er ongetwijfeld enkele jaren leeftijdsverschil was. De krans van krullend haar rondom zijn geschoren kruin was herfstbruin, bijna rossig, maar niet rood en zijn ver uiteenstaande ogen onder krachtige, vlakke wenkbrauwen waren stralend grijs, althans in dit volle licht. Een heel knappe jongeman, een gesluierde weerspiegeling van Rhuns zonverlichte schoonheid. Middag en schemering die elkaar ontmoetten.

De plukkers waren nog steeds aan het werk, zij het dat het grootste deel van de oogst al was binnengehaald, toen Cadfael zijn schoffel en gieter wegzette en zich ging klaarmaken voor de vespers. Op de binnenplaats was het zoals elke late namiddag een drukte van belang van broeders die terugkeerden van hun werk in de Gaye, het gewemel van gasten in de gastenzaal en op het stalerf. In de kloosterhof klonk het geluid van broeder Anselms buikorgel, waarop hij een nieuwe zang probeerde. De boekverluchters en afschrijvers zouden op dit ogenblik de laatste hand leggen aan hun middagtaak en hun pennen en penselen schoonmaken. Broeder Humilis zou alleen zijn in zijn nis, nu hij Fidelis naar het opgewekte werk in de tuin had gestuurd, want door minder dan een opdracht zou de jongen zich niet laten overhalen hem alleen te laten. Cadfael was van plan geweest de open kloostergaarde over te steken naar de werkplaats van de voorzanger om een kwartiertje op zijn gemak bij Anselm door te brengen tot de klok voor de vespers klepte. Hij wilde wat over muziek praten en misschien wat bekvechten. Maar de herinnering aan de stomme jongeman die zo vriendelijk naar zijn

kortstondige vreugde in de boomgaard te midden van zijn leeftijd-
genoten was gestuurd, drong zich aan hem op toen hij de kloosterhof betrad en het magere gezicht van broeder Humilis ontwaarde,
zelfgenoegzaam, zonder te klagen, trots en eenzaam. Of was het
juist nederig eenzaam? Dat was de hoedanigheid die hij voor zichzelf had opgeëist en waarom hij aanvaard wilde worden. Een niet
geringe aanspraak voor een eens zo gevierd man. Er was inmiddels
niemand meer in de abdij die zijn faam niet kende. Als hij eraan
had willen ontsnappen en even stom had willen zijn als zijn dienaar, was hij wreed teleurgesteld.

Cadfael week van zijn voornemen af en liep in plaats daarvan naar
de noordelijke gaanderij van de kloosterhof, waar de nissen van de
schrijfkamer zelfs op dit uur baadden in het zonlicht. Humilis had
een nis halverwege gekregen, waar het zonlicht het eerst doordrong en het langst bleef hangen. Het was er stil; de zachte klanken
van Anselms kleine orgel leken heel ver weg en gedempt. Het gras
van de open hof was vergeeld en droog, hoewel het elke dag werd
besproeid.

'Broeder Humilis...' zei Cadfael zacht bij de opening van de nis.

Het vel perkament lag scheef op de schrijftafel, uit een potje ver-
guldsel waren enkele druppels gespat toen het over de grond rolde.
Broeder Humilis lag voorover op zijn schrijftafel, met zijn rechter-
arm gestrekt om zich vast te klampen aan het hout. Zijn linkerhand
greep in zijn lies en hij had zijn pols schrapgezet om hard in zijn zij
te kunnen drukken. Zijn hoofd lag met de linkerwang op zijn werk
en was besmeurd met de blauwe en scharlakenrode inkt. Zijn ogen
waren dicht, stijf dicht van ingehouden pijn. Hij had geen kik gegeven, anders hadden degenen die vlak bij hem zaten hem wel gehoord. Wat hij had, had hij voor zichzelf gehouden en dat zou hij
blijven doen.

Cadfael sloeg zijn arm voorzichtig om het lichaam en drukte de
arm op zijn plaats. De blauw dooraderde oogleden werden opgeslagen naar hun hoge gewelven en de ogen, schitterend en schrander achter hun waas van pijn, staarden naar zijn gezicht. 'Broeder
Cadfael...?'

'Blijf nog even liggen,' zei Cadfael, 'terwijl ik Edmund de ziekenbroeder haal...'

'Nee! Broeder, breng me weg... naar mijn bed... Het gaat wel over... het is niets nieuws. Maar voorzichtig, voorzichtig. Ik wil niet opvallen...'

Het was sneller en minder opvallend hem over de nachttrap vanaf de kerk naar zijn cel in de slaapzaal te brengen dan over de binnenplaats naar de ziekenzaal. Dat was wat hij wilde: dat er geen algehele opschudding om hem zou ontstaan. Hij kwam overeind, meer op wilskracht dan op lichaamskracht, en met Cadfaels sterke arm om hem heen en zijn eigen arm zwaar op Cadfaels schouder schuifelden ze onopgemerkt naar de koele schemering van de kerk en beklommen langzaam de trap. Eenmaal uitgestrekt op zijn eigen bed onderwierp Humilis zich met een sombere, geduldige glimlach aan Cadfaels zorgen en stribbelde niet tegen toen Cadfael hem zijn pij uittrok en de onregelmatige vlek van bloed vermengd met pus blootlegde die over de linkerkant van zijn linnen onderbroek naar zijn lies liep.

'Hij is opengegaan,' zei de kalme schim van een stem op het kussen. 'Hij begint af en toe te etteren – ik weet het. De lange rit... Neem me niet kwalijk, broeder! Ik weet dat de stank ondraaglijk is...'

'Ik moet Edmund gaan halen,' zei Cadfael terwijl hij het lint losknoopte en het hemd optrok. Wat daaronder lag liet hij nog bedekt. 'De ziekenbroeder moet het weten.'

'Ja... Maar verder niemand!'

'Behalve broeder Fidelis. Weet hij het?'

'Ja, alles,' zei Humilis, zwak en teder glimlachend. 'Voor hem hoeven we niet bang te zijn; al zou hij iets kunnen zeggen, hij zou het niet doen. Maar hij weet alles wat me mankeert. Laat hem met rust tot na de vespers.'

Toen Cadfael was weggegaan om broeder Edmund te halen, net op tijd om hem vóór de vespers aan te schieten, had Humilis zijn ogen gesloten en leek hij minder pijn te hebben, want de strakke grimas op zijn gezicht had zich enigszins ontspannen. De volle manden met pruimen stonden tegen de heg te wachten tot na de dienst en de plukkers waren natuurlijk, na zich haastig te hebben gewassen, al in de kerk. Des te beter. Mogelijk dat broeder Fidelis zich aanvankelijk zou verzetten tegen het feit dat iemand anders zijn meester verzorgde. Als hij hem hersteld en goed verpleegd aantrof, zou hij zich erbij neerleggen. De beste manier om zijn vertrouwen te winnen.

'Ik wist wel dat we binnenkort nodig zouden zijn,' zei Edmund terwijl hij haastig vóór Cadfael de dagtrap op rende. 'Oude wonden, denk je? Jouw vaardigheden zullen hem meer goed doen dan de mijne; jij hebt zelf met dat bijltje gehakt.'

De klok zweeg. Ze hoorden de eerste klanken van de avonddienst vaag opstijgen uit de kerk toen ze de cel van de zieke betraden. Langzaam sloeg hij zijn zware oogleden op en glimlachte naar hen.

'Broeders, het spijt me dat ik jullie tot last ben...'

De diepliggende ogen vielen weer dicht, maar hij was zich overal van bewust en onderwierp zich er gedwee aan.

Ze trokken het linnen dat hem vanaf het middel aan het oog onttrok weg en ontblootten zijn gehavende lichaam. Een grote, misvormde plek littekenweefsel liep van de linkerheup, waar het bot het als door een wonder had overleefd, schuin over de buik en diep, diep in de lies. De plek had een kalkwitte kleur met strepen aan de onderkant, waar hij half was opengereten maar goed genezen. Maar naar boven toe was hij rood en paars, de ontstoken buik was opengebarsten in een natte wond waar stinkend pus en wat bloed uit kwam.

Godfrid Marescots kruistocht had hem onherstelbaar maar niet dodelijk verminkt. De melaatsen die, zonder gezicht en zonder vingers, Saint Giles binnenstrompelen, hebben niets ergers te dragen, dacht Cadfael. Hier eindigt zijn geslacht, in een edele plant die geen zaad kan dragen. Maar wat is mannelijkheid waard als dit geen man is?

3

Edmund rende weg om zachte doeken en warm water te halen en Cadfael spoedde zich naar zijn werkplaats om drankjes, smeersels en afkooksels te gaan halen. Morgen zou hij verse, sappige waterbetonie gaan plukken, wintergroen en wondklaver, die doeltreffender waren dan de zalfjes en smeersels die hij ervan maakte. Maar vanavond moesten ze het ermee doen. Breukkruid, kruiskruid, penningkruid, addertong, allemaal reinigend en bloedstelpend, goed voor oude, etterende wonden, kon hij allemaal vinden onder de heggen en op de weiden in de buurt en langs de oevers van de Meole.

Ze verwijderden de afscheiding met een wondwater van wondklaver en breukkruid en papten de wond met een smeersel van dezelfde kruiden vermengd met betonie en muur. Ze verbonden hem met schoon linnen en omwikkelden de romp van de zieke met windsels om het verband op zijn plaats te houden. Cadfael had ook een drank meegebracht om de pijn te verlichten, een stroop van wondklaver en sint janskruid in wijn, waaraan een beetje papaverstroop was toegevoegd. Broeder Humilis bleef roerloos liggen en liet hen begaan.

'Morgen,' zei Cadfael, 'ga ik dezelfde kruiden vers plukken om er een groene pleister van te maken. Die werkt sterker en trekt het vuil naar buiten. Is dit vaak gebeurd sinds je die wond hebt opgelopen?'

'Niet zo vaak. Maar als ik oververmoeid ben, ja, dan gebeurt het wel eens,' zeiden de blauwachtige lippen zonder te klagen.

'Dan mag je niet de kans krijgen oververmoeid te raken. De wond is al vaker genezen en geneest ook nu weer. Deze wondklaver heet niet voor niets zo. Neem mijn raad aan en blijf twee of drie dagen in bed tot de wond mooi dicht is, want als je opstaat duurt het langer voor hij genezen is.'

'Hij hoort eigenlijk in de ziekenzaal thuis,' zei Edmund bezorgd, 'waar hij ongestoord kan blijven zolang als het nodig is.'

'Inderdaad,' beaamde Cadfael, 'maar hij ligt hier nu goed en hoe minder hij zich beweegt, hoe beter het is. Hoe voel je je nu, broeder?'

'Redelijk,' zei broeder Humilis met een vage glimlach.

'Minder pijn?'

'Bijna niet meer. De vespers zal wel voorbij zijn,' zei de zwakke stem en de oogleden werden opgeslagen over zijn strak gerichte ogen. 'Zeg dat Fidelis zich geen zorgen over me hoeft te maken... Hij heeft wel ergere dingen gezien – laat hem maar komen.'

'Ik zal hem sturen,' zei Cadfael en vertrok onmiddellijk om het te doen, want deze tegemoetkoming aan die berustende geest was waardevoller dan alles wat hij verder nog kon doen voor het gehavende lichaam. Broeder Edmund liep bezorgd met hem mee de trap af.

'Zou het genezen? Het is een wonder dat hij het om te beginnen heeft overleefd. Heb je ooit iemand gezien die zo opengereten is geweest en toch is blijven leven?'

'Het komt voor,' zei Cadfael, 'zij het zelden. Ja, die wond sluit zich wel weer en gaat weer open bij de minste inspanning.' Er werd geen woord tussen hen gewisseld om geheimhouding te vragen of te beloven. De dekmantel die Godfrid Marescot voor zijn verminking had gekozen was heilig en zou worden geëerbiedigd.

Fidelis stond in de boogdoorgang naar de kloosterhof te kijken naar de broeders die naar buiten kwamen, en zocht met stijgende onrust naar iemand die niet kwam.

De plukkers waren laat uit de boomgaard gekomen en hadden zich moeten haasten voor het avondgetijde. Hij had toen niet naar Humilis gezocht, in de veronderstelling dat deze al in de kerk was. Maar nu zocht hij hem. De rechte, sterke wenkbrauwen waren gefronst, de brede lippen strak van bezorgdheid. Cadfael liep naar hem toe terwijl de laatste van de broeders hem voorbijliep en de jongeman zich omdraaide om hen bijna ongelovig na te kijken.

'Fidelis...' Het hoofd van de jongen werd met een ruk naar hem omgedraaid, hoopvol en begrijpend. Hij verwachtte geen goed nieuws, maar alles was beter dan geen nieuws. Het was te zien aan de manier waarop hij zijn hoofd hield. Hij had dit al vaker meegemaakt.

'Fidelis, broeder Humilis ligt in zijn eigen bed in de slaapzaal. Je hoeft je niet ongerust te maken; hij rust en er wordt voor hem gezorgd. Hij heeft naar je gevraagd. Ga maar naar hem toe.'

Niet wetend waar het gezag lag en zich al schrapzettend om weg te rennen, keek de jongen snel van Cadfael naar Edmund en weer terug. Al kon hij niets vragen met zijn tong, zijn ogen waren welsprekend genoeg en Edmund begreep ze.

'Hij voelt zich goed en hij wordt weer beter. Je kunt komen en gaan zo vaak je wilt en ik zal ervoor zorgen dat je van je andere verplichtingen wordt ontslagen tot we zeker weten dat het de goede kant op gaat en hij alleen kan worden gelaten. Ik neem het wel op met prior Robert. Pak en vraag wat je nodig hebt – als hij iets wil, schrijf het dan op en er wordt voor gezorgd. Maar wat het verband betreft, daar zorgt broeder Cadfael voor.'

Er lag nog een vraag, eigenlijk een eis, in de felle ogen. Cadfael haastte zich er een geruststellend antwoord op te geven. 'Niemand anders weet ervan. Niemand anders hoeft het te weten, op vader abt na, die het recht heeft te weten wat zijn zonen mankeert. Leg je daarbij neer zoals broeder Humilis zich erbij neerlegt.'

Fidelis bloosde even, boog zijn hoofd, maakte dat kleine handgebaar van gehoorzaamheid en aanvaarding en liep snel en stil de dagtrap op. Hoe vaak had hij zwijgend gediend aan datzelfde ziekbed, alleen en zonder hulp? Want ook al verweet hij hun niet dat ze ditmaal als eersten ter plekke waren, hij vond het wel jammer en was aanvankelijk niet zeker geweest van hun zwijgen.

'Ik ga vóór de completen terug,' zei Cadfael, 'om te kijken of hij slaapt of nog een drankje nodig heeft. En of de jongeman eraan heeft gedacht eten voor zichzelf en voor Humilis mee te nemen. Ik vraag me af waar die jongen zijn artsenijkennis heeft opgestoken, als hij broeder Humilis ginds in Hyde in zijn eentje heeft verzorgd.'

Het was wel duidelijk dat hij niet was teruggeschrokken voor de verantwoordelijkheid en evenmin had gefaald. Het in leven houden van dat moedige menselijke wrak was geen geringe verdienste. Als de jongen de geneeskunst had bestudeerd, was hij misschien een goede hulp in de kruidentuin en zou hij graag meer opsteken. Het zou iets zijn dat ze gemeen hadden, een weg naar binnen door de verzegelde deur van zijn zwijgen.

Broeder Fidelis liep af en aan, voerde, waste, schoor zijn zieke, waakte over al zijn lichamelijke behoeften. Hij was er blijkbaar volmaakt tevreden mee zo dag en nacht te kunnen dienen, als Humilis hem niet af en toe had opgedragen een luchtje te gaan scheppen, in zijn eigen cel wat te gaan rusten of namens hen beiden de getijden in de kerk bij te wonen, wat Humilis hem na twee dagen van langzaam herstel steeds vaker opdroeg. De opengegane wond genas, de randen waren niet vochtig en slap meer, maar trokken onder de pleisters van versgekneusde bladeren geleidelijk samen. Fidelis was blij en dankbaar getuige van de langzaam intredende verbetering en hielp zonder kokhalzen wanneer het verband werd verschoond. Dit verminkte lichaam was geen geheim voor hem.

Een begunstigde familiedienaar? Een natuurlijke zoon, zoals Edmund had gegist? Of gewoon een toegewijde jonge broeder van de orde, die in de ban was geraakt van een innemendheid en adeldom, des te onweerstaanbaarder doordat ze stervende waren? Cadfael kon slechts gissen. Jonge mensen kunnen tomeloos edelmoedig zijn, hun jaren en hun jeugd weggeven uit liefde, zonder aan enig voordeel te denken.

'Je verwondert je over hem,' zei Humilis vanaf zijn kussen toen Cadfael in de vroege ochtend zijn verband verschoonde en Fidelis met de broeders naar de primen was gestuurd.

'Ja,' zei Cadfael eerlijk.

'Maar je vraagt niets. Dat heb ik ook niet gedaan. Mijn toekomst,' zei Humilis peinzend, 'heb ik in Palestina achtergelaten. Wat er van me was overgebleven, heb ik aan God geschonken en ik hoop dat het aanbod niet geheel en al waardeloos was. Mijn noviciaat, hoewel verkort vanwege mijn staat, was nauwelijks voorbij toen hij naar Hyde kwam. Ik heb goede redenen gehad God voor hem te bedanken.'

'Het is voor een stomme niet gemakkelijk,' zei Cadfael mijmerend, 'zich uit te spreken en zijn roeping kenbaar te maken. Had hij een ouder die het woord voor hem deed?'

'Hij had zijn verzoek opgeschreven: dat zijn vader oud was en zijn zoons graag op hun plaats zou zien en dat zijn oudste broer de landerijen kreeg, maar dat hij, de jongste, voor het klooster wilde kiezen. Hij bracht een schenking mee, maar zijn voornaamste aanbeveling werd gevormd door zijn mooie hand van schrijven en zijn onderlegdheid. Verder weet ik niets van hem,' zei Humilis, 'behalve wat ik in stilte van hem heb opgestoken en dat is genoeg. Hij is voor mij al de zoons geweest wier vader ik nooit zal zijn.'

'Ik heb me afgevraagd,' zei Cadfael terwijl hij het schone linnen voorzichtig over de pas geheelde wond trok, 'hoe het komt dat hij stom is. Zou het veroorzaakt kunnen zijn door niet meer dan een misvorming van de tong? Want doofheid is duidelijk niet de reden dat hij niet kan praten. Hij heeft een scherp gehoor. Ik heb de ervaring dat doof en stom meestal samengaan, maar dat is bij hem niet het geval. Hij leert op het gehoor en hij leert snel. Hij heeft een mooie hand van schrijven, zeg je. Als ik hem altijd in de kruidentuin had, zou ik hem alles kunnen leren wat ik in de loop der jaren heb opgestoken.'

'Ik stel hem geen vragen en hij mij niet,' zei Humilis. 'God weet dat ik hem eigenlijk zou moeten wegsturen om iets nuttigers te gaan doen dan mij in mijn voortijdige verval te verplegen en te troosten. Hij is jong, hij zou het zonlicht moeten voelen. Maar ik heb hem te hard nodig. Als hij weggaat, zal ik hem niet tegenhouden, maar ik heb niet de moed hem weg te sturen. En zolang hij blijft, dank ik God onophoudelijk voor hem.'

Wolkeloos vervolgde augustus zijn onbeschaduwde weg en de oogst vulde de schuren. Broeder Rhun miste zijn nieuwe makker in de tuinen en de kloostergaarde, waar de rozen 's middags openbloeiden en 's avonds verwelkten door de hitte. De druiven tegen de noordelijke muur van de omheinde tuin zwollen en veranderden van kleur. En ver in het zuiden, in het geteisterde Winchester, omsingelde het leger van de koningin de vroegere belegeraars, versperde de wegen waarover voorraden konden worden aangevoerd en begon de stad uit te hongeren. Maar nieuws uit het zuiden was schaars, reizigers waren zeldzaam en hier lieten de vruchten zich niet dwingen en rijpten vroeg.

Van alle opgewekte werkers tijdens die oogst was Rhun de vrolijkste. Minder dan drie maanden geleden was hij nog kreupel, nu liep hij monter en krachtig en hij kon maar niet genoeg krijgen van zijn eigen blijde lichaam of het hard genoeg laten werken om zijn dankbaarheid te tonen. Hij had nog niet voldoende geleerd om handschriften te mogen afschrijven, bestuderen of inkleuren. Hij had een aangename stem maar weinig muzikale vorming. De taken die hem werden toebedeeld, waren die waarvoor geen opleiding nodig was, alleen maar inspanning. Hij genoot ervan. Iedereen die hem gadesloeg wanneer hij, die kort geleden zijn eigen geringe gewicht nog met kreupele moeite en onder voortdurende pijnen met zich meesleepte, zich uitrekte, iets optilde of langs liep, wanneer hij groef, hakte en sleepte, weerspiegelde onwillekeurig diezelfde verrukking. Zijn meerderen zagen zijn schoonheid en kracht met tedere bewondering aan en dankten de heilige die hem had genezen.

Schoonheid is een gevaarlijk geschenk, maar Rhun had nooit aandacht besteed aan zijn eigen gezicht. Hij zou verbaasd zijn geweest als ze hem hadden verteld dat hij zo zeldzaam begiftigd was. Jeugd is niet minder kwetsbaar doordat ze het hart dat haar gadeslaat in het besef dat ze haar heeft verloren pijnigt.

Broeder Urien had meer verloren dan zijn jeugd en niet lang genoeg geleden om zich erbij neer te leggen. Hij was zevenendertig en was nauwelijks een jaar geleden ingetreden, na een rampzalig huwelijk dat hem verstandelijk en geestelijk had geknakt. De vrouw had hem uitgewrongen en de deur gewezen. Hij was niet zachtmoedig, maar een man met sterke en hartstochtelijke voorkeuren en heerszuchtige neigingen. Wanhoop had hem het klooster ingedreven, waar hij geen genezing vond. Verlies en woede knagen binnen even fel als buiten.

Het was eind augustus. Ze waren zij aan zij bezig met de eerste oogstappels, in de schemering van de zolder boven de schuur, waar ze de vruchten in houten bakken legden om ze zo lang mogelijk goed te houden. Het warme weer had de rijping minstens tien dagen bespoedigd. Het licht daarbinnen was vaag goudachtig en beladen met stofdeeltjes; ze bewogen zich als door een schemerige nevel. Rhuns vlasblonde hoofd, zonder kruinschering nog, had dat van een blond meisje kunnen zijn; de welving van zijn kaak terwijl hij zich over de planken boog was teer als een rozeblad en de gekrulde wimpers die zijn ogen beschaduwden, waren lang en glanzend. Broeder Urien sloeg hem tersluiks gade en zijn hart, verschrompeld en verkrampt van pijn, draaide om in zijn borst.

Rhun dacht juist aan Fidelis, dat hij zou hebben genoten van het uitstapje naar de Gaye, en hij voelde geen argwaan wanneer de hand van zijn buurman de zijne raakte terwijl ze de appels uit-spreidden of wanneer hun schouders elkaar per ongeluk even raak-ten. Maar het was niet per ongeluk toen de uitgestoken hand, in plaats van aan te raken en zich terug te trekken, zijn lange vingers over zijn hand liet glijden en hem vasthield, hem van vingertoppen tot pols streelde en daar draalde in een onmiskenbare liefkozing. Gezien alle tekenen van zijn onschuld had hij het eigenlijk niet moeten begrijpen, nog niet, niet voordat er meer was gebeurd. Maar hij begreep het wél. Juist zijn onbevangenheid en puurheid maakten hem wijs. Hij rukte zijn hand niet weg, maar trok hem heel zachtmoedig en vriendelijk terug. Hij draaide zijn blonde hoofd en keek Urien rechtstreeks aan met grote, ver uiteenstaande ogen van het lichtst denkbare grijsblauw, met zoveel begrip en me-deleven dat de wond ondraaglijk diep brandde, schrijnend van woede en schaamte. Urien haalde zijn hand weg en wendde zich af. Afkeer en geschoktheid hadden hem een sprankje hoop kunnen geven dat het ene gevoel nog omzichtig in een ander zou kunnen worden veranderd, aangezien hij dan in elk geval had geweten dat hij een diepe indruk had achtergelaten. Maar dit overduidelijke begrip en medeleven lieten hem geen enkele hoop. Hij durfde een onervaren, simpele maagd die zich nooit van zijn lichaam bewust was geworden anders dan door zijn kreupelheid en lichamelijke pijn, het vuur te herkennen dat hem verzengde en het slechts met medeleven te beantwoorden? Geen angst, geen schuldgevoel en geen onzekerheid. Ziedend van verontwaardiging en verlangen ging broeder Urien weg en het gezicht van de vrouw zweefde dui-delijk en wreed voor zijn geestesoog. Bidden was geen middel te-gen de herinnering aan haar.

Rhun ontleende aan die korte en zwijgend verlopen ontmoeting zijn eerste besef van de dwingelandij van het lichaam. Moeilijkhe-den waarvan híj was gevrijwaard, konden een ander kwellen. Hij had enigszins te doen met broeder Urien; hij zou tijdens de vespers voor hem bidden. En dat deed hij ook en zoals Urien het vijandige gezicht van zijn verloren vrouw bleef zien, zo bleef Rhun het don-kere, gespannen, knappe gezicht zien dat met brandend voor-hoofd en afgewende blik was teruggedeinsd voor zijn blik, bitter beschaamd waar hij, Rhun, geen schaamte had gevoeld en geen verbittering. Het was inderdaad een duistere en geheime zaak.

Hij zei tegen niemand een woord over het voorval. Wat was er per slot van rekening gebeurd? Niets! Maar hij bekeek zijn medemensen met andere ogen, een ervaring rijker en in staat hun verwarring waar te nemen en zich open te stellen voor hun noden.

Dit overkwam Rhun twee dagen voordat zijn roeping werd bevestigd en hij de kruinschering ontving om novice te worden – broeder Rhun.

'Dus onze kleine heilige heeft zijn besluit goedgekeurd,' zei Hugh toen hij Cadfael na afloop van de plechtigheid tegen het lijf liep. 'En zijn genezing lijkt blijvend! Ik zeg je in alle eerlijkheid: ik heb ontzag voor hem. Zou Winifred een oogje op zijn schoonheid hebben gehad toen ze besloot hem voor zichzelf te houden? Welshe vrouwen verbergen hun voorkeur niet als ze een knappe jongeling zien.'

'Je bent een onverbeterlijke heiden,' zei Cadfael bezadigd, 'maar daar moet de vrouwe onderhand aan gewend zijn. Denk maar niet dat je haar aan het schrikken kunt maken; er is niets dat ze niet heeft meegemaakt. En als ik in haar schoenen had gestaan, had ik dat kind ook in mijn hart gesloten, net als zij. Ze wist wat hij waard was zodra ze hem zag. Jee, hij heeft zelfs Jerome bijna weten in te palmen.'

'Dat kan nooit goed gaan!' zei Hugh lachend. 'Heeft hij zijn eigen naam aangehouden – de jongen bedoel ik?'

'Het is nooit in hem opgekomen die te veranderen.'

'Dat doen ze niet allemaal,' zei Hugh, ernstig wordend. 'Die twee uit Hyde – Humilis en Fidelis. Geen geringe aanspraak die ze maken, wel? Humilis, ofwel broeder Nederigheid, kennen we bij zijn vroegere naam en een andere heeft hij niet nodig. Wat weten we van Fidelis, ofwel broeder Trouw? En ik vraag me af welke naam de eerste was.'

'De jongen is een jongste zoon,' zei Cadfael. 'Zijn oudere broer heeft het land; deze koos de kap. Wie zal het hem kwalijk nemen, gezien zijn gebrek? Humilis zegt dat zijn eigen noviciaat nog niet voorbij was toen die jongeman kwam, en dat ze zich tot elkaar aangetrokken voelden en onafscheidelijke vrienden zijn geworden. Best mogelijk dat ze tegelijk zijn toegelaten en wat die namen betreft... wie zal zeggen wie van hen de eerste keus deed?'

Ze waren bij het poorthuis blijven staan en keken om naar de kerk. Rhun en Fidelis waren samen naar buiten gekomen, twee opmerkelijk knappe gestalten die samen opliepen, zonder elkaar aan te raken, maar innig en tevreden. Rhun praatte levendig. Fidelis vertoonde de sporen van lang waken en bezorgdheid, maar weerspiegelde Rhuns stralende gloed. Rhuns verse kruinschering was blootgesteld aan de zon en het blonde haar eromheen stond rechtop als een heiligenkrans.

'Hij gaat veel met hen om,' zei Cadfael. 'Geen wonder; hij staat open voor iedereen die een stukje van zijn wezen kwijt is, zoals een stem.' Hij zei niet wat de oudste van het stel kwijt was. 'Hij praat voor twee. Jammer dat hij nog zo weinig opleiding heeft. Ze kunnen Humilis geen van tweeën voorlezen; de een niet bij gebrek aan stem, de ander bij gebrek aan scholing. Maar hij is ijverig en zal het wel leren. Broeder Paul is bijzonder over hem te spreken.'

De twee jongemannen waren onder de boog van de dagtrap verdwenen. Ze waren blijkbaar op weg naar de slaapzaal, waar broeder Humilis nog steeds aan zijn bed gekluisterd was. Wie zou niet opmonteren bij het zien van broeder Rhun, stralend terugkerend van zijn toelating tot wat zijn hart begeerde? En het was gepast, die terughoudende verwantschap tussen twee onvruchtbare lichamen, de een een nog niet ontwaakte maagd, de ander uitgehold en geschonden in de bloei van zijn leven. Twee wier zaad niet van deze wereld was.

Het gebeurde diezelfde namiddag dat een jongeman in de gemakkelijke rijkleding van een krijgsman, zijn mantel opgerold op zijn zadelboog, over de grote weg naar Londen vanaf Saint Giles in de richting van de stad reed en de weg vroeg naar de abdij van de heilige Petrus en Paulus. Hij reed blootshoofds, in hemdsmouwen en met ontblote borst onder de zon en zijn gezicht, borst en blote onderarmen waren bruin als door een nog warmere zon dan hier, waar de zomer slechts een koperkleurige schaduw toevoegde aan een al gebronsde huid. Een goedgebouwde jongeman, op een goed paard, met een gemakkelijke zit in het zadel, een lichte hand aan de teugels en een bos warrig donker haar boven een vrijmoedig, hoekig gezicht.

Broeder Oswin wees hem de weg en keek hem nieuwsgierig na,

zich afvragend naar wie hij daar zou vragen. Overduidelijk een krijgsman, maar van welk leger en van wiens troepenmacht, dat hij juist in de abdij van Shrewsbury moest zijn? Hij had niet naar de stad of de schout gevraagd. Zijn zaken hadden geen betrekking op de oorlog in het zuiden. Oswin ging weer plichtsgetrouw aan het werk, enigszins spijtig dat hij verder niets wist.

De ruiter, in het besef dat hij zijn doel bijna had bereikt, mende zijn paard op zijn gemak door de Voorstraat en keek vol belangstelling naar alles wat hij zag: het vergeelde gras op de paardenmarkt, dorstend naar regen; het rustige verkeer van sjouwers, karren en paarden op straat; de buren die bij hun poorten in de zon stonden te keuvelen; de hoge, lange muur van het klooster aan zijn linkerhand en het hoge dak en de toren van de kerk er bovenuit. Nu wist hij dat hij zijn reisdoel had bereikt. Hij reed om de westkant van de kerk, waarvan de grote deur aan de buitenkant van het klooster, die door de parochie werd gebruikt, op een kier stond en reed onder de boog van het poorthuis naar binnen.

De poortwachter kwam naar buiten om hem gemeenzaam te begroeten en te vragen wat er van zijn dienst was. Broeder Cadfael en Hugh Beringar, die nog steeds vlak bij op hun gemak stonden te praten, draaiden zich om om de nieuwkomer te bekijken. Ze zagen zijn doelmatige, veelgebruikte uitmonstering, de leren mantel die over de zadelboog hing en het zwaard dat hij droeg en hadden hem in een oogwenk nauwkeurig ingeschat. Hugh verstrakte opmerkzaam, want een man in wapenkleding die uit het zuiden kwam, kon best eens nieuws hebben. Daar kwam bij dat iemand die alleen en gerust naar dit aan koning Stephen trouwe graafschap kwam, waarschijnlijk van dezelfde gezindheid was. Hugh liep naar hen toe om zich in het gesprek te mengen. Hij bekeek de ruiter van top tot teen met terughoudende goedkeuring van zijn verschijning.

'U zoekt toch toevallig mij niet, vriend? Hugh Beringar, tot uw dienst.'

'Dit is de heer schout,' stelde broeder poortwachter hem voor. En tegen Hugh: 'De reiziger vraagt naar broeder Humilis – zij het onder zijn vroegere naam.'

'Ik heb enkele jaren gediend onder Godfrid Marescot,' zei de ruiter. Hij liet de teugels los, steeg af en kwam naast hen staan. Hij was een halve kop groter dan Hugh en stevig gebouwd. Zijn bruine gezicht was open en opgewekt en werd verlicht door opvallend blauwe ogen. 'Ik heb hem gezocht onder de broeders die vanuit Winchester zijn verstrooid nadat Hyde was platgebrand. Ze zeiden dat hij hiernaar toe was gegaan. Ik moet in het noorden van het graafschap zijn en heb zijn goedkeuring nodig voor wat ik van plan ben. Om u de waarheid te zeggen,' zei hij met een wrange glimlach, 'ik was de naam die hij aannam toen hij intrad in Hyde volkomen vergeten. Voor mij is hij nog altijd mijn heer Godfrid.'

'Dat zal hij nog wel voor menigeen zijn,' zei Hugh, 'die hem voor die tijd heeft gekend. Ja, hij is hier. Komt u rechtstreeks uit Winchester?'

'Uit Andover. Waar we de stad hebben gebrandschat,' zei de jonge man onomwonden en hij keek Hugh even onderzoekend aan als hij zelf werd bekeken. Het was duidelijk dat ze tot hetzelfde kamp behoorden.

'U dient in het leger van de koningin?'

'Inderdaad. Onder FitzRobert.'

'Dan hebben jullie de wegen naar het noorden natuurlijk versperd. Ik houd dit graafschap voor koning Stephen, zoals u ongetwijfeld zult weten. Ik wil u niet weghouden van uw heer, maar wilt u met me naar Shrewsbury rijden en de maaltijd met me gebruiken voordat u verder gaat? Ik zal zorgen dat het u aan niets ontbreekt. U kunt me geven waar ik naar snak: nieuws over wat er in het zuiden gebeurt. Mag ik uw naam weten? De mijne weet u al.'

'Mijn naam is Nicholas Harnage. En ik zal u graag alles wat ik weet vertellen, mijn heer, wanneer ik mijn boodschap hier heb gedaan. Hoe is het met heer Godfrid?' vroeg hij ernstig en hij keek van Hugh naar Cadfael, die stond te kijken en te luisteren en die tot nu toe niets had gezegd.

'Niet in blakende welstand,' zei Cadfael, 'maar dat was hij, neem ik aan, ook niet toen u hem voor het laatst ontmoette. Hij heeft een oude wond die is opengegaan, maar dat kwam denk ik door de lange rit hierheen. Hij geneest nu goed; over een dag of twee mag hij op en weer aan het werk dat hij heeft gekozen. Hij wordt liefderijk en goed verpleegd door een jonge broeder die samen met hem uit Hyde is gekomen en die daar zijn verzorger was. Als u een ogenblik wilt wachten, ga ik vader prior zeggen dat broeder Humilis bezoek heeft en daarna breng ik u naar hem toe.'

Hij begaf zich onmiddellijk op weg en liet de twee enkele minuten samen achter. Hugh had nieuws nodig, alle kennis uit de eerste hand die hij kon opsteken over dat verre en verwarde slagveld, waar twee kampen van zijn vijand door hun onderlinge getwist de hele geduchte schaar van zijn vrienden aan één kant had gebracht. Op zijn best een wankele kant, gezien het feit dat de bisschop zich nu al voor de derde keer had bedacht. Maar het had in elk geval tot gevolg dat de strijdmacht van de keizerin nu in een stalen val zat in de stad Winchester en er werd uitgehongerd. Cadfaels krijgersbloed, lang geleden afgezworen, had er een handje van te gaan bruisen wanneer hij wapengekletter hoorde. Zijn grootste zorg was dat hij er niet echt berouw over kon hebben. Zijn koning was niet van deze wereld, maar hij kon er niets aan doen dat hij in deze wereld zo zijn voorkeuren had.

Prior Robert was bezig aan zijn middagdutje, bij anderen bekend als zijn uur van studie en gebed. Een uitgelezen ogenblik, aangezien het niet waarschijnlijk was dat hij zou opstaan om de bezoeker persoonlijk te komen bekijken en zich uit te putten in plechtstatige gastvrijheid. Cadfael kreeg waarop hij had gerekend: goedgunstige toestemming om de gast naar broeder Humilis in diens cel te brengen en hem alle hulp te bieden die hij nodig mocht hebben. Gevoegd, uiteraard, bij vader priors groeten en zegen vanuit zijn dagelijkse vrome overpeinzingen.

Ze hadden tijd gehad om op vertrouwelijke voet te raken terwijl hij weg was geweest; hij zag het aan hun gezichten en aan het ongedwongen omdraaien van hun hoofden toen ze hem hoorden terugkeren. Als ze samen naar de stad reden, zouden ze niet alleen wapenbroeders zijn, maar mogelijk vrienden.

'Kom maar mee,' zei Cadfael, 'dan breng ik u naar broeder Humilis.'

Op de dagtrap zei de jonge, ernstige stem naast hem zacht: 'Broeder, de heer schout vertelde me dat u mijn heer sinds dit voorval hebt behandeld. Hij zegt dat u veel kennis hebt van kruiden en genezen.'

'De heer schout,' zei Cadfael, 'is al enkele jaren mijn goede vriend en heeft een hogere dunk van me dan ik verdien. Maar inderdaad, ik behandel uw heer en tot dusver redden we het samen aardig. U hoeft niet bang te zijn dat hij niet voldoende wordt gewaardeerd: we kennen zijn waarde. Bezie hem en oordeel zelf. U weet natuurlijk wat hem in het oosten is overkomen. Was u daar bij hem?'

'Ja, ik woon op zijn eigen land, ik ben op weg gegaan toen hij nieuwe troepen onder de wapenen riep en enkele ouderen en gewonden naar huis stuurde. En ik ben met hem teruggekomen toen hij besefte dat hij zich daar niet nuttig meer kon maken.'

'Hier,' zei Cadfael met zijn voet op de bovenste trede, 'is hij nog lang niet nutteloos. Er zijn hier jongemannen op wie zijn licht afstraalt – onder het licht waaronder we allemaal leven, wel te verstaan. Twee van hen zult u bij hem aantreffen. Als een van hen erbij blijft, laat hem dan; hij heeft er het recht toe. Het is zijn metgezel uit Hyde.'

Ze liepen door de gang die tussen de afgescheiden cellen door de hele slaapzaal liep en bleven staan voor de opening van de schemerige, kleine ruimte die Humilis was toegewezen.

'Ga naar binnen,' zei Cadfael. 'U hebt geen aankondiging nodig om welkom te zijn.'

4

De kleine leeslamp in de cel was niet aan, aangezien een van de jonge verzorgers niet kon lezen en de andere niet kon spreken, terwijl de bewoner zelf, ondersteund door kussens, op zijn brits lag en te zwak was om een zwaar boek te hanteren. Maar al kon Rhun dan niet lezen, hij kon wel van buiten leren en het geleerde met gevoel en warmte opzeggen. Hij was bezig met een gebed van de heilige Augustinus dat broeder Paul hem had geleerd, toen hij plotseling merkte dat hij een groter gehoor had dan waarop hij had gerekend. Hij begon te stamelen, zweeg en draaide zich om naar de open zijde van de cel.

Nicholas Harnage bleef aarzelend in de deuropening staan tot zijn ogen gewend waren aan het schemerige licht. Broeder Humilis had verbaasd zijn ogen geopend toen Rhun begon te stamelen en zag de meest geliefde en vertrouwde van zijn vroegere schildknapen bijna beschroomd aan het voeteneind van zijn bed staan.

'Nicholas?' vroeg hij weifelend en verbaasd en hij hees zichzelf overeind om beter te kunnen zien.

Broeder Fidelis boog zich onmiddellijk naar voren om hem te ondersteunen en rechtop te helpen, de kussens achter zijn rug te schuiven en zich vervolgens even stil terug te trekken in de donkere hoek van de cel en het veld te ruimen voor de bezoeker.

'Nicholas! Je bent het echt!'

De jongeman kwam naar voren, liet zich op zijn knie vallen en pakte en kuste de magere hand die naar hem werd uitgestrekt.

'Nicholas, wat doe jij hier? Je bent zo welkom als de dageraad, maar ik had je hier nooit verwacht. Het is heel vriendelijk van je dat je me op zo'n afgelegen plek komt opzoeken. Kom naast me zitten. Ik wil je van dichtbij zien.'

Rhun was stilletjes weggeglipt. In de deuropening maakte hij een korte buiging voordat hij verdween. Fidelis wilde hem volgen, maar Humilis legde een hand op zijn arm om hem tegen te houden.

'Nee, blijf! Ga niet weg. Nicholas, ik ben deze jonge broeder meer verschuldigd dan ik ooit kan terugbetalen. Hij dient me hier even trouw als jij op het slagveld hebt gedaan.'

'Iedereen die zoals ik in uw dienst is geweest, zal hem dankbaar zijn,' zei Nicholas vurig. Hij keek op naar het door de kap beschaduwde gezicht, in dit halfdonker even kleurloos als het stemloos was. Als hij zich er al over verbaasde dat hij geen antwoord kreeg, maar slechts een licht hoofdknikje bij wijze van begroeting, zette hij het zonder nadenken van zich af. Het was van geen belang of hij nader kennismaakte met iemand die hij misschien nooit meer zou zien. Hij trok een kruk naar het bed en keek aandachtig en bezorgd naar het uitgemergelde gezicht van zijn heer.

'Ze hebben me verteld dat u goed herstelt, maar ik zie dat u magerder en ingevallener bent dan de laatste keer dat ik u zag, toentertijd in Hyde, toen ik uw opdracht ging vervullen. Ik heb in Winchester lang moeten zoeken om uw prior te vinden en hem te vragen waar u naar toe was gegaan. Moest u echt zo ver reizen? De bisschop zou u maar al te graag in de oude domkerk onderdak hebben gegeven.'

'Ik betwijfel of ik zo blij zou zijn geweest met de bisschop,' zei broeder Humilis met een wrang glimlachje. 'Nee, ik had een reden om zo ver naar het noorden te gaan. Ik heb dit graafschap en deze stad als kind gekend. Een paar jaar slechts, maar het zijn de jaren die je bijblijven. Maak je over mij geen zorgen, Nick; ik maak het hier uitstekend, even goed als op welke plaats ook en beter dan op de meeste. Laten we het liever over jou hebben. Hoe maak je het in je nieuwe dienst en wat voert je hierheen?'

'Ik maak het voortreffelijk, dank zij uw aanbeveling. Willem van Ieperen heeft de aandacht van de koningin op me gevestigd en hij zou me tot bevelhebber hebben benoemd, maar ik blijf liever bij de Engelsen van FitzRobert dan dat ik naar de Vlamingen ga. Ik heb het bevel over een troep gekregen. U bent degene die me alles heeft geleerd,' zei hij, geestdriftig en bedroefd tegelijk, 'u en de muzelmannen in Mosoel.'

'Het is niet in opdracht van atabeg Zengi,' zei broeder Humilis, 'dat je me zo ver bent komen opzoeken. Laat hem maar over aan de koning van Jeruzalem, wiens nobele en gevaarlijke tegenstander hij is. Hoe is het in Winchester sinds ik ben gevlucht?'

'De legers van de koningin hebben het omsingeld. Er komt bijna niemand meer uit en er komt al helemaal geen voedsel meer in. De mannen van de keizerin zitten opgesloten in hun kasteel en hun voorraden moeten onderhand uitgeput zijn. We zijn naar het noorden getrokken om de weg bij Andover te bestrijken. Tot dusver zit alles vast en daarom heb ik toestemming gekregen om voor mijn eigen zaken naar het noorden te gaan. Maar ze zullen ongetwijfeld binnenkort een uitbraakpoging doen of ze worden uitgehongerd.'

'Ze zullen proberen een van de wegen weer te openen en voorraden aan te voeren voordat ze Winchester voorgoed verlaten,' zei Humilis, de mogelijkheden wenkbrauwenfronsend overwegend. 'Indien en wanneer ze uitbreken, zullen ze om te beginnen optrekken naar Oxford. Nou ja, als die patstelling je naar mij heeft gevoerd, is er tenminste íets goeds uit voortgekomen. En wat zijn het voor zaken die je naar Shrewsbury brengen?'

'Mijn heer,' zei Nicholas terwijl hij zich hoogst ernstig naar voren boog, 'weet u nog dat u me drie jaar geleden naar de havezaat Lai hebt gestuurd om Humphrey Cruce en zijn dochter te laten weten dat u uw huwelijksbelofte niet gestand kon doen en dat u in Hyde Mead in het klooster zou treden?'

'Niets iets wat je vergeet,' zei Humilis droog.

'Evenmin als ik het meisje kan vergeten, mijn heer! U hebt haar sinds haar vijfde jaar niet meer gezien, voordat u ter kruistocht ging, maar ik heb haar als volwassen vrouwe gezien, bijna negentien. Ik heb uw boodschap aan haar vader en haar overgebracht en ik was blij dat het achter de rug was. Maar ik kan haar niet vergeten. Ze was zo bevallig en droeg de scheiding zo waardig en hoffelijk. Mijn heer, als ze nog steeds niet getrouwd of verloofd is, wil ik haar zelf vragen. Maar ik kan niet naar haar toe gaan zonder eerst uw zegen en toestemming te hebben gevraagd.'

'Zoon,' zei Humilis, stralend van verbaasd genoegen, 'niets zou me meer voldoening schenken dan haar met jou gelukkig te zien, aangezien ik haar heb moeten teleurstellen. Ze is vrij te trouwen met wie ze wil en ik zou haar geen betere man kunnen wensen dan jou. En als je slaagt, zal ik van mijn schuld tegenover haar zijn ontslagen, want dan zal ik weten dat ze een betere man heeft getroffen dan ik ooit voor haar had kunnen zijn. Maar bedenk, jongen, dat wij die in het klooster treden alle bezit afzweren. Hoe zouden we het eigendomsrecht over een ander schepsel durven opeisen? Ga

naar haar toe en ik hoop dat je haar zult krijgen. Mijn zegen hebben jullie. Maar kom terug en vertel me hoe je bent gevaren.'
'Mijn heer, van ganser harte! Hoe kan ik falen als ú me naar haar toe stuurt?'
Hij bukte zich om de hand die hem vasthield warm te kussen en stond toen kordaat op van de kruk om afscheid te nemen. Nu pas werd hij zich weer bewust van de zwijgende gestalte in de schaduw. Het was alsof hij al die tijd met zijn heer alleen was geweest, maar toch stond die zwijgende getuige daar. In een opwelling van hartelijkheid wendde Nicholas zich tot hem.
'Broeder, ik dank je voor je zorgen voor mijn heer. Voor nu: vaarwel. Ik zal je ongetwijfeld weer zien als ik terugkom.'
Het was verwarrend om bij wijze van antwoord slechts stilte te ontvangen en de hoffelijke neiging van het gekapte hoofd.
'Broeder Fidelis,' zei Humilis teder, 'is stom. Alleen zijn leven en werken spreken voor hem. Maar ik durf te zweren dat zijn goede wensen je vergezellen op je tocht, net als de mijne.'

Er heerste stilte in de cel toen de laatste scherpe, lichte nagalm op de dagtrap was weggestorven. Broeder Humilis lag stil en was blijkbaar in kalme en tevreden gedachten verzonken, want hij glimlachte.
'Er zijn dingen die ik je nooit over mezelf heb verteld,' zei hij ten slotte, 'dingen die zijn gebeurd voordat ik je kende. Er is niets dat ik niet met je zou willen delen. Arm meisje! Wat kon ze van mij, zoveel ouder als ik ben, verwachten, zelfs voordat ik mismaakt was? En ik heb haar maar één keer gezien: een klein ding met bruine haren en een ernstig, rond gezicht. Ik heb het gemis aan vrouw of kinderen nooit gevoeld tot ik dertig was, doordat ik een oudere broer had die mijn vaders stamboom kon voortzetten nadat de oude man was gestorven. Ik volgde het kruis en rustte een strijdmacht uit om met me naar het oosten te gaan, vrij als een vogel in de lucht, toen mijn broer eveneens stierf en ik mijn belofte aan God moest afwegen tegen de plicht tegenover mijn huis. Tegenover God was ik verplicht te doen wat ik had gezworen en tien jaar naar het heilige land te gaan, maar tegelijk was ik tegenover mijn huis verplicht te trouwen en nageslacht te verwekken. Dus zocht ik een sterk, passend meisje dat al die jaren op me kon wachten en dan toch nog

kinderen zou kunnen baren als ik terugkwam. Ze was nauwelijks zes jaar oud, deze Julian Cruce, en is van een geslacht met havezaten in het noorden van dit graafschap en in Stafford.'

Hij zuchtte over de menselijke dwaasheid en de aanmatigende ernst waarmee ze regelingen troffen voor levens die ze nooit zouden leiden. De schim naast hem kwam dichterbij, sloeg de kap terug en nam plaats op de kruk waarop Nicholas had gezeten. Ze keken elkaar ernstig en zwijgend in de ogen, langer dan de meeste mensen elkaar in de ogen kunnen kijken zonder hun blik neer te slaan.

'God wist het beter, mijn zoon,' zei Humilis. 'Hij had andere plannen met me. Ik ben wat ik nu ben. Zij is wat ze is. Julian Cruce... Ik ben blij dat ze me ontkomt en een betere man vindt. Ik bid dat ze zich nog aan niemand anders heeft gegeven, want die Nicholas van me zou een goede man voor haar zijn, een die mijn ziel gerust zou stellen. Maar ik heb het gevoel dat ik haar iets verschuldigd ben en haar heb verloochend.'

Broeder Fidelis schudde zijn hoofd en glimlachte verwijtend. Hij boog zich naar voren en legde even zijn vinger op de mond die ketterijen verkondigde.

Cadfael had Hugh in het poorthuis achtergelaten en stak de binnenplaats over om weer in de kruidentuin aan het werk te gaan, toen Nicholas Harnage onder de boog van de trap verscheen en, hem herkennend, hem luidkeels aanriep en naar hem toe rende om hem dringend bij de mouw te pakken.

'Broeder, een ogenblik!'

Cadfael bleef staan en keek hem aan. 'Hoe vind je hem? De lange rit is een te grote inspanning voor hem geweest en hij vroeg pas hulp toen zijn wond openbrak en begon te zweren, maar dat is nu voorbij. Alles is schoon, gezond en aan het genezen. Je hoeft niet bang te zijn dat we hem een tweede keer zo laten bezwijken.'

'Daar ben ik van overtuigd, broeder,' zei de jongeman ernstig. 'Maar ik zie hem nu voor het eerst sinds drie jaar en hij is sterk achteruitgegaan, zelfs ten opzichte van de man die hij was toen hij zijn verwondingen had opgelopen. Ik wist dat ze ernstig waren; volgens de geneesheren heeft hij lange tijd tussen leven en dood gezweefd. Maar toen hij terugkwam, léék hij tenminste op de man die we hadden gekend en gevolgd. Ik weet het, hij maakte toen plannen om weer naar huis te gaan, maar hij had al langer gediend dan hij had beloofd. Het werd tijd om aan zijn land en zijn leven hier thuis te gaan denken. Ik heb die reis samen met hem gemaakt; hij maakte het goed. Nu is hij mager geworden en hij heeft iets kwijnends wanneer hij zich beweegt. Zeg me de waarheid: hoe erg is het met hem?'

'Waar heeft hij zulke verschrikkelijke verwondingen opgelopen?' vroeg Cadfael, zich gewetensvol afvragend hoeveel hij kon vertellen en hoeveel deze jongen al wist of minstens vermoedde.

'Tijdens dat laatste gevecht met Zengi en de mannen van Mosoel. Hij is na de strijd behandeld door Syrische geneesheren.'

Dat kon heel goed de oorzaak zijn dat hij zo'n afschuwelijke verminking had overleefd, dacht Cadfael, die op zijn eigen gebied veel had geleerd van Saraceense en Syrische genezers. Hardop vroeg hij voorzichtig: 'Je hebt zijn wonden niet gezien? Je weet niet wat de gevolgen ervan zijn?'

Tot zijn verbazing zweeg de doorgewinterde kruisvaarder een ogenblik en onder zijn goudbruine huid kroop langzaam een golf bloed naar boven. Maar hij sloeg zijn ogen, heel grote en oprechte ogen van het diepste blauw, niet neer. 'Ik heb zijn lichaam nooit gezien, niet meer dan nodig was wanneer ik hem in zijn harnas hielp. Maar ik kon niet anders dan vermoeden wat ik niet beweer te weten. Het kon niets anders zijn, anders had hij het meisje met wie hij was verloofd nooit in de steek gelaten. Waarom zou hij? Hij is een man van zijn woord! Hij had haar niets meer te bieden dan een goede staat en een aantal landerijen. Hij gaf haar liever haar vrijheid en de rest van zichzelf aan God.'

'Was er een meisje?' zei Cadfael.

'Er ís een meisje. En ik ben nu naar haar onderweg,' zei Nicholas, uitdagend alsof zijn rechten hem werden betwist. 'Ik heb haar en haar vader indertijd het nieuws gebracht dat hij was ingetreden in het klooster van Hyde Mead. Nu ga ik naar Lai om zelf haar hand te vragen en hij heeft me zijn toestemming en zijn zegen gegeven. Ze was een klein kind toen ze aan hem werd uitgehuwelijkt; ze heeft hem sindsdien niet meer gezien. Er is geen enkele reden waarom ze niet op mijn aanzoek zou ingaan en geen enkele waarom haar verwanten me zouden afwijzen.'

'Niet één!' beaamde Cadfael uit de grond van zijn hart. 'Als ik in zo'n geval een dochter had, zou ik blij zijn dat de schildknaap in de voetsporen van zijn heer treedt. En als je haar verslag moet doen van zijn welzijn, kun je naar waarheid zeggen dat hij doet wat hij wenst en tevreden is. En wat zijn lichaam betreft, daar wordt voor gezorgd zo goed als maar kan. We zullen hem niets onthouden dat hem tot steun of troost kan zijn.'

'Maar dat is geen antwoord op wat ik moet weten,' drong de jongeman aan. 'Ik heb beloofd dat ik zou terugkomen om hem te vertellen hoe het me is vergaan. Drie of vier dagen, langer niet, misschien korter. Maar zal ik hem dan nog aantreffen?'

'Zoon,' zei Cadfael geduldig, 'wie van ons kan daar voor zichzelf of voor een ander antwoord op geven? Je wilt de waarheid horen en je verdient het. Ja, broeder Humilis is stervende. Hij heeft zijn dodelijke wond lang geleden opgelopen tijdens die laatste veldslag. Alles wat we voor hem hebben gedaan, alles wat we kunnen doen, stelt het einde alleen maar uit. Maar de dood heeft niet zo'n haast met hem als je vreest en hij is er niet bang voor. Ga je meisje zoeken en breng goed nieuws voor hem mee terug; hij zal er zijn om zich erover te verheugen.'

'En dat zal hij,' zei Cadfael tegen Edmund toen ze die avond vóór de completen samen een luchtje schepten in de tuin, 'als die knaap een beetje haast maakt met zijn hofmakerij. En volgens mij is hij er zo een die recht op zijn doel af gaat. Maar hoeveel langer Humilis het nog uithoudt, durf ik niet te schatten. We kunnen voorkomen dat hij nogmaals instort, maar zijn oude wond zal hem uiteindelijk vellen. En dat beseft hij zelf beter dan wie ook.'

'Het is een wonder dat hij het heeft overleefd,' beaamde Edmund, 'laat staan dat hij de thuisreis heeft kunnen maken en sindsdien nog drie jaar of meer in leven is gebleven.'

Ze wandelden ongestoord langs de oever van de Meole, anders hadden ze er niet eens over kunnen praten. Het leed geen twijfel dat Nicholas Harnage op dit ogenblik al een eindweegs was gevorderd naar het noordoosten van het graafschap en er misschien zelfs al was aangekomen. Het was goed weer om te rijden en hij zou vóór het donker onderdak vinden in Lai. En een heel goed ogende jonge knaap zoals Harnage, die het door eigen verdienste een heel eind had geschopt in het leger, was geen aanbod om je neus voor op te halen. Hij had de zegen van zijn heer en had verder niets nodig dan de liefde van het meisje, de goedkeuring van haar verwanten en de inzegening door de Kerk.

'Er zijn er die zeggen,' zei broeder Edmund, 'dat wanneer een getrouwd man intreedt in een kloosterorde, de getrouwde vrouw niet bevrijd is van haar overeenkomst. Maar het lijkt me zelfzuchtig en hebzuchtig te proberen in beide werelden te leven, het leven te kiezen dat je wilt, maar te verhinderen dat de vrouw hetzelfde doet. Ik denk dat de vraag zich zelden voordoet, alleen in die gevallen dat de man het niet kan verdragen zijn greep op wat hij vroeger het zijne noemde te verliezen en zelf vecht om haar gekluisterd te houden. En dat is hier niet het geval: broeder Humilis vindt het een goede oplossing. Al is ze natuurlijk misschien al getrouwd.'

'De havezaat van Lai,' mijmerde Cadfael. 'Wat weet je daarvan, Edmund? Wiens bezit is het?'

'Van Cruce. Humphrey Cruce, als ik me goed herinner; hij zou heel goed de vader van dat meisje kunnen zijn. Ze hebben ginds verscheidene havezaten: Ightfeld, Harpecote – en Prees, van de bisschop van Chester. En ook nog wat landerijen in Staffordshire. Ze hebben Lai de hoofdzetel van hun leen gemaakt.'

'En dat is het doel van zijn reis. Als hij zegevierend terugkomt,' zei Cadfael vergenoegd, 'heeft hij goed werk voor Humilis gedaan. Hij heeft hem al een heleboel goed gedaan door zijn eerlijke bruine gezicht te laten zien, maar het is heel goed mogelijk dat hij, door de toekomst van het meisje veilig te stellen, tegelijk het leven van zijn heer met één jaar of meer verlengt.'

Bij het eerste kleppen van de klok begaven ze zich ter completen. De bezoeker had Humilis schijnbaar een eind op weg naar gezondheid geholpen, want daar kwam hij aan, gekleed en rechtop aan Fidelis' arm, zonder zijn geneesheren toestemming te hebben gevraagd en vastbesloten het avondgetijde samen met de anderen bij te wonen. Maar ik jaag hem terug zodra de dienst voorbij is, dacht Cadfael, die zich zorgen maakte over het verband. Laat hem voor deze ene keer met zijn banier zwaaien; het is een bewijs van zijn geestkracht, ook al is het lichamelijk een belasting voor hem. En wie ben ik dat ik zou mogen bepalen wat een broeder, mijn gelijke, wel of niet voor zijn zieleheil mag doen?

De avond kwam al naderbij; de zomer was over zijn hoogtepunt heen, hoewel de warmte nog voortduurde alsof er nooit een eind aan zou komen. Het weinige licht dat doordrong in het schemerige koor had de kleur van lisbloemen en was bezwangerd met de warme, koppige geur van oogst en vruchten. De rijzige, knappe, uitgemergelde man, oud hoewel hij nog maar in de veertig was, stond trots in zijn koorstoel. Aan zijn linkerhand stond Fidelis en naast Fidelis Rhun. Hun jeugd en hun schoonheid schenen het weinige licht naar zich toe te trekken, zodat ze straalden als door een ingeboren glans, als brandende kaarsen.

Tegenover hen stond broeder Urien. Hij knielde, maakte kniebuigingen en zong met de volle, rijpe stem van de volwassenheid en hij wendde zijn blik geen oogwenk af van die twee jonge, stralende hoofden – het vlasblonde en het bruine. Dag in dag uit werden die twee, de stomme en de welsprekende, sterker naar elkaar toe getrokken. Het was niet eerlijk, niet rechtvaardig dat ze zozeer bij elkaar pasten, hem volkomen buitensloten, de een al even begeerlijk en onbereikbaar als de ander, terwijl zijn begeerte dag en nacht in hem brandde, niet te blussen door gebed, niet in slaap te sussen door gezang, maar hem van binnen verterend als het knagen van wolven.

Ze begonnen – onheilspellend teken! – in zijn ogen alle twee op de vrouw te lijken. Wanneer hij een van hen aanstaarde, losten de jongensachtige trekken op en veranderden nauwelijks merkbaar en dan zag hij háár gezicht, niet herkennend, niet minachtend, gewoon door hem heen kijkend naar iemand anders. Zijn hart deed ondraaglijk pijn terwijl hij zoetvloeiend de completen zong.

In de schemering van het zachtere, meer open landschap in het noordoosten van het graafschap, waar de dag langer duurde dan in de heuvelplooien langs de westgrens, reed Nicholas Harnage tussen vlakke, welige, door de warmte ongewoon droge velden en de gevlochten omheining van Lai binnen. Het huis, aan alle kanten omringd door de uitgestrekte akkers van de vlakte, schaars bebost om ruimte te maken voor akkerbouw, verhief zich lang en laag. Het bestond uit een stenen zaal en kamers boven een brede krocht, met stallen en schuren tegen de binnenkant van de omheining. Vruchtbaar land, goed voor graan en wortels en volop weidegrond voor grote kudden vee. In de koestallen klonk het zachte, tevreden loeien van goed doorvoede beesten, gemolken en slaperig.

Een stalknecht hoorde de hoefslagen en kwam uit de stallen naar buiten, bloot tot het middel in de warme avond. Het zien van slechts één enkele ruiter stelde hem gerust. Het was hier betrekkelijk vreedzaam geweest terwijl Winchester brandde en bloedde.

'Wie zoekt u, jonge heer?'

'Je heer, Humphrey Cruce,' zei Nicholas terwijl hij zijn paard inhield en de teugels losliet. 'Als hij nog altijd hier huis houdt?'

'Heer Humphrey is dood heer, al drie jaar. Zijn zoon Reginald is nu mijn heer. Kunt u met uw boodschap ook bij hem terecht?'

'Als hij me wil ontvangen, ja, zeker, ook bij hem,' zei Nicholas en hij steeg af. 'Laat hem weten dat ik ongeveer drie jaar geleden hier ben geweest om namens Godfrid Marescot te spreken. Ik heb zijn vader toen getroffen, maar de zoon zal het ook wel weten.'

'Komt u binnen,' zei de stalknecht vreedzaam, de geloofsbrieven zonder vragen aanvaardend. 'Ik zal voor uw beest laten zorgen.'

In de rokerige, naar hout geurende zaal zaten ze nog aan de maaltijd of namen er na afloop nog hun gemak van, maar ze hadden zijn voetstappen op de stenen trap die naar de openstaande deur leidde gehoord. Reginald Cruce stond waakzaam en nieuwsgierig op toen de bezoeker binnenkwam. Hij was een grote, zwartharige man met een streng gezicht en heerszuchtige gebaren, maar schijnbaar gastvrij tegenover onverwachte bezoekers. Zijn vrouwe, een lichtharige vrouw in het groen, zat terughoudend en stil naast hem, met aan haar zijde een jongen van een jaar of vijftien en een jongere jongen en een jonger meisje van negen of tien, die naar hun gelijkenis te oordelen heel goed een tweeling konden zijn. Klaarblijkelijk had Reginald Cruce zijn opvolging verzekerd met een welgevuld nest vol kinderen, want te oordelen naar de ronde buik van de vrouwe toen ze opstond om hem de gastvrijheid van het huis aan te bieden, was er nog een telg op komst.

Nicholas maakte een buiging en noemde zijn naam. Het verwarde hem enigszins dat de broer van Julian Cruce een man van minstens veertig was, met een vrouw en opgroeiende kinderen, waar hij een jonge knaap van een jaar of twintig had verwacht, misschien pas getrouwd sinds hij had geërfd. Maar hij herinnerde zich dat Humphrey Cruce een oude man was geweest om een nog zo jonge dochter te hebben. Twee huwelijken natuurlijk; het eerste gezegend met een erfgenaam, het tweede op latere leeftijd gesloten, toen Reginald al een volwassen man was, oud genoeg om te trouwen of zelfs al getrouwd te zijn met deze bleke, vruchtbare vrouw. 'Aha, dát!' zei Reginald over het eerdere bezoek van zijn gast aan ditzelfde huis. 'Ik herinner het me, al was ik toen niet hier. Mijn vrouw heeft een havezaat in Staffordshire en daar woonden we toen. Maar ik weet natuurlijk hoe het is gegaan. Een vreemde zaak, maar zulke dingen gebeuren. Mensen veranderen van gedachten. En u was de boodschapper? Goed, maar vergeet het nu en neem een verfrissing. Kom aan tafel. Er is straks nog tijd genoeg om over zulke dingen te praten.'

Hij ging zitten en hield zijn bezoeker gezelschap terwijl een bediende vlees en bier bracht en de vrouwe, na ernstig welterusten te hebben gezegd, haar jongere kinderen naar bed bracht en de erfgenaam de oudere mannen ernstig en plechtig zat aan te kijken. Ten slotte, toen de avond al een eind was gevorderd, konden de mannen hun gesprek alleen voortzetten.

'Dus u bent de schildknaap die die boodschap van Marescot overbracht. U zult wel hebben gezien dat er een groot leeftijdsverschil is tussen mij en mijn zuster – zeventien jaar. Mijn moeder stierf toen ik negen was en het duurde nog eens acht jaar voordat mijn vader hertrouwde. Een gril van een oude man; ze bracht niets in en stierf toen het meisje werd geboren, zodat hij weinig genoegen aan haar heeft beleefd.'

Er was in elk geval, dacht Nicholas terwijl hij zijn gastheer onbevooroordeeld aankeek, geen tweede zoon en dus geen gevaar voor een verdeling van de landerijen. Dat was ongetwijfeld een bron van voldoening voor deze man, een schoolvoorbeeld van zijn klasse en zijn soort, wiens landerijen zijn lust en zijn leven waren.

'Maar aan zijn dochter heeft hij waarschijnlijk veel vreugde beleefd,' zei hij kordaat, 'want ze is een heel bevallig en mooi meisje, zoals ik me nog heel goed herinner.'

'Dat kunt u beter weten dan ik,' zei Reginald droog, 'als u haar nog maar drie jaar geleden hebt gezien. Het is achttien jaar of langer geleden dat ik haar voor het laatst heb gezien. Ze was nog een dreumes toen, twee of drie jaar oud misschien. Ik trouwde rond die tijd en vestigde me op het land dat Cecilia inbracht. We stuurden elkaar af en toe een boodschap, maar ik ben hier nooit meer terug-geweest tot mijn vader op sterven lag en ze me kwamen halen.'

'Ik wist niet dat hij dood was toen ik hierheen vertrok,' zei Nicholas. 'Ik hoorde het pas van uw stalknecht bij de poort. Maar ik kan met u even vrijuit praten als ik met hem zou hebben gedaan. Ik was zo onder de indruk van de bevalligheid en waardigheid van uw zuster, dat ik sindsdien voortdurend aan haar heb gedacht. Ik heb met mijn heer Godfrid gesproken en wat ik vraag heeft zijn volledige instemming. Wat mijzelf betreft,' ging hij verder terwijl hij geest-driftig naar voren boog, 'ik ben de erfgenaam van twee goede ha-vezaten van mijn vader en erf ook enkele landerijen van mijn moe-der. Ik heb een goede betrekking in het leger van de koningin en mijn heer is bereid te getuigen dat ik het oprecht meen en even goed voor Julian zal zorgen als wie ook, als u...'

Verbaasd glimlachend om zijn vurige betoog staarde zijn gastheer hem aan en hij hief bezwerend zijn hand op om de woordenstroom te stuiten.

'Bent u helemaal hiernaar toe gekomen om mij de hand van mijn zuster te vragen?'

'Inderdaad! Is dat zo vreemd? Ik bewonderde haar en ik kom haar ten huwelijk vragen. En ze zou slechtere aanbiedingen kunnen krijgen,' voegde hij er, blozend van verontwaardiging over zo'n antwoord, aan toe.

'Ik twijfel er niet aan. Maar man, u had iets moeten laten weten om haar op tijd te waarschuwen. U bent drie jaar te laat!'

'Te laat?' Nicholas leunde achterover en trok zijn handen lang-zaam en verbijsterd terug. 'Is ze dan al getrouwd?'

'Zo zou u het kunnen noemen!' Hulpeloos haalde Reginald zijn brede schouders op. 'Maar niet met een man. En voor zover ik weet zou u zijn geslaagd als u meer haast had gemaakt. Nee, dit is een heel ander verhaal. Er is zelfs nog over geredetwist of ze nog steeds als vrouw aan Marescot was gebonden – dwaasheid natuur-lijk, maar de dienaren van de kerk moeten hun gezag handhaven en mijn vaders kapelaan was zo preuts als een maagd – hoewel ik hem ervan verdenk dat hij dat in het geniep allesbehalve was! Hij klampte zich vast aan elk punt van de kerkelijke wet dat hem macht gaf. Hij nam een strikt standpunt in en hield staande dat ze wette-lijk gezien getrouwd was, terwijl de parochiepriester het tegendeel beweerde en mijn vader verstandig genoeg zijn kant koos en volhield dat ze vrij was. Ik heb het allemaal achteraf gehoord. Ik heb me er nooit mee bemoeid of mijn hand in het wespennest gestoken.'

Nicholas staarde fronsend naar zijn gevouwen handen en voelde het kille gewicht van de teleurstelling dat hem de moed in de schoenen deed zakken. Maar het was nog geen volledig antwoord. Bedroefd keek hij op. 'En hoe liep het af? Waarom is ze niet hier om van haar vrijheid te genieten, als ze zich nog niet aan een andere man heeft gegeven?'

'Aha, maar dat heeft ze wél gedaan! Ze heeft haar eigen zin gedaan. Ze zei dat, als ze vrij was, ze zelf een keuze zou doen. En ze koos voor hetzelfde als Marescot en nam een gemaal die niet van deze wereld is. Ze heeft de sluier aangenomen als benedictines.'

'En ze hebben haar haar gang laten gaan?' vroeg Nicholas, heen en weer geslingerd tussen woede en pijn. 'Ze hebben haar, toen ze zo van streek was over die gebroken huwelijksbelofte, zomaar laten gaan, haar haar jeugd zo onverstandig laten vergooien?'

'Ja. Hoe moet ik weten of ze er verstandig aan deed of niet? Als ze het zo wilde, waarom zou ze dan haar zin niet krijgen? Ik heb sinds haar vertrek nooit meer iets van haar gehoord; ze heeft nooit geklaagd of ergens om gevraagd. Ze is ongetwijfeld gelukkig met haar keus. U zult ergens anders een vrouw moeten zoeken, beste vriend!'

Nicholas zweeg enige tijd en onderdrukte een verbittering die als vuur in hem brandde. Toen vroeg hij met bedachtzame kalmte: 'Hoe is het gegaan? Wanneer is ze van huis gegaan? In wiens gezelschap?'

'Heel kort na uw bezoek, denk ik. Ze zullen er zowat een maand over hebben gebekvecht en ze zei er geen woord over. Maar alles werd naar behoren gedaan. Onze vader gaf haar een geleide mee van drie wapenknechts en een jachtmeester op wie ze altijd dol was geweest en die haar had verwend, plus een behoorlijk bedrag aan geld en ook enkele versierselen voor haar klooster, zilveren kandelaars en een kruis en zo. Uit wat hij later vertelde, begreep ik dat hij het erg vond dat ze wegging, maar ze wilde het zo en haar wensen waren hem altijd een bevel geweest.' Een lichte ondertoon van verbittering in zijn levendige, vastberaden stem sprak van een oude afgunst. Het kind van Humphrey's ouderdom had kennelijk diens hart gestolen, ook al zou zijn zoon alles erven wanneer dat hart niet meer zou kloppen. 'Hij heeft nauwelijks een maand meer geleefd,' zei Reginald. 'Net lang genoeg om haar geleide te zien terugkeren en te weten dat ze veilig op haar plaats van bestemming was aangekomen. Hij was oud en zwak, dat wisten we. Maar hij had niet zo snel hoeven sterven.'

'Heel goed mogelijk dat hij haar miste in huis,' zei Nicholas heel zacht en aarzelend. 'Ze had iets vrolijks over zich... En u hebt haar niet laten halen toen haar vader stierf?'

'Waarvoor? Wat kon ze voor hem doen, of hij voor haar? Nee, we hebben haar met rust gelaten. Als ze daar gelukkig was, waarom zouden we haar dan lastigvallen?'

Nicholas vouwde zijn handen onder de tafel en kneep erin terwijl hij zijn laatste vraag stelde: 'Waar is ze naar toe gegaan?' Zijn stem klonk hem hol en vaag in de oren.

'Ze zit in het benedictinessenklooster van Wherwell, vlak bij Andover.'

Dat was het dus. Ze was al die tijd binnen handbereik geweest en nu was het huis waar ze onderdak had gezocht omsingeld door legers en partijen en onenigheid. Had hij maar gezegd wat hij in zijn hart had gevoeld zodra hij haar zag, zelfs gehinderd als hij was door het besef van de klap die hij kwam toebrengen en door dat besef tot zwijgen gebracht toen hij voor één keer welsprekend had kunnen zijn. Misschien zou ze hebben geluisterd en haar voornemen hebben uitgesteld, ook al kon ze op dat ogenblik niets voor hem voelen.

Ze had zich kunnen bedenken, kunnen wachten, misschien zelfs aan hem hebben teruggedacht.

Nu was het te laat. Ze was ten tweeden male bruid geworden en nu onherroepelijk.

Ditmaal was er geen sprake van onenigheid. Een huwelijksbelofte door of namens een kind kon met reden ongeldig worden verklaard, maar de kloostergeloften van een volwassen vrouw, afgelegd in het volledige besef van wat ze betekenden en uit vrije wil, konden nooit ongedaan worden gemaakt. Hij was haar kwijt.

De hele nacht lag Nicholas in de kleine gastenkamer die ze voor hem in gereedheid hadden gebracht te knagen aan de knoop waarvan hij wist dat hij hem niet kon losmaken. Hij sliep licht en onrustig en de ochtend daarna nam hij afscheid en aanvaardde de terugweg naar Shrewsbury.

5

Het toeval wilde dat broeder Cadfael alleen met Humilis in diens cel in de slaapzaal was toen Nicholas weer onder de poort door kwam en toestemming vroeg om zoals hij had beloofd zijn voormalige heer te bezoeken. Humilis was die ochtend tegelijk met de anderen opgestaan, had de primen en de mis bijgewoond en gewetensvol het getijdenrooster in acht genomen, hoewel hij zich nog niet door enigerlei vorm van arbeid mocht inspannen. Fidelis volgde hem trouw, op de voet, klaar om hem te ondersteunen als dat nodig mocht blijken of alles voor hem te halen wat hij wenste. Hij had de middag doorgebracht met het onder het goedkeurend oog van zijn meester afmaken van de beginletter die door diens val gevlekt en besmeurd was. En daar hadden ze de jongen achtergelaten om de ingewikkelde gouden versiering te voltooien terwijl zij, geneesheer en zieke, zich samen hadden teruggetrokken in de slaapzaal.

'Goed dichtgegaan,' zei Cadfael, tevreden over zijn werk, 'en mooi stevig geworden, zo schoon als maar kan. Je hebt het verband nauwelijks meer nodig, maar houd het nog een dag of twee om om de nog tere huid te beschermen tegen schuren.'

Ze gingen inmiddels heel ongedwongen met elkaar om, die twee, en al beseften ze alle twee dat het helen van een opengegane en zwerende wond niet voldoende genezing was voor wat Humilis mankeerde, ze deden er beleefd het zwijgen over toe en namen bescheiden genoegen met wat ze hadden bereikt.

Ze hoorden de voetstappen op de stenen treden van de dagtrap en hoorden dat de voeten in laarzen waren gestoken in plaats van in sandalen. Maar de schreden hadden nu niets veerkrachtigs, niets haastigs of geestdriftigs. Het was een sombere jongeman die als een schaduw in de deuropening van de cel verscheen. Hij had zich ook niet gehaast op de terugweg vanuit Lai, aangezien hij alleen maar een mislukking te melden had. Maar hij had het beloofd en hij was gekomen.

'Nick!' Humilis begroette hem met klaarblijkelijke vreugde en genegenheid. 'Je bent gauw terug! Je bent van harte welkom, maar ik had gedacht...' Hij zweeg toen hij er zich zelfs in het zwakke licht van bewust werd dat alle vrolijkheid van het gezicht van de jongeman was verdwenen. 'Zo'n lang gezicht? Ik zie dat het niet is gegaan zoals je had gewild.'

'Nee, mijn heer.' Langzaam kwam Nicholas naar binnen en maakte een kniebuiging voor de twee oudere mannen. 'Ik ben niet geslaagd.'

'Het spijt me voor je, maar je kunt niet altijd geluk hebben. Je kent broeder Cadfael? Hij verzorgt me als de beste.'

'We hebben elkaar de vorige keer gesproken,' zei Nicholas met een halfhartige glimlach van herkenning. 'Ik sta ook bij hem in het krijt.'

'Jullie hebben het natuurlijk over mij gehad,' zei Humilis met een glimlach en een zucht. 'Jullie maken je te veel zorgen over mij; ik maak het hier best. Kom, ga even zitten en vertel ons wat er mis is gegaan.'

Nicholas liet zich op de kruk naast het bed van Humilis vallen en zei met prijzenswaardig weinig woorden wat hij te zeggen had. 'Ik heb drie jaar te lang geaarzeld. Nauwelijks een maand nadat u in Hyde de kap aannam, heeft Julian Cruce in Wherwell de sluier aangenomen.'

'Het is niet waar...' zei Humilis langzaam en hij zweeg om de volledige betekenis ervan tot zich te laten doordringen. 'Ik vraag me af... Nee, waarom zou ze zoiets doen als ze het niet echt wilde? Het kan niet om míj zijn geweest. Nee, ze wist niets van me, ze had me maar één keer gezien en moet me vergeten zijn zodra ik mijn hielen had gelicht. Misschien was ze zelfs blij... Misschien is dit wat ze altijd al had gewild als ze haar eigen zin had mogen doen...' Hij dacht even met gefronste wenkbrauwen na, in een poging wellicht zich te herinneren hoe dat meisje eruit had gezien. 'Je hebt me verteld, Nick, hoe ze het bericht opnam. Ze was niet ontsteld, maar heel kalm en hoffelijk en ontsloeg me uit vrije wil van mijn belofte.'

'Inderdaad, mijn heer,' zei Nicholas ernstig, 'hoewel ze onmogelijk blij kan zijn geweest.'

'Aha, maar misschien was ze dat wél – ze kan heel goed blij zijn geweest. Wie zal het haar kwalijk nemen? Hoewel ze bereid kan zijn geweest de echtgenoot die ze voor haar hadden uitgezocht te aanvaarden, ze zou toch gebonden zijn geweest aan een man die twintig jaar ouder was dan zij, een vreemde bovendien. Waarom zou ze niet blij zijn geweest toen ik haar de vrijheid gaf – nee, op-drong? Ze heeft er natuurlijk het gebruik van gemaakt waaraan ze de voorkeur gaf – waarnaar ze misschien zelfs had verlangd.'

'Ze werd niet gedwongen,' gaf Nicholas met enigszins schoorvoe-tende stelligheid toe. 'Volgens haar broer was het haar eigen keus; haar vader was er zelfs tegen en gaf alleen maar toe omdat ze het zelf zo wilde.'

'Dan is het goed,' beaamde Humilis met een zucht van verlichting. 'Dan mogen we hopen dat ze gelukkig is met haar keus.'

'Maar het is zo'n verspilling,' flapte Nicholas er bedroefd uit. 'U had haar eens moeten zien, mijn heer, zoals ík haar heb gezien. Te bedenken dat zulke haren zoals zij had zijn afgeknipt en dat zo'n lichaam onder een zwarte pij is verstopt! Ze hadden haar nooit mo-gen laten gaan, niet zo gauw. Stel dat ze er allang spijt van heeft?'

Humilis glimlachte vertederd bij het zien van het sombere gezicht en de neergeslagen ogen. 'Te oordelen naar jouw beschrijving van haar, zo bevallig en gevoelig, zo weloverwogen en verstandig spre-kend, denk ik niet dat ze onnadenkend heeft gehandeld. Nee, ze heeft zeker gedaan wat goed voor haar is. Maar het spijt me voor jou, Nick. Je moet het even dapper dragen als zij – als ze ooit om me heeft getreurd!'

De klok voor de vespers begon te luiden. Humilis stond op om naar de kerk te gaan en Nicholas, die het beschouwde als een teken om te gaan, kwam eveneens overeind.

'Het is al laat om nog te vertrekken,' opperde Cadfael vanuit de stilte en de teruggetrokkenheid die hij had bewaard terwijl de twee met elkaar praatten. 'En het lijkt me dat er geen haast bij is, dat je niet vanavond nog weg hoeft te gaan. Een bed in de gastenzaal en je zou morgen fris kunnen vertrekken, met de hele dag vóór je. En je kunt vanavond nog een uur of twee doorbrengen met broeder Humilis, nu je de kans hebt.'

Op welk verstandig voorstel ze allebei ja zeiden. Nicholas vrolijkte zelfs weer een beetje op, al kon niets de vurigheid waarmee hij van-uit Winchester naar het noorden was gereden terugbrengen.

Wat Cadfael enigszins verbaasde was de kiese manier waarop Fidelis, opnieuw gesteld tegenover deze bezoeker uit de tijd voordat hij Humilis had leren kennen en diens vertrouwen had gewonnen, zich wederom terugtrok. Hij liet hen herinneringen ophalen aan reizen, kruistochten en veldslagen, dingen waarmee hij geen enkele ervaring had. Een genegenheid die zo zelfopofferend plaats kon maken voor een andere, oudere genegenheid was inderdaad vrijgevig.

Er woonde in Shrewsbury een koopman die langs de hele grens, zowel die met Wales als die met de vruchtbare schapenstreek van de Cotswolds, in schapevachten handelde en die in deze woelige tijden een aardige bijverdienste had aan het verzamelen van inlichtingen voor Hugh. Zijn nut werd door de natuur beperkt tot de zomertijd, wanneer de woloogst te koop werd aangeboden. Er waren heel wat kooplui die in deze gevaarlijke tijden zo min mogelijk reisden, maar hij was een vastberaden man en onversaagd genoeg om zich ruimschoots ten zuiden van de grens te wagen, in de richting van gebieden die in handen waren van de keizerin. Zijn toeleveraars deden al verscheidene jaren zaken met hem en ze hadden voldoende vertrouwen in hem om hun wol achter te houden tot hij van zich liet horen. Hij had goede handelsbetrekkingen tot zelfs in het Vlaamse Brugge en was niet bang voor wat meer gevaar als hij een nog hogere winst verwachtte. Bovendien zag hij die gevaren zelf onder ogen in plaats van de hachelijke reizen aan zijn ondergeschikten over te laten. Misschien genoot hij zelfs van de uitdaging, want hij was een koppige, eigengereide man.
Nu, begin september was hij, gevolgd door een stoet van drie wagens met zijn aankopen, van Buckingham onderweg naar huis. Verder richting Oxford kon hij zich niet wagen, want Oxford was waakzaam en zenuwachtig geworden als een belegerde stad. De inwoners verwachtten elke dag dat de keizerin zich door de honger gedwongen zou zien zich uit Winchester terug te trekken. De koopman had zijn mannen veilig achtergelaten op een betrekkelijk vreedzame weg om zijn wagens op hun gemak naar huis te brengen en reed zelf met zijn nieuws vooruit om zich nog voordat hij naar vrouw en kinderen ging te melden bij Hugh Beringar in Shrewsbury.

'Mijn heer, er begint eindelijk beweging in te komen. Ik heb het gehoord van een man die het heeft meegemaakt en die zich ijlings uit de voeten heeft gemaakt naar veiliger oorden. U weet dat ze ingesloten zaten in hun kastelen in Winchester, de bisschop en de keizerin, terwijl de legers van de koningin de stad omsingelden en de wegen versperden. Er zijn nu al in geen vier weken voorraden door die omsingeling kunnen komen en ze zeggen dat er honger heerst in de stad, al betwijfel ik of de keizerin en de bisschop iets te kort komen.' Hij was gewend te zeggen wat hij op zijn hart had en had weinig ontzag voor hogergeplaatsten. 'Wat die arme stedelingen betreft, dat is een heel ander verhaal. Maar de honger knaagt zelfs aan het garnizoen in het koninklijke kasteel, want de koningin heeft Wolvesey bevoorraad terwijl ze haar tegenstanders uithongerde. Welnu, het kwam zover dat ze moesten proberen een uitval te doen.'

'Dat verwachtte ik al,' zei Hugh, één en al oor. 'Waar stuitten ze op? Ze konden alleen hopen naar het noorden of het westen te ontkomen; de koningin houdt het hele zuidoosten bezet.'

'Ze stuurden een strijdmacht naar het noorden, drie- of vierhonderd man, heb ik gehoord, om de stad Wherwell in te nemen en te proberen daar voet aan de grond te krijgen en de weg naar Andover te openen. Of ze nu zijn gezien of dat ze door een of andere stadsbewoner zijn verraden – ze zijn niet erg geliefd in Winchester – hoe dan ook, Willem van Ieperen en de mannen van de koningin omsingelden hen toen ze de rand van de stad nauwelijks hadden bereikt en hakten hen in de pan. Een geweldige slachtpartij. De kerel van wie ik het hoorde, is gevlucht toen de huizen begonnen te branden, maar hij heeft gezien dat de laatsten van de mannen van de keizerin een wanhopige strijd aangingen en het grote nonnenklooster daar bereikten. En ze aarzelden ook geen ogenblik om er gebruik van te maken, zei hij. Ze drongen de kerk binnen en veranderden het in een vesting, hoewel de arme zusters er zich voor hun veiligheid hadden verschanst. De Vlamingen schoten vuurpijlen naar binnen. Het moet een hel zijn geweest. Hij kon het in de verte horen terwijl hij op de vlucht was, zei hij; de schreeuwende vrouwen, de knetterende vlammen en het lawaai van het gevecht, tot de overgeblevenen gedwongen werden naar buiten te komen en zich, half verzengd als ze waren, over te geven. Geen enkele man kan aan dood of gevangenneming zijn ontsnapt.'

'En de vrouwen?' vroeg Hugh ontzet. 'Je wilt toch niet beweren dat de abdij van Wherwell is platgebrand, net als het klooster in de stad, net als Hyde Mead?'

'Mijn man is niet gebleven om te kijken hoeveel er was overgebleven,' zei de boodschapper droog. 'Maar het is zeker dat de kerk met mannen en vrouwen erin tot de grond toe is afgebrand – de zusters kunnen onmogelijk allemaal levend zijn ontkomen. En wat de overlevenden betreft: alleen God weet waar ze nu onderdak hebben gevonden. Het is moeilijk ginds een veilig plekje te vinden. En wat het garnizoen van de keizerin aangaat: het lijkt me dat ze niets anders kunnen doen dan alle beschikbare mankrachten in de strijd werpen om te proberen uit de omsingeling te breken en de benen te nemen. En zelfs dan hebben we weinig kans.'

Inderdaad, weinig kans, na dit laatste verlies van drie- of vierhonderd krijgsmannen, keurtroepen waarschijnlijk, aangewezen voor een onderneming die van meet af aan een wanhoopspoging moest zijn geweest. Het jaar was nog maar acht maanden oud en de krijgskansen waren gekeerd en nogmaals gekeerd, van de rampzalige slag bij Lincoln, waar de koning gevangen was genomen en waardoor de keizerin de kroon voor het grijpen had gekregen, tot deze strop die nu rond diezelfde trotse vrouwe werd dichtgetrokken. Als we nu de keizerin zelf gevangen konden nemen, dacht Hugh, zou er een patstelling ontstaan waarin beide kampen hun vorst weer konden terughalen en dan kon het hele gedoe opnieuw beginnen. Want wat voor zin heeft het!? En dat alles ten koste van de broeders van Hyde Mead en de nonnen van Wherwell en nog zoveel andere hulpelozen, zoals de armen van Winchester.

De naam Wherwell zei hem op dit ogenblik nog niets meer dan die van elk ander ongelukkig klooster dat de pech had op het slagveld te liggen.

'Niettemin is het een goed jaar voor me geweest,' zei de wolkoopman terwijl hij opstond om naar huis te gaan, waar zijn tafel en zijn bed op hem wachtten. 'De woloogst is goed; het was de moeite waard.'

De volgende ochtend, meteen na de primen, bracht Hugh het laatste nieuws naar de abdij, want alle belangrijke zaken die hem ter ore kwamen vertelde hij onverwijld door aan abt Radulfus, een dienst die deze waardeerde en terugbetaalde. De geestelijke en wereldlijke overheden werkten goed samen in Shropshire. Bovendien was er in dit geval een benedictijns huis ontheiligd en verwoest. De volgelingen van Benedictus stonden elkaar bij en hielpen elkaar wanneer ze maar konden. Zelfs in vreedzamer tijden hadden nonnenkloosters vaak minder land en minder bronnen van inkomsten dan de huizen van de monniken. Ze waren zelfs onder een goed, verstandig bestuur vaak afhankelijk van broederlijke aalmoezen. Nu was er sprake van volledige verwoesting. Er zou een beroep worden gedaan op bisschoppen en abten om hulp te bieden.

Na zijn gesprek met Radulfus in de spreekkamer van de abt had Hugh nog een half uur voordat de hoogmis begon en omdat hij die, nu hij toch hier was, wilde bijwonen, deed hij wat hij meestal deed als hij binnen de abdijmuren wat tijd over had: hij ging op zoek naar broeder Cadfael in diens werkplaats in de kruidentuin.

Cadfael was lang vóór de primen opgestaan, had zijn wijnen en brouwsels die stonden te gisten in ogenschouw genomen en had wat gesproeid zolang de grond nog in de schaduw lag en door de nacht was afgekoeld. In deze tijd van het jaar, nu de oogst binnen was, was er weinig te doen tussen de kruiden en hij had het nog niet nodig gevonden een helper te vragen ter vervanging van broeder Oswin.

Toen Hugh Cadfael in het oog kreeg, zat deze op zijn gemak op de bank tegen de noordmuur, waar het op dit uur van de dag aangenaam maar niet overdreven warm was. Hij keek, heen en weer geslingerd tussen bewondering en spijt, naar de rozen die met zo'n buitenissige pracht bloeiden en zo gauw verwelkten. Hugh vatte Cadfaels vreedzame stilzwijgen terecht op als een welkom en ging naast hem zitten.

'Aline zegt dat het hoog tijd wordt dat je eens komt kijken hoe je petekind groeit.'

'Ik weet maar al te goed hoe hard hij gegroeid moet zijn,' zei Cadfael zelfgenoegzaam en tegelijk onder de indruk van zijn grote verantwoordelijkheid. 'Met Kerstmis wordt hij pas twee en hij is nu al te zwaar voor een oude man.'

Hugh maakte een afkeurend geluid. Wanneer Cadfael beweerde

dat hij een oude man was, was hij iets van plan of had hij zin om te lanterfanten en waarschuwde hij je daarvoor.

'Telkens als hij me ziet, klimt hij in me alsof ik een boom ben,' zei Cadfael dromerig. 'Jou durft hij zo niet te behandelen, jij bent nog maar een jonge scheut. Over vijftien jaar steekt hij met kop en schouders boven je uit.'

'Dat denk ik ook,' beaamde de vader vertederd en hij rekte zijn lenige, lichte lichaam genoeglijk uit in de warmer wordende zon. 'Hij was al groot toen hij werd geboren – weet je nog? Het was me inderdaad een Kerstmis wel, met mijn zoon – en de jouwe... Waar zou Oliver op dit ogenblik zitten? Weet jij het?'

'Hoe zou ik het moeten weten? Met d'Angers in Gloucester, hoop ik. Ze kan ze onmogelijk allemaal naar Winchester hebben meegesleurd; ze moet voldoende strijdkrachten in het westen achterlaten om haar uitvalskamp daar te bemannen. Waarom denk je nu net aan hem?'

'Het kwam in me op dat hij misschien tot de keurtroepen van de keizerin in Wherwell behoorde.' Hij was even in grimmige gedachten verzonken en merkte aanvankelijk niet dat Cadfael verstijfde en hem aanstaarde. 'Ik hoop dat je gelijk hebt en dat hij ver uit de buurt is.'

'In Wherwell? Waarom? Wat is er met Wherwell?'

'Ik vergat,' zei Hugh verrast, 'dat je het laatste nieuws nog niet weet, want ik heb het nog maar net meegebracht en zelf weet ik het pas sinds gisteravond. Zei ik niet dat ze zouden moeten proberen uit te breken – de mannen van de keizerin? Ze hébben het geprobeerd, Cadfael – met rampzalige gevolgen. Ze stuurden keurtroepen naar Wherwell om te proberen dat in te nemen, ongetwijfeld in de hoop dat ze de weg en de rivier daar in handen zouden krijgen en voorraden zouden kunnen aanvoeren. Willem van Ieperen hakte ze buiten de stad in de pan en de laatsten vluchtten het nonnenklooster in en verschansten zich in de kerk. Het gebouw is boven hun hoofden platgebrand... God vergeve hun dat ze het hebben ontwijd, maar Mauds mannen waren begonnen, niet de onze. De nonnen, moge God hen bijstaan, hadden er hun toevlucht gezocht toen de strijd begon...'

Cadfael zat als bevroren in het zonlicht. 'Wil je beweren dat Wherwell dezelfde weg is gegaan als Hyde?'

'Tot de grond toe afgebrand. De kerk tenminste. Wat de rest betreft... Maar met dit warme, droge weer...'

Cadfael, die hem hard en onverwacht bij de arm had gegrepen, liet hem even plotseling los, sprong overeind en zette het op een rennen – zoals hij niet meer had gedaan sinds hij uit de buurt van het boevenkasteel op Titterstone Clee was gevlucht, twee jaar geleden. Hij kon als hij opgewonden was nog indrukwekkend snel uit de voeten, maar zijn manier van voortbewegen was wonderlijk, beenloos onder het habijt, als een voortrollende zwarte bal die enigszins heen en weer slingerde – een zeemansgang die was veranderd in een onstuimige ren. En Hugh, die van hem hield en die besefte dat Cadfael dringende redenen had om zo te rennen, stond op om hem achterna te gaan. Hij moest niettemin onwillekeurig lachen. Op de rug gezien mag een rennende benedictijn, een benedictijn van meer dan zestig en met de bouw van een ronde ton bovendien, dan een indrukwekkend gezicht zijn voor wie hem kent, maar hij kan niet anders dan op je lachspieren werken.

Cadfaels doelbewuste draf stokte opgelucht toen hij op de binnenplaats aankwam. Daar stonden ze nog, ongehaast afscheid nemend, hoewel het paard, bij de teugel gehouden door een stalknecht, al stond te wachten. Broeder Fidelis trok de riemen strak waarmee het reisgoed en de opgerolde mantel van Nicholas Harnage achter het zadel waren bevestigd. Ze wisten nog niets van enige noodzaak om haast te maken. De ruiter had een hele zonnige dag vóór zich.

Fidelis zette buitenshuis altijd zijn kap op, alsof hij een verlegenheid wilde verbergen die natuurlijk werd veroorzaakt door zijn stomheid. Hij, die zich niet tegenover anderen kon uitspreken, durfde geen aanspraak te maken op enige bijzondere toenadering. Alleen Humilis had een soort stille en welsprekende manier om met hem te praten waarvoor geen stem nodig was. Toen hij de zadelrol had bevestigd, trok de jongeman zich bescheiden terug en wachtte.

Cadfael liep minder onbesuisd naar hen toe dan hij uit de tuin was vertrokken. Hugh was hem niet helemaal achternagelopen, maar was in de schaduw van de muur van het gastenverblijf blijven staan.

'Er is nieuws,' zei Cadfael plompverloren. 'Je moet het weten voordat je vertrekt. De keizerin heeft een aanval gedaan op de stad Wherwell, een rampzalige aanval. Haar strijdmacht is door het leger van de koningin van de kaart geveegd. Maar tijdens het gevecht is de abdij van Wherwell in brand gestoken en de kerk is tot de grond toe afgebrand. De schout hier heeft het gisteravond gehoord.'

'Van een betrouwbare man,' zei Hugh, naderbij komend. 'Het is zeker.'

Met grote ogen en open mond staarde Nicholas hen aan. Zijn bronskleurige huid was asgrauw geworden terwijl het bloed uit zijn gezicht wegtrok. Schor fluisterend bracht hij uit: 'Wherwell? Ze hebben de moed gehad...?'

'Geen moed,' zei Hugh bedroefd, 'maar regelrechte angst. Ze waren ingesloten, de aanvallers, ze zochten natuurlijk de eerste de beste schuilplaats die ze konden vinden en gooiden de deur dicht. Maar wie de vuurpijlen ook heeft afgeschoten, de afloop bleef gelijk. De abdij is verwoest. Het spijt me dat ik het moet zeggen.'

'En de vrouwen...? O God... Julian is daar... Is er iets bekend over de vrouwen?'

'Ze zijn de kerk in gevlucht,' zei Hugh. Maar tijdens zo'n burgeroorlog is zelfs een kerk niet veilig, zelfs niet voor vrouwen en kinderen. 'De overgebleven aanvallers hebben zich overgegeven – de meesten zullen er wel levend uit zijn gekomen. Maar waarschijnlijk niet allemaal.'

Met nietsziende ogen draaide Nicholas zich om, tastte naar de teugels en schudde de bevende hand die Humilis op zijn arm had gelegd van zich af. 'Laat me gaan! Ik moet weg... ik moet ernaar toe om haar te zoeken.' Hij draaide zich weer om, pakte nog even de hand van de oudere man en kneep er hard in. 'Ik zál haar vinden. Als ze nog leeft, vind ik haar en breng ik haar in veiligheid.' Hij zocht de stijgbeugels en hees zich in het zadel.

'Als God met je is, laat het me dan weten,' zei Humilis. 'Laat me weten dat ze leeft en veilig is.'

'Dat zal ik doen, mijn heer, dat zal ik zeker doen.'

'Maak het haar niet moeilijk, zeg niets over mij. Geen vragen! Het enige dat ik wil weten, het enige dat je moet vragen, is of God haar heeft bewaard en of ze het leven leidt waarnaar ze heeft verlangd. Ze vindt wel ergens anders onderdak, bij andere zusters. Als ze nog maar leeft.'

Nicholas knikte zwijgend, schudde zichzelf wakker uit zijn verdoving, keerde zijn paard en verdween zonder een woord te zeggen of een blik achterom te werpen onder de poort door. Ze staarden hem na terwijl het fijne stof dat hij had opgeworpen neerdaalde onder de boog van de poort, waar de keien ophielden en de aangestampte grond van de Voorstraat begon.

Die hele dag kwam het Cadfael voor dat Humilis zich tot het uiterste inspande. Het was alsof de spanning die Nicholas in allerijl naar het zuiden had gedreven hier zijn tol eiste in gedwongen stilte en nietsdoen, hoewel zijn hart liever met de jongen was meegereden. Die hele dag werd hij gevolgd door Fidelis, die zelfs Rhun in de steek had gelaten. Fidelis volgde hem met een bijzondere en bedroefde aanhankelijkheid, tederheid en bezorgdheid, alsof hij zojuist tot het besef was gekomen dat de dood niet ver weg was en elk uur één voorzichtige stap naderbij kwam.

Humilis ging meteen na de completen naar bed en Cadfael, die tien minuten later een kijkje ging nemen, zag dat hij al diep in slaap was en stoorde hem daarom niet. Het was nu geen zwerende wond of verminkt lichaam dat Humilis last bezorgde, maar een duister gevoel van schuld tegenover het meisje dat, als hij met haar was getrouwd, veilig in een of andere havezaat ver van Winchester, Wherwell en het wapengekletter had gezeten in plaats van door vuur en doodslag zelfs uit haar vrijwillige afzondering te zijn verjaagd. De slaap kon nu meer doen voor deze bedroefde geest dan het verschonen van een verband kon doen voor zijn lichaam. In zijn slaap vertoonde hij de verheven rust van een uit een grafsteen gehouwen gestalte. Hij had rust. Cadfael ging stilletjes weg en liet hem alleen zoals Fidelis hem alleen moest hebben gelaten, om hem in afzondering des te beter te laten rusten.

In de zoetgeurende schemering bracht Cadfael zijn gebruikelijke avondbezoek aan zijn werkplaats om zich ervan te vergewissen dat alles daar in orde was en om nog even in een brouwsel te roeren dat die nacht moest afkoelen. Wanneer de avonden zo fris waren na de hitte van de dag, de hemel vol sterren en eindeloos hoog, en elke bloem en elk blad plotseling, ondanks het verdwijnen van het licht, verzadigd van zijn eigen zachtglanzende kleur en licht, vond hij het een grote verspilling van de geschenken van God om naar bed te gaan en er zijn ogen voor te sluiten. Het was wel eens voorgekomen dat hij zich 's nachts heimelijk naar buiten had gewaagd – voor een goede zaak, hoopte hij, maar hij dacht er niet te diep over na. Ook Hugh had er zijn aandeel in gehad. Ach ja!

Toen hij met enige tegenzin naar zijn slaapplaats terugkeerde, liep hij door de kerk naar de nachttrap. Alle vormen in het uitgestrekte stenen middenschip waren vaag zichtbaar in het licht van de godslamp. Cadfael liep hier nooit voorbij zonder even naar het koor te gaan om een blik te werpen op en een gedachte te wijden aan het altaar van de heilige Winifred en vol genegenheid terug te denken aan hun eerste ontmoeting en dankbaar te zijn voor haar lankmoedigheid. Dat deed hij ook nu en hij bleef met een ruk staan voordat hij zich dichterbij waagde. Want er zat een broeder op zijn knieën aan de voet van het altaar. In de schemerige rosse gloed van de lamp zag hij het geheven gezicht, de stijf gesloten ogen en de in gebed gevouwen handen van Fidelis. Zag, niet minder duidelijk, toen hij zacht naderbij liep, de tranen die op de wangen van de jongeman schitterden. Een volmaakt stil gezicht, op de stomme lippen na die geluidloos in gebed bewogen en de tranen die langzaam opwelden onder zijn gesloten oogleden en op zijn borst vielen. Heel begrijpelijk dat de wederwaardigheden van de dag hem hiernaar toe hadden gedreven, nu de aan zijn hoede toevertrouwde man sliep, om een vurig gebed te storten voor een goede afloop. Maar waarom leek dat gezicht eerder dat van een boetvaardige dan van een onschuldige smekeling? Een boetvaardige bovendien die niet zeker was van vergeving!

Heel stil glipte Cadfael weg naar de nachttrap en liet de jongen de hele beschuttende ruimte van de kerk voor zijn onverklaarbare pijn.

De andere gestalte, roerloos in de donkerste hoek van het koor, bewoog niet voordat Cadfael weg was en wachtte zelfs toen nog enkele lange ogenblikken alvorens hij voetje voor voetje en met ingehouden adem over de koude tegels naar voren schuifelde.

Een blote voet raakte de zoom van Fidelis' pij en trok zich even haastig en voorzichtig weer terug. Een hand werd uitgestrekt boven het nietsvermoedende hoofd, verlangend om het aan te raken maar nog niet durvend voordat de aanhoudende stilte en rust hem moed gaven. Gespannen vingers daalden neer op de krullende haren rondom de kruinschering, de lichte aanraking deed de hand trillen, als het tintelen in de lucht van een naderend onweer. Als Fidelis het eveneens voelde, liet hij het niet merken. Zelfs toen de vingers liefkozend door zijn haren woelden en zijn nek onder de kap streelden, verroerde hij zich niet, maar bleef als verstard zitten en hield zijn adem in.

'Fidelis,' fluisterde een jachtige, gekwelde stem vlak bij zijn schouder. 'Broeder, treur niet in eenzaamheid! Wend je tot mij... Ik kan je troosten, in alles, alles... wat je maar nodig hebt...'

De strelende handpalm draaide om zijn nek heen, maar voordat hij zijn wang had bereikt, was Fidelis met één vloeiende beweging, vastberaden en niet geschrokken, overeind gekomen en buiten bereik gesprongen.

Ongehaast, of misschien omdat hij zelfs in dit zwakke licht zijn gezicht niet wilde tonen voordat hij het in bedwang had, draaide hij zich om en keek naar de indringer, want een fluisterstem is onherkenbaar en hij had tot dusver geen bijzondere aandacht besteed aan broeder Urien.

Dat deed hij nu wel, met grote en oplettende grijze ogen. Een donkere, hartstochtelijke, knappe man, een die zich nooit binnen deze muren had moeten opsluiten, een die brandde en anderen misschien zou verzengen voordat hij ten slotte afkoelde. Hij beantwoordde Fidelis' starende blik. Zijn gezicht was verwrongen en zijn uitgestrekte hand tastte bevend naar Fidelis' mouw, die werd weggetrokken voordat hij hem kon pakken.

'Ik heb je gadegeslagen,' zei de ademloze, fluisterende stem. 'Ik ken al je bewegingen, al je bevalligheid. Verspilling; verspilling van jeugd, verspilling van schoonheid... Ga niet weg! Niemand ziet ons hier...'

Fidelis draaide zich vastberaden om en liep van het koor naar de nachttrap. Uriens blote voeten, geruisloos op de betegelde vloer, volgden hem, net zoals het gekwelde fluisteren hem volgde.

'Waarom keer je liefderijke vriendelijkheid de rug toe? Dat zul je niet blijven doen. Denk aan me! Ik zal wachten...'

Fidelis begon te trap te beklimmen. Zijn achtervolger bleef aan de voet ervan staan, bang om te gaan waar misschien anderen nog wakker waren.

'Niet aardig, niet aardig…' jammerde een bijna onhoorbare, wegstervende stem en toen, nauwelijks verstaanbaar maar vol verbittering: 'Als het niet hier is, dan ergens anders… Als het niet nu is, dan op een ander tijdstip!'

6

Nicholas wisselde onderweg twee keer van paard. Hij liet de afge-
jakkerde beesten achter om op hem te wachten tot hij, naar verwachting binnenkort, zou terugkeren met het nieuws dat hij had
beloofd over te brengen, goed of slecht. De brandlucht, oud en
verschaald nu, waaide hem enkele mijlen van Wherwell tegemoet.
Toen hij wat er van het stadje was overgebleven binnenreed, trof
hij er een haast ontvolkte troosteloosheid aan. De paar mensen
wier huizen er ongeplunderd en nagenoeg ongeschonden vanaf
waren gekomen, dwaalden over hun erf om hun bezittingen te redden, maar degenen wier huis was afgebrand, zagen er tot dusver
voor alle zekerheid nog vanaf terug te komen om het weer op te
bouwen. De plunderaars uit Winchester waren van de kaart geveegd of gevangen genomen en ofschoon Willem van Ieperen de
Vlamingen van de koningin had teruggetrokken naar hun oude
stellingen rondom stad en ommelanden, lag deze plaats nog altijd
binnen de omsingeling en kon alsnog aan meer geweld worden
blootgesteld.

Met bonzend en angstig hart ging Nicholas op weg naar het klooster van de nonnen. Het was een van de drie grootste in het graafschap geweest tot deze ramp neerdaalde over de gebouwen, de
helft platlegde en de andere helft onbewoonbaar maakte. De lege
huls van de kerk stak spookachtig en zwartgeblakerd af tegen de
wolkeloze hemel, de muren gehavend en verkleurd als rotte tanden. Er waren nieuwe graven op het nonnenkerkhof. Wat de overlevenden betreft, die waren weggegaan; er was hier geen thuis
meer voor hen. Met pijn in het hart keek hij naar de vers omgespit-
te grond en vroeg zich af wier dochters eronder lagen. Er was nog
geen tijd geweest om meer te doen dan hen begraven; ze waren nog
naamloos.

Hij wilde er niet eens aan dénken dat zij daar kon liggen. Hij zocht
de parochiekerk en de priester, die twee dakloze gezinnen had op-

genomen in zijn huis en zijn schuur. Het was een onder zorgen ge-
bukte, vermoeide, al wat oudere man, gekleed in een haveloze
toog die nodig moest worden versteld.
'De nonnen?' zei hij, uit de lage, donkere deuropening te voorschijn komend. 'Ze zijn verstrooid, de arme zielen; we weten nauwelijks waarheen. Drie zijn er omgekomen in het vuur. Drie van
wie we zeker zijn, maar er kunnen er heel goed nog meer onder het
puin liggen. De binnenplaats was één groot slagveld en de Vlamingen sleepten hun gevangenen de kerk uit, maar niemand bekom-
merde zich om de vrouwen. Een paar zijn er naar Winchester gevlucht, zeggen ze, hoewel daar weinig bescherming te vinden is.
Maar de heer bisschop moet proberen iets voor hen te doen; hun
huis had banden met de oude domkerk. Anderen... ik weet het
niet! Ik heb gehoord dat de abdis naar een havezaat bij Reading is
gevlucht, waar ze verwanten heeft en misschien heeft ze een paar
nonnen met zich meegenomen. Maar het is één grote warboel – wie
zal het zeggen?'
'Waar ligt die havezaat?' vroeg Nicholas ongeduldig en hij kreeg
een vermoeid hoofdschudden als antwoord.
'Ik heb het ook maar van horen zeggen – niemand zei waar. Misschien klopt het niet eens.'
'En kent u de namen van de zusters die zijn gestorven, pastoor?'
Hij beefde toen hij het vroeg.
'Zoon,' zei de priester met eindeloze gelatenheid, 'wat we vonden,
kon geen naam meer hebben. En we moeten er nog meer zoeken,
wanneer we genoeg eten hebben gevonden om degenen die nog
leven in leven te houden. Eerst hebben de mannen van de keizerin
onze huizen geplunderd en daarna de Vlamingen. Wie hier iets
heeft, moet het delen met wie niets hebben. En wie van ons heeft
erg veel? Ik niet!'
En inderdaad, dat had hij niet, niet in stoffelijke zaken, alleen in
vermoeid maar koppig medeleven. Nicholas had voor onderweg
vanaf zijn laatste wisselplaats brood en vlees in zijn zadeltas meegenomen. Hij haalde het te voorschijn en legde het in de handen
van de oude man, een schamele druppel in een zee van honger.
Maar met het geld in zijn beurs kon hij hier, waar niets te koop was,
niets aanschaffen. Ze zouden de ommelanden moeten afstropen
om hun mensen te voeden. Hij liet hen achter en ze togen weer aan

hun ondankbare werk. Hij reed langzaam tussen de puinhopen van Wherwell door, links en rechts vragend of iemand hem nadere inlichtingen kon geven. Iedereen wist dat de zusters verspreid waren, niemand kon zeggen waarheen. Wat de naam van die ene vrouw betreft, die zei niemand iets. Misschien was het niet eens de naam waaronder ze in het klooster was getreden. Maar hij bleef hem herhalen overal waar hij navraag deed, hardnekkig de onvervangbare eigenschappen verkondigend van Julian Cruce, die zich onderscheidde van alle andere vrouwen.

Van Wherwell reed hij verder naar Winchester. Een soldaat van de koningin kon zonder moeite door de ijzeren omsingeling komen. In de stad was wel duidelijk dat het kamp van de keizerin zwaar onder druk stond en dat men zich niet uit de versterking van het kasteel durfde wagen. Maar de nonnen van Winchester, die zelf enige tijd geleden gevaar hadden gelopen en nu wat gemakkelijker ademhaalden, konden hem niets over Julian Cruce vertellen. Ze hadden enkele zusters uit Wherwell liefderijk opgenomen, maar daar was ze niet bij. Nicholas had een gesprek met een oudere kloosterlinge, die vriendelijk en bezorgd was, maar hem niet kon helpen.

'Heer, het is een naam die me niets zegt. Maar bedenk dat er geen enkele reden is waarom ik die naam zou kennen, want die vrouwe heeft misschien een heel andere naam aangenomen toen ze haar geloften aflegde. We vragen onze zusters niet waar ze vandaan komen of wie ze vroeger waren, tenzij ze het ons uit zichzelf vertellen. En ik had geen taak waardoor ik zulke dingen te weten kwam. Onze abdis zou uw vraag ongetwijfeld kunnen beantwoorden, maar we weten niet waar ze is. Voor onze priores geldt hetzelfde. We zijn even verdoold als u. Maar God zal ons vinden en ons weer bij elkaar brengen, zoals hij voor u degene zal vinden die u zoekt.'

Ze was een schrandere, bijdehante, gerimpelde vrouw, mager als een lat maar onverwoestbaar als buntgras. Ze keek hem met enigszins vermaakt medeleven aan en vroeg onomwonden: 'Is ze een verwante van u, die Julian?'

'Nee,' zei Nicholas kortaf, 'maar ik wil haar verwant worden en een heel naaste verwant bovendien.'

'En nu?'

'Ik wil weten of ze veilig, in leven en tevreden is. Meer niet. Als ze dat is, mag God haar houden en ben ík tevreden.'

'Als ik u was,' zei de vrouw na hem enkele minuten zwijgend en aandachtig te hebben bekeken, 'ging ik naar Romsey. Het is ver genoeg weg om veiliger te zijn dan Winchester en het is het grootste benedictijnse klooster in deze omgeving. God weet wie van onze zusters u daar zult vinden, maar zeker een paar en misschien de uwe.'

Hij was nog jong en, ondanks al zijn reizen, onschuldig genoeg om diep ontroerd te zijn door elk blijk van vertrouwen en vriendelijkheid. Toen hij afscheid nam, nam hij haar hand en kuste die, alsof ze zijn gastvrouwe was geweest. Zij van haar kant was te oud en te ervaren om te blozen of tegen te stribbelen, maar toen hij weg was bleef ze lange tijd glimlachend zitten voordat ze zich weer bij haar zusters voegde. Hij was een heel aantrekkelijke jongeman.

Nicholas legde de twaalf mijlen naar Romsey in ontnuchterende ernst af, in het besef dat hij misschien afstevende op een antwoord dat hem mogelijk niet zou bevallen. Eenmaal uit de buurt van Winchester en verder naar het zuidwesten liep hij geen gevaar meer, want hij reed door een gebied waar de wet van de koningin onbetwist gold. Een aangenaam, golvend landschap, tamelijk bebost zelfs voordat hij de zoom van het grote woud bereikte. Laat in de avond kwam hij aan bij het poorthuis van de abdij, midden in het stadje. Hij luidde de bel naast de poort. De poortwachteres tuurde hem door de tralies aan en vroeg wat hij wilde. Hij bukte zich smekend naar het rooster en staarde in een paar heldere, al wat oudere ogen in bedden van rimpels.

'Zuster, hebt u hier onderdak verleend aan enkele van de nonnen uit Wherwell? Ik zoek nieuws over een van hen en kon daar niets te weten komen.'

De poortwachteres keek hem nauwlettend aan en zag een jong gezicht, smoezelig en vermoeid door de reis. Het was een jongeman, alléén en hoogst ernstig. Hij vormde geen bedreiging. Zelfs hier in Romsey hadden ze geleerd voorzichtig te zijn met het openen van hun poorten, maar de weg achter hem was leeg en stil en de schemering daalde vreedzaam genoeg neer over het stadje.

'De priores en drie zusters hebben ons weten te bereiken,' zei ze, 'maar ik betwijfel of een van hen u veel over de anderen kan vertellen; nog niet. Maar kom binnen, dan vraag ik of ze u te woord wil staan.'

De kleine poortdeur werd van slot en ketting gedaan en hij stapte erdoorheen de binnenplaats op. 'Wie weet,' zei de poortwachteres vriendelijk terwijl ze de deur weer achter hem op slot deed, 'is een van de drie degene die u zoekt. U kunt het in elk geval proberen.'

Ze leidde hem door schemerige gangen naar een kleine, besloten spreekkamer, verlicht door een kleine lamp, en liet hem daar achter. De avondmaaltijd zou al lang zijn afgelopen, de completen voorbij; het was bijna bedtijd. Ze zouden hem tevreden willen stellen, als dat al mogelijk was, en hem vóór het donker uit het klooster willen hebben.

Hij kon niet rustig blijven zitten, maar liep als een gekooide beer door de kamer toen er een andere deur openging en de priores van Wherwell zachtjes binnenkwam. Ze was een kleine, gedrongen, blozende vrouw, maar met een geducht krachtig gezicht en doordringende bruine ogen, die haar bezoeker met één blik van top tot teen opnamen terwijl hij een kniebuiging voor haar maakte.

'U hebt naar mij gevraagd, is me gezegd. Hier ben ik. Wat kan ik voor u doen?'

'Moeder,' zei Nicholas, bevend van angst voor wat er zou kunnen komen, 'ik was hoog in het noorden, in Shropshire, toen ik van de plundering van Wherwell hoorde. Er was daar een zuster van wier roeping ik pas onlangs had gehoord en het enige dat ik nu wil weten, is of ze veilig en wel is na die gewelddaden. Misschien dat ik met haar kan praten om mezelf ervan te overtuigen dat ze het goed maakt, als dat kan worden toegestaan. Ik heb in Wherwell naar haar gevraagd, maar ben niets over haar te weten kunnen komen – ik ken alleen de naam die ze in de wereld had.'

De priores gebaarde hem plaats te nemen en ging zelf op enige afstand zitten, waar ze zijn gezicht kon gadeslaan. 'Mag ik uw naam weten, heer?'

'Mijn naam is Nicholas Harnage. Ik was de schildknaap van Godfrid Marescot tot hij de kap aannam in Hyde Mead. Hij was vroeger verloofd met die vrouwe en is nu zeer benieuwd of ze veilig is.'

Ze knikte bij deze heel natuurlijke wens, maar desondanks waren haar wenkbrauwen naar elkaar toe gegaan in een nadenkende en enigszins verbaasde frons. 'Die naam ken ik; Hyde was trots dat hij daar was ingetreden. Maar ik herinner me niet, ooit... Hoe luidt de naam van de zuster die u zoekt?'

'In de wereld heette ze Julian Cruce, van een geslacht in Shropshire. De zuster met wie ik in Wherwell sprak, had de naam nooit gehoord, maar het is heel goed mogelijk dat ze een heel andere naam heeft sinds ze de kap heeft aangenomen. Maar u zult zowel haar vroegere als haar huidige naam kennen.'

'Julian Cruce?' herhaalde ze. Ze was opgestaan en keek hem aandachtig en met scherpe blikken aan. 'Jonge heer, vergist u zich niet? Weet u zeker dat ze in Wherwell is ingetreden? Niet in een ander klooster?'

'Nee, zeker, moeder, Wherwell,' zei hij ernstig. 'Ik heb het van haar broer; hij kan zich onmogelijk vergissen.'

Even heerste er een gespannen stilte terwijl ze nadacht en peinzend haar hoofd schudde. 'Wanneer is ze ingetreden? Het kan niet lang geleden zijn.'

'Drie jaar, moeder. Welke dag kan ik u niet zeggen, maar het was ongeveer een maand nadat mijn heer de kap aannam en dat was midden juli.' Haar merkwaardige ontvangst begon hem nu angst in te boezemen. Weifelend schudde ze haar hoofd en keek hem met een mengeling van medeleven en verbijstering aan. 'Misschien was het voordat u priores werd...'

'Zoon,' zei ze bedroefd, 'ik ben nu al meer dan zeven jaar priores. Er is niet één zuster die ik niet bij naam ken, of het nu haar wereldlijke naam of haar kloosternaam is, en niet één intrede waarvan ik geen getuige ben geweest. En hoezeer het me ook spijt en hoe weinig ik er ook van begrijp, ik kan niets anders dan u met zekerheid vertellen dat geen Julian Cruce ooit in Wherwell de kap heeft gevraagd of aangenomen. Het is een naam die ik nooit heb gehoord en die toebehoort aan een vrouw van wie ik niets weet.'

Hij kon het niet geloven. Hij staarde voor zich uit en wreef telkens en telkens weer verdwaasd over zijn voorhoofd. 'Maar... dat is onmogelijk! Ze is met een geleide en een voor het klooster bestemde gift van huis gegaan. Ze had haar voornemen om naar Wherwell te gaan bekendgemaakt. Heel haar huishouden wist het, haar vader wist het en had er toestemming voor gegeven. Daarover, moeder, is geen vergissing mogelijk, dat verzeker ik u. Ze is vertrokken om naar Wherwell te gaan.'

'Dan,' zei de priores ernstig, 'vrees ik dat u elders vragen moet stellen, en heel ernstige vragen. Want geloof me, zo zeker als u ervan bent dat ze naar ons is vertrokken, zo zeker ben ik ervan dat ze ons nooit heeft bereikt.'

'Maar wat kan ertussen zijn gekomen?' vroeg hij dringend, ervan overtuigd dat het onmogelijk was. 'Tussen haar huis en Wherwell...'

'Tussen haar huis en Wherwell ligt een groot aantal mijlen,' zei de priores. 'En er zijn veel dingen in deze wereld die de verwezenlijking van de plannen van mannen en vrouwen kunnen verijdelen. De wisselvalligheden van de oorlog, de gevaren van de reis, de boosaardigheid van andere mensen...'

'Maar ze had een gewapend geleide om haar naar haar plaats van bestemming te brengen!'

'Dan zou u naar hen navraag moeten doen,' zei ze zacht, 'want ze zijn klaarblijkelijk niet in hun opdracht geslaagd.'

Het had geen enkele zin nog langer aan te dringen. Met stomheid geslagen en volkomen verbijsterd zat hij voor zich uit te staren. Ze wist waar ze het over had en ze had hem in elk geval het enige houvast gewezen dat hem nog overbleef. Wat had het voor zin nog langer in deze streek te zoeken voordat hij de sleutel die ze hem aanbood had aangepakt en Julians reis vanaf Lai, waar hij was begonnen, had gevolgd. Drie wapenknechts, had Reginald gezegd, waren met haar meegegaan, onder aanvoering van een jachtmeester die al vanaf haar jeugd dol op haar was. Ze moesten nog bij Reginald in dienst zijn, ondervraagd kunnen worden, ter verantwoording kunnen worden geroepen voor een opdracht die ze nooit hadden vervuld.

De priores had nog één opmerking terwijl ze opstond ten teken dat het gesprek was afgelopen en dat de late bezoeker kon vertrekken. 'Ze had, zegt u, een gift bij zich die ze naar Wherwell wilde brengen? Ik weet natuurlijk niets van de waarde ervan, maar... De wegen zijn niet volkomen vrij van kwaadwillende lieden...'

'Ze had vier mannen om haar te beschermen,' schreeuwde Nicholas in een laatste opwelling van radeloosheid.

'En die wisten wat ze bij zich had? God is mijn getuige,' zei de priores, 'dat ik geen verdenking wil werpen op een rechtschapen mens, maar we leven helaas in een wereld waar van elke vier mannen er minstens één omkoopbaar kan zijn.'

Hij vertrok naar de stad, nog altijd verbijsterd, onmachtig tot denken of redeneren, onmachtig te bevatten en te begrijpen wat hij met heel zijn zwaarmoedige hart geloofde. Het werd donker en hij was te moe om nu zonder te slapen verder te gaan, nog ervan afgezien dat hij voor zijn paard moest zorgen. Hij vond een bierhuis dat hem een ruw bed kon verschaffen en stalling en voer voor zijn beest. Hij lag lange tijd wakker voordat zijn lichamelijke en geestelijke uitputting hem overmanden.

Hij had een antwoord, maar wist niet wat hij ervan moest denken. Het was zeker dat ze nooit onder de poorten van Wherwell door was gegaan en dus ook niet bij de brand was omgekomen. Maar – drie jaar lang taal noch teken? Haar broer had zich niet bekommerd om een halfzuster die hij nauwelijks kende en hij verkeerde in de waan dat ze een leven leidde dat in overeenstemming was met haar eigén wens. En ze had nooit iets van zich laten horen. Niemand die zich erover verbaasde of vragen stelde. Kloostervrouwen zijn veilig in hun eigen gemeenschap, hebben al hun zusters om zich heen; ze hebben de wereld niet nodig, dus wat zou de wereld van hen verwachten? Drie jaar stilte van iemand die een gelofte van stilzwijgen heeft afgelegd is heel gewoon; maar drie jaar zonder enig bericht veranderde nu in de afgrond waarin Julian Cruce was gevallen, als in een oceaan waarin ze spoorloos was verzonken.

Nu kon hij niets anders doen dan zich weer naar Shrewsbury haasten, bekennen dat hij gruwelijk had gefaald en doorgaan naar Lai om Reginald Cruce hetzelfde onthutsende verhaal te vertellen. Alleen dáár kon hij hopen een draad te vinden die hij kon volgen. Vroeg in de morgen vertrok hij weer naar Winchester.

Het was kort na de tertsen toen hij de stad naderde. Hij had haar voorzichtigheidshalve niet over de kortste weg door de westelijke poort verlaten omdat het koninklijke kasteel met zijn vijandig gezinde en inmiddels ongetwijfeld radeloze bezetting zo vlak bij lag en de poort volledig beheerste. Maar even voordat hij het punt bereikte waarop hij, omwille van de voorzichtigheid, de weg naar Romsey in oostelijke richting moest verlaten om de stad vanuit het veiligere zuiden te benaderen, begon hij zich bewust te worden van een voortdurend wanordelijk geroezemoes ergens vóór hem, een geroezemoes dat aanzwol tot een gonzend lawaai, tot een oorverdovende herrie van gekletter en geschreeuw die niets anders dan een gevecht kon beduiden, een verward lijf aan lijf gevecht nog wel. Het scheen zich voornamelijk rechts vóór hem af te spelen, op enige afstand van de stad en de lucht in die richting was wazig door het glanzende stof van vechten en vluchten.

Nicholas liet alle gedachten aan afslaan in de richting van het bisschoppelijke gasthuis van het Heilig Kruis of de oostpoort varen en reed in gestrekte galop naar de westpoort. En daar zag hij voor zijn ogen de stadsbewoners van Winchester schreeuwend van opwinding naar buiten stromen. De straten waren vol luidruchtige, opgetogen, onbevreesde mensen die met luide stem naar nieuws vroegen of nieuws verstrekten, alle kruiperige voorzichtigheid vergetend die zo lang aan hen had gevreten.

Nicholas legde zijn hand op een schouder en brulde zijn eigen vraag: 'Wat is er? Wat is er gebeurd?'

'Ze zijn weg! Bij het krieken van de dag weggetrokken, die vrouw met haar koninklijke oom uit Schotland en al haar heren! Dat mensen zoals wij omkwamen van de honger kon hen niet schelen, maar toen de wolf hén beet, was het een ander verhaal. Weg gingen ze, allemaal – in goede orde, tóen wel! Hoor hen nu eens aan! De Vlamingen lieten hen tenminste nog uit de stad vertrekken voordat ze toesloegen en lieten ons met rust. Er zal wat worden afgeplunderd ginds!'

Ze wachtten slechts, deze wraakzuchtige kooplui en ambachtslieden van Winchester en hingen hier rond tot het wapengekletter in de verte wegstierf. Nog voordat het donker werd zouden ze aan het plunderen slaan. Niemand kan op zijn snelst rijden als hij wordt gehinderd door helm en wapenrok. Misschien zouden de vluchtenden zelfs hun zwaarden weggooien om het gewicht dat hun paarden moesten torsen te verminderen. En als ze zo lichtzinnig waren te denken dat ze hun waardevolle spullen konden meenemen, zou er inderdaad een rijke buit te verzamelen zijn voordat de dag ten einde was.

Het was er dus toch van gekomen: de verwachte poging om uit de ijzeren omsingeling door het leger van de koningin te breken. Na de slachting in Wherwell moest zelfs de keizerin hebben beseft dat ze hier niet langer stand kon houden.

De schitterende stofnevel rolde en danste in noordwestelijke richting over de weg naar Stockbridge en over de golvende heuvels. Hij werd breder naarmate hij zich verwijderde. Nicholas reed de nevel achterna, net als de moedigste, hebzuchtigste of de meest wraakzuchtige poorters dat te voet deden. Hij had hen ver achter zich gelaten en reed door het golvende heuvelland toen hij de eerste sporen zag van de aanval die het leger van de keizerin had gebroken. Een enkel lijk, een loslopend kreupel paard, een zwaar schild dat was weggegooid, de eerste van vele. Een mijl verder was de grond al bezaaid met wapens, stukken wapenrusting die tijdens de vlucht waren afgerukt en weggesmeten: helmen, maliënkolders, zadeltassen waar kleren, geldstukken en zilveren sieraden uit waren gevallen, dure mantels, zilverwaren van rijke tafels, allemaal waardeloos geworden nu het leven het enige was dat nog waarde had. Maar niet iedereen had het weten te redden, zelfs niet tegen deze prijs. In het gras lagen verminkte, vertrapte lichamen, schichtige paarden renden in het rond. Sommige waren bijna doodgejakkerd en lagen hijgend op de grond. Geen veldslag, maar een aftocht, een overhaaste vlucht in besmettelijke doodsangst.

Hij bleef staan en staarde misselijk en onthutst naar het schouwspel terwijl de vlucht en de achtervolging zich in de verte voortzetten onder de glinsterende wolk, in de richting van de Test bij Stockbridge. Hij reed er niet verder achteraan, maar keerde zijn paard en reed terug naar de stad. Hij wilde part noch deel hebben aan het werk van die dag. Onderweg ontmoette hij de eerste lijkschenners, die hongerig en begerig de overblijfselen van de overwinning verzamelden.

Drie dagen later, in de vroege namiddag, reed hij de binnenplaats van de abdij van Shrewsbury op om zich aan zijn belofte te houden. Broeder Humilis was met Cadfael in de kruidentuin. Hij zat in de schaduw terwijl Fidelis enkele sprieten en ranken uitzocht die hij nodig had voor een verluchte rand: heggerank, duizendguldenkruid, ossetong en de gekrulde stengels van wikken, allemaal bruikbaar voor het maken van een lijst rondom beginletters. De jongeman had belangstelling gekregen voor kruiden en de toepassing ervan. Hij hielp Cadfael soms bij het bereiden van de geneesmiddelen die deze gebruikte om Humilis te behandelen. Hij verzorgde ze met hartstochtelijke, stille toewijding, alsof zijn liefde er het laatste bestanddeel aan kon toevoegen die ze oppermachtig zou maken.

De poortwachter, die Nicholas inmiddels goed kende, vertelde hem ongevraagd waar hij zijn heer kon vinden. Hij bond zijn paard vast bij het poorthuis, met de bedoeling onmiddellijk weer naar Lai verder te rijden. Hij liep met grote passen langs de gesnoeide hoge heg en over het grindpad naar de plek waar Humilis op de stenen bank tegen de zuidmuur zat. Nicholas' aandacht was zozeer gericht op Humilis, dat hij bijna zonder op of om te kijken langs Fidelis liep. De jonge broeder, opgeschrikt door Nicholas' plotselinge en geruisloze komst, draaide zijn bij uitzondering onbedekte hoofd en aan het zonlicht blootgestelde gezicht naar hem toe, maar trok zich zoals gebruikelijk ogenblikkelijk weer terug en bleef op een afstand, zijn hoofd buigend voor een oudere band. Hij trok zelfs de kap over zijn hoofd en dook zwijgend weg in de schaduw ervan.

'Mijn heer,' zei Nicholas terwijl hij een kniebuiging maakte voor Humilis en de twee handen greep die werden uitgestoken om hem te omhelzen, 'uw nederige dienaar.'

'Nee, dat nooit,' zei Humilis hartelijk. Hij bevrijdde zijn handen om de jongen naast zich te trekken en hem onderzoekend aan te kijken. 'Wel,' zei hij met een zucht en een zwakke, bedroefde glimlach, 'ik zie aan je gezicht dat je niet bent geslaagd. Ik durf te zweren dat het jouw schuld niet is en niemand kan het lot naar zijn hand zetten. Je zou niet zo gauw terug zijn geweest als je helemaal níets had ontdekt, maar ik zie dat het niet kan zijn waarop je had gehoopt. Je hebt Julian niet gevonden. Althans,' zei hij, aandachtiger kijkend en met behoedzame, zachte stem, 'niet levend...'

'Niet levend en niet dood,' zei Nicholas snel om het ergste vermoeden vóór te zijn. 'Nee, het is niet wat u denkt – het is niet wat een van ons ooit had kunnen vermoeden.' Nu het erop aankwam het te vertellen, kon hij alles slechts zo onopgesmukt en eerlijk mogelijk eruit flappen om er vanaf te zijn. 'Ik heb gezocht in Wherwell en in Winchester, tot ik de priores van Wherwell vond in de abdij van Romsey, waar ze naar toe was gevlucht. Ze is al zeven jaar priores. Ze kent alle zusters die in die tijd zijn ingetreden en geen van hen is Julian Cruce. Wat er ook van Julian kan zijn geworden, ze heeft Wherwell nooit bereikt, er nooit een gelofte afgelegd, er nooit ge-

woond – en ze kan er niet zijn gestorven. Een doodlopende weg!'
'Ze is er nooit aangekomen?' zei Humilis hem verbaasd fluisterend
na terwijl hij met gefronste wenkbrauwen over de zonovergoten
tuin staarde.
'Nooit!' zei Nicholas verbitterd. 'Opnieuw kom ik drie jaar te laat.
Drie jaar! En waar kan ze al die tijd zijn geweest, zonder dat iemand ooit iets van haar heeft vernomen? Niet daar waar ze huis en
verwanten verliet, noch daar waar ze had moeten aankomen. Wat
kan haar tussen hier en Wherwell zijn overkomen? Het was indertijd rustig daar, de wegen moeten veilig zijn geweest. En er waren
vier goed gewapende mannen bij haar.'
'Die weer zijn thuisgekomen,' zei Humilis scherpzinnig. 'Natuurlijk zijn ze thuisgekomen, anders zou Cruce al lang geleden navraag hebben gedaan. In Gods naam, wat kunnen ze bij hun terugkeer hebben gemeld? Niets ergs! Niet door toedoen van andere
mensen, anders zou er onmiddellijk opschudding zijn ontstaan, en
niet van hun eigen mensen, anders zouden ze nooit zijn teruggekomen. Het wordt steeds onbegrijpelijker.'
'Ik ga door naar Lai,' zei Nicholas terwijl hij opstond, 'om Cruce
op de hoogte te stellen en hem te vragen de mannen die met haar
zijn meegereden op te sporen en te ondervragen. Zijn vaders mannen zullen nu wel zíjn mannen zijn, op Lai of op een van zijn andere havezaten. Ze kunnen ons in elk geval vertellen waar ze afscheid
van haar hebben genomen, als ze zo dwaas is geweest hen weg te
sturen en de laatste mijlen alleen af te leggen. Ik rust niet voordat
ik haar heb gevonden. En als ze nog leeft, zál ik haar vinden.'
Humilis pakte hem bij zijn mouw en fronste weifelend zijn wenkbrauwen. 'Maar je taak als bevelhebber... Je kunt je plicht toch
zeker niet zó lang verwaarlozen?'
'Mijn manschappen,' zei Nicholas, 'kunnen best een tijdje zonder
mij. Ze liggen veilig en wel in de buurt van Andover, waar ze van
het land leven. Mijn wachtmeesters zijn oude rotten die heel goed
in staat zijn me te vervangen, zoals het er nu voorstaat. Ik ben zó
vol van mijn eigen zaken dat ik geen tijd heb voor koningen. Zeiden we niet, de vorige keer, dat de keizerin weldra een poging
moest wagen om uit Winchester te breken of van de honger moest
omkomen waar ze zat? Ze heeft het geprobeerd. Ze moeten hebben beseft dat ze, na de ramp in Wherwell, niet veel langer stand

konden houden. Ze zijn drie dagen geleden naar het westen getrokken, in de richting van Stockbridge. Willem van Ieperen en zijn Vlamingen hebben hen overvallen en in de pan gehakt. Het was geen terugtocht, het was een regelrechte vlucht. Ze hebben alles weggegooid wat hun te zwaar was. Als ze Gloucester ooit veilig bereiken, is het in elk geval half naakt. Ik ga even naar de stad om het Hugh Beringar te laten weten.'

Broeder Cadfael, die op enige afstand was doorgegaan met het lichtelijk overbodige wieden van zijn kruidenbedden, had dit alles niettemin met gespitste oren en bruisend bloed aangehoord en richtte zich nu op.

'En zij – de keizerin? Hebben ze haar gevangen genomen?' Een keizerin tegen een koning zou een eerlijke ruil zijn. Bijna onvermijdelijk – zelfs als het geen einde betekende, maar een patstelling en een nieuw begin op dezelfde uitgeputte en uitputtende grond. Als Stephen zelf die onverzoenlijke vrouwe gevangen zou hebben genomen, zou hij haar met zijn dwaze, vertederende ridderlijkheid waarschijnlijk een vers paard en een geleide hebben gegeven en haar veilig naar Gloucester hebben gestuurd, naar haar eigen bolwerk. Maar de koningin was niet zo'n grootmoedige dwaas en zou beter gebruik maken van een gevangen vijand.

'Nee, Maud niet, die is veilig ontkomen. Haar broer had haar met Brian FitzCount als bewaker vooruitgestuurd en bleef zelf achter om de achterhoede te dekken en de achtervolgers op te houden. Nee, een beter iemand dan Maud! Híj had zonder haar kunnen doorvechten, maar zij zal het moeilijk krijgen zonder hem. De Vlamingen hebben hen bij Stockbridge te grazen genomen terwijl ze probeerden de rivier over te steken en hebben alle overlevenden bij elkaar gedreven. We hebben de evenknie van de koning gevangen genomen: Robert van Gloucester in eigen persoon!'

7

Of hij nu wel of niet een diepe genegenheid koesterde of zou moeten koesteren voor een zoveel jongere en zo zelden geziene half-zuster, Reginald Cruce was er niet de man naar om vergevingsgezind te staan tegenover enigerlei belediging of krenking van iemand uit zijn huishouden. Alles wat een Cruce aanging, ging ook hem aan en deed zijn nekharen overeind staan als van een jachthond. In gelaten stilzwijgen maar met stijgende wrok en woede hoorde hij het verhaal aan en zijn ijzeren zelfbeheersing maakte hem alleen maar geduchter.

'En dit alles lijdt geen twijfel?' zei hij ten slotte. 'Ja, die priores weet natuurlijk waar ze het over heeft. Het meisje is nooit aangekomen... Ik ben niet bij die zaak betrokken geweest, ik was niet hier en heb hen niet zien vertrekken of terugkomen, maar nu zullen we het horen! Ik weet in elk geval wie er met haar zijn meegereden, want mijn vader heeft het er op zijn sterfbed nog over gehad. Hij had zijn vertrouwelingen meegestuurd – wie zou dat niet doen, met een dochter? En hij was dol op haar. Wacht!'

Hij brulde in de deuropening van de zaal om zijn rentmeester. In het zwakker wordende daglicht, koeler wordend nu het begon te schemeren, verscheen een grijze, al wat oudere man, droog en tanig als oud leer, maar heel kwiek en taai. Hij was waarschijnlijk ouder geweest dan de heer die hij had verloren en had ontzag voor vader noch zoon, maar was kennelijk gewend zijn eigen gang te gaan en zich bewust van zijn waarde. Hij sprak als een gelijke en voelde zich op zijn gemak.

'Arnulf, je zult je nog wel herinneren,' zei Reginald terwijl hij hem gebaarde bij hen aan tafel te komen zitten, hun onderlinge verhouding even ronduit erkennend als de man zelf, 'wanneer mijn zuster naar het klooster is gegaan en wie mijn vader met haar mee stuurde – de Saksische broers, Wulfric en Renfred, John Bonde en die andere, wie was het ook weer? Ik weet nog dat hij werd ingelijfd, kort nadat ik hier kwam...'

'Adam Heriet,' zei de rentmeester behulpzaam en hij trok de hoorn naar zich toe die zijn heer voor hem had volgeschonken. 'Ja. Wat is er met hen?'

'Ik wil hen spreken, Arnulf, alle vier – hier.'

'Nu, mijn heer?' Als hij verbaasd was, liet hij zich er niet door van de wijs brengen.

'Nu of zo spoedig mogelijk. Maar eerst het volgende: al die mannen behoorden tot mijn vaders huishouden. Jij kent hen beter dan ik. Beschouw je hen als betrouwbaar?'

'Zonder meer,' zei de rentmeester zonder aarzelen en met een stem even droog en taai als zijn huid. 'Bonde is een onnozele hals of weinig beter, maar een harde werker en zo eerlijk als goud. De twee Saksen zijn sluw en doortrapt, maar slim genoeg om te weten wanneer ze een goede heer hebben getroffen en trouw genoeg om hem dankbaar te zijn. Waarom?'

'En die ander, Heriet? Hem heb ik nauwelijks gekend. Het was in de tijd dat graaf Waleran mijn aandeel wapenknechts opeiste. Ik stuurde hem wat ik had en die Heriet bood zichzelf aan. Ze zeiden dat hij rusteloos was omdat mijn zuster van de havezaat weg was. Hij was een van haar lievelingen, hoorde ik, en piekerde over haar.'

'Dat zou waar kunnen zijn,' zei Arnulf de rentmeester. 'Hij was in elk geval veranderd sinds hij van die reis was teruggekomen. Kleine meisjes kunnen het hart van een man breken. Misschien dat het hem ook is overkomen. Als je hen van kindsbeen af hebt gekend, ga je je aan hen hechten.'

Reginald knikte stuurs. 'Hoe dan ook, hij vertrok. Twintig man vroeg mijn opperheer me en twintig heeft hij er gekregen. Het was rond de tijd dat hij onenigheid had met de bisschoppen en versterking nodig had. Nou ja, waar hij nu ook mag zijn, Heriet kunnen we niet bereiken. Maar de anderen zijn er allemaal nog?'

'De twee Saksen zijn op de zolder boven de stal. Bonde kan elk ogenblik van het veld komen.'

'Haal hen,' zei Reginald. En tegen Nicholas zei hij toen de rentmeester zijn hoorn had leeggedronken en lenig en snel als een jongeling van twintig de stenen trap naar de binnenplaats was afgedaald: 'Hoe ik ook zoek tussen die vier, ik zie geen ontrouw. Waarom zouden ze terugkomen als ze haar op de een of andere manier kwaad hadden gedaan? En waarom zouden ze, wie dan ook? Arnulf heeft gelijk. Ze wisten dat hun bedje hier gespreid was. Mijn vader was van de oude, vaderlijke, huiselijke stempel, gemakkelijker dan ik en zelfs ik ben niet gehaat.' Hij was zich, te oordelen naar de scherpe glimlach en het krullen van zijn lippen, gelig omlijnd in het zwakke lamplicht, maar al te goed bewust van de spanningen die nog altijd bestonden tussen Saksen en Normandiërs. Hij was te verstandig om die te zeer op de proef te stellen. Ze hebben een goed geheugen op het platteland en een hechte trouw, moeilijk uit te wissen, zich traag verleggend.

'Uw rentmeester is een Saks,' zei Nicholas droog.

'Inderdaad. En tevreden! Of, als hij niet tevreden is,' zei Reginald, nors en opgewekt tegelijk in het vertrouwelijke licht 'is hij zich in elk geval ervan bewust dat het veel erger kon zijn. Ik heb geleerd van mijn vaders voorbeeld; ik weet wanneer ik moet buigen. Maar wanneer het mijn zuster aangaat, ik zeg u, dan voel ik mijn rug verstrakken.'

Net als Nicholas, wiens rug stijf was alsof het merg was versteend. Hij bekeek de drie knechts toen die slaperig de trap naar de hal op werden gedreven met dezelfde nietszeggende, ondoorgrondelijke blik als hun meester. Twee lange, blonde knapen, stellig niet ouder dan dertig, met alle soepele bevalligheid van hun noordelijke verwanten en ogen die verblindend lichtblauw flikkerden in het licht, en een zachtmoedigere, gedrongen man met een rond gezicht, misschien wat ouder, baardig en bruin.

Het kon maar al te goed waar zijn, dacht Nicholas terwijl hij hen gadesloeg, dat ze hun heer niet haatten, maar zichzelf juist gelukkig prezen in vergelijking met velen van hun soort, nu al drie geslachten lang onderworpen aan Normandische meesters. Maar dat nam niet weg dat ze ontzag hadden voor Reginald en dat een oproep zoals deze, buiten de sleur van hun dagelijkse werk, hen oplettend en achterdochtig maakte. Hun gezichten waren gesloten, als een deksel over een doos vol gedachten die de gezagsdragers misschien niet welgevallig zouden zijn. Maar dat veranderde toen ze de reden van de vraag van hun heer begrepen. De gesloten gezichten openden en ontspanden zich. Het was Nicholas duidelijk dat ze geen van drieën een reden hadden om zich onbehaaglijk te voelen wat die reis betreft. Integendeel, ze dachten met begrijpelijk genoegen terug aan de enige zorgeloze pelgrimstocht, de enige vrije tijd van hun leven, toen ze te paard in plaats van te voet gingen, welvoorzien en trots op hun wapens.

Ja, natuurlijk wisten ze het nog. Nee, ze hadden onderweg geen moeilijkheden gehad. Een vrouwe in gezelschap van twee boogschutters en twee zwaardvechters had niets te vrezen. De langste van de twee Saksen gebruikte blijkbaar de nieuwe, lange boog, die tot de schouder werd gespannen, terwijl John Bonde de korte Welshe boog droeg, die tot de borst werd gespannen en een geringer bereik en minder kracht had dan de lange boog, maar die op kortere afstand wonderbaarlijk snel en wendbaar was. De andere broer was zwaardvechter, net als de vierde, de ontbrekende Adam Heriet. Een goed gezelschap om snel en veilig te reizen met elke snelheid die de vrouwe kon volhouden zonder moe te worden.

'Drie dagen waren we onderweg, mijn heer,' zei de Saksische boogschutter die, aangemoedigd door heftig knikkende hoofden, namens hen drieën het woord voerde, 'en toen kwamen we aan in Andover. Omdat het al avond was, bleven we daar overnachten, met de bedoeling de reis de volgende ochtend te beëindigen. Adam vond een onderkomen voor de vrouwe in het huis van een plaatselijke koopman en wij sliepen in de stallen. Het was nog maar drie of vier mijl, zeiden ze.'

'En mijn zuster was toen nog in goede gezondheid? Er was niets misgegaan?'

'Nee, mijn heer, we hadden een voorspoedige reis gehad. Ze was blij dat ze zo dicht bij haar plaats van bestemming was. Dat zei ze en ze bedankte ons.'

'En 's morgens? Hebben jullie haar die laatste mijlen vergezeld?'

'Wij niet, mijn heer, want ze gaf er de voorkeur aan de rest van de weg alleen met Adam Heriet af te leggen. We moesten in Andover op zijn terugkeer wachten en we deden wat ons was opgedragen. En toen hij kwam, vertrokken we naar huis.'

Bij die woorden knikten de anderen bevestigend, tevreden dat ze zich overeenkomstig de wensen van de vrouwe van hun taak hadden gekweten. Er was er dus maar één, hij die volgens zeggen haar vertrouweling was, die de rest van de weg met Julian Cruce was meegegaan.

'Hebben jullie hen naar Wherwell zien vertrekken?' vroeg Regi-

nald, zijn wenkbrauwen fronsend bij elke nieuwe verwikkeling.
'Ging ze vrijwillig en tevreden met hem mee?'
'Ja, mijn heer. Ze vertrokken 's morgens vroeg met frisse moed.
Een prachtige ochtend was het. Ze nam afscheid van ons en we
keken hen na.'
Geen enkele reden om eraan te twijfelen. Slechts vier mijl van haar
doel en toch had ze het nooit bereikt. En slechts één man kon weten wat haar op die korte afstand was overkomen.
Geprikkeld stuurde Reginald hen weg. Wat konden ze hem verder
nog vertellen? Voor zover ze wisten was ze op haar plaats van bestemming aangekomen en was alles goed met haar. Maar toen de
drie, blij dat ze naar bed konden, naar de deur liepen, zei Nicholas
plotseling: 'Wacht!' En tegen zijn gastheer: 'Twee vragen nog, als
u het goed vindt?'
'Ga uw gang.'
'Was het de vrouwe zélf die jullie vertelde dat ze alleen met Heriet
verder wilde gaan en die jullie beval in Andover te blijven en op
hem te wachten?'
'Nee,' zei de woordvoerder na een ogenblik te hebben nagedacht,
'het was Adam die het ons vertelde.'
'En ze vertrokken 's morgens vroeg, zei je. Hoe laat kwam Heriet
terug?'
'Pas tegen de avond, heer. Het werd al donker toen hij aankwam.
Dat was de reden waarom we 's nachts zijn gebleven om de volgende dag vroeg op pad te kunnen gaan.'

'Ik had nog een derde vraag kunnen stellen,' zei Nicholas toen hij
met zijn gastheer alleen was. De deur van de zaal stond open naar
de dieper wordende schemering en de stilte van het erf. 'Maar hij
zal zelf zijn paard wel hebben verzorgd en na een nacht rust was het
onmogelijk te zeggen hoever het had gelopen. Maar de tijd zegt
alles. Het was drie of vier mijl naar Wherwell en hij had geen enkele reden om er te blijven hangen toen hij haar eenmaal had afgeleverd. Desondanks bleef hij een hele dag weg, twaalf uur of meer.
Wat heeft hij al die tijd gedaan? Toch zeggen ze dat hij haar toegewijde slaaf is geweest sinds ze een kind was.'
'Ik vertrouwde hem vanwege mijn vader, die ook gek op hem was,'
zei Reginald nors. 'Ik wist weinig van hem. Maar hij vormt de sleu-

tel, hij alleen. Híj alleen is die laatste dag met haar meegereden en is met zijn kameraden teruggekomen om te laten zien dat alles goed was gegaan, dat de zaak was afgehandeld. Maar tussen Andover en Wherwell verdwijnt mijn zuster. En een maand of zo later, wanneer mijn opperheer graaf Waleran, van wie we drie havezaten hebben, manschappen vraagt, wie is dan de eerste die zich aanbiedt? Waarom greep hij de eerste de beste gelegenheid aan om weg te komen? Uit angst dat er op zekere dag vragen zouden worden gesteld, dat er iets aan het licht zou komen waardoor de jacht zou worden geopend?'

'Zou hij zijn teruggekomen,' vroeg Nicholas, 'als hij haar kwaad had gedaan of haar op de een of andere manier had verraden?'

'Als hij slim genoeg was wel, en slim was hij zeker, want zie maar eens hoe goed zijn opzet is geslaagd! Als hij niet met de anderen was teruggekomen, zou er onmiddellijk misbaar zijn gemaakt. Ze zouden opschudding hebben verwekt nog voordat ze Andover verlieten. Maar nu zijn er drie jaren verstreken zonder een woord of een schim van twijfel en waar is Heriet nu?'

Reginald had zich in die gedachte vastgebeten, verscheurde haar met zijn tanden, zwelgde in zijn innerlijke woede over het feit dat iemand zijn huis zoiets had durven aandoen. Dát was de reden waarom hij wraak wilde, als het ooit zover kwam; niet omdat Julian iets was aangedaan. En toch kon Nicholas niets anders dan begrip voor hem hebben. Wie anders had het beeld van en de herinnering aan het meisje dat aan zijn hoede was toevertrouwd uitgewist? Twee mensen waren naar Andover gereden, één was er teruggekomen. De ander was van het aangezicht van de aarde verdwenen, in rook opgegaan. Het was moeilijk te blijven geloven dat ze ooit nog zou worden gezien.

Een bediende bracht een lamp binnen en vulde de bierkan die op tafel stond bij. De vrouwe bleef met haar kinderen in haar kamer en liet de mannen ongestoord overleggen. De nacht viel bijna plotseling, tijdens de korte bries die op dit uur gebruikelijk was.

'Ze is dood!' zei Reginald plotseling en hij legde zijn grote hand plat op tafel.

'Nee, dat is niet zeker. En waarom zou hij zoiets doen? Hij verloor zijn zekerheid hier, want hij durfde niet te blijven toen de kans om te vertrekken zich voordeed. Welk voordeel woog daar tegenop?

Is een wapenknecht in dienst van Waleran of Meulan beter af dan uw vertrouwde mensen hier? Ik denk het niet!'

'Een half jaar? Als hij langer is gebleven, was dat vrijwillig; een half jaar was alles wat werd geëist. En wat dat voordeel betreft – en bij God, hij was slechts een van de vier die de waarde ervan hadden kunnen weten – mijn zuster had driehonderd zilveren marken in haar zadeltas en een lijst van voor het klooster bestemde kostbaarheden. Ik kan de hele lijst niet één twee drie opnoemen, maar ze staan ergens in de boeken van de havezaat; de schrijver kan het betreffende stuk opzoeken. Ik weet dat er een stel zilveren kandelaars bij was. En die juwelen die ze van haar moeder had gekregen schonk ze ook weg; die kon ze in deze wereld toch niet meer gebruiken. Genoeg om een man in verleiding te brengen – zelfs als hij een handlanger moest omkopen om minder verdacht te lijken.'

Zo kon het zijn gegaan. Een vrouw die haar geschenken met zich mee voert, een vader en een huishouden die overtuigd zijn van haar welzijn en niemand die zich verbaast over haar stilzwijgen… Maar nee, dat kon niet, onderbrak Nicholas zichzelf hoopvol, niet als ze Wherwell al van haar komst had verwittigd. Een meisje dat voornemens is de sluier aan te nemen moet toch een verzoek indienen en er zeker van zijn dat ze wordt toegelaten voordat ze de reis naar het zuiden onderneemt. Maar als ze dat had gedaan, zou het verwondering hebben gewekt dat ze niet kwam. Er zou navraag zijn gedaan en de priores zou, als er ooit brieven of een boodschapper van Julian Cruce waren aangekomen, zich haar naam herinneren. Nee, ze kon onmogelijk tevoren hebben onderhandeld. Ze had haar geschenken ingepakt en was eenvoudigweg vertrokken om op de deur te kloppen en toegang te vragen. Hij was te onervaren in zulke dingen om te weten of het heel ongebruikelijk was en niet boosaardig genoeg om te bedenken dat de toegang haar zeker niet zou worden geweigerd als de buit die ze meebracht groot genoeg was.

'We zullen die Heriet moeten zoeken,' zei Nicholas, een besluit nemend. 'Als hij nog in dienst is van Waleran of Meulan, kan ik hem misschien opsporen. Waleran is een aanhanger van de koning. Zo niet, dan wordt het moeilijk zoeken, maar wat kunnen we anders? Hij is geboortig in dit graafschap, is het niet? Als hij verwanten heeft, zijn ze hier te vinden.'

'Hij is de tweede zoon van een vrije pachter in Harpecote. Waarom. Waar denkt u aan?'

'Dat u er goed aan zou doen uw schrijver twee afschriften te laten maken van de lijst van wat uw zuster meenam toen ze vertrok. Het geld is onmogelijk op te sporen of te herkennen, maar de kostbaarheden misschien wel. Laat hem die zo volledig mogelijk beschrijven. Zilver dat voor gebruik in een kerk is bedoeld, kan tijdens een verkoping opduiken of ergens worden opgemerkt; edelstenen ook. Ik zal de lijst in Winchester laten rondgaan – als de bisschop zijn keizerin heeft afgeschud, zal hij wel weten waar zijn belangen liggen! – en proberen Adam Heriet te vinden tussen de manschappen van Meulan of vragen wanneer en hoe hij is vertrokken. Doet u hetzelfde hier, waar hij zijn verwanten, als hij die heeft, misschien op een dag komt opzoeken. Weet u iets beters te bedenken? Of iets dat we verder nog kunnen ondernemen?'

Reginald stond moeizaam op van de tafel, zodat de vlam begon te flakkeren. Hij was een grote, donkere, gebelgde man met een grimmig gezicht nu. 'Dat is een goed plan en we voeren het uit. Morgen zal ik hem een afschrift laten maken – hij is een pietluttige kerel die alles in zijn hoofd heeft – en dan rijd ik met u naar Shrewsbury om met Hugh Beringar te praten en de zaak in beweging te zetten voordat de dag ten einde is. Als deze of enige andere schurk iemand van mijn huishouden heeft vermoord of beroofd, verlang ik gerechtigheid en verlang ik schadeloosstelling.'

Nicholas volgde het voorbeeld van zijn gastheer en ging zó uitgeput naar het voor hem gedekte bed, dat hij ongetwijfeld zou slapen. Dus hij wilde gerechtigheid. Maar wat was gerechtigheid in dit geval? Hij dacht en smeedde plannen als iemand die een spoor volgt. Hij moest het volgen met alles wat in zijn vermogen lag omdat hem niets anders overbleef, maar hij kon en wilde er niet in geloven. Waarnaar hij meer dan wat ter wereld ook verlangde was een frisse wind uit een andere hoek, een die het vermoeden wekte dat ze niet dood was, dat heel deze kluwen van verdenking, gelddorst en verraad schijn was, niet meer dan een waandenkbeeld dat zou verdwijnen zodra het licht werd. Maar het werd licht en er was niets veranderd.

Dus reden twee mensen die slechts één ding gemeen hadden en verder niets dat hen bond, samen terug naar Shrewsbury, gewapend met twee afschriften van de kostbaarheden en het geld dat Julian Cruce als bruidsschat had meegenomen toen ze in het klooster zou treden.

Hugh was uit de stad gekomen om de maaltijd te gebruiken met abt Radulfus en hem op de hoogte te brengen van de nieuwste ontwikkelingen in de politieke knoop die Engeland was. De vlucht van de keizerin naar haar bolwerk in het westen en de gevangenneming van graaf Robert van Gloucester, zonder wie ze machteloos was, zouden ongetwijfeld alles veranderen, al was het eerste gevolg dat ze helemaal níets meer ondernamen. De abt mocht dan geen belangstelling hebben voor partijtwisten, hij kon aanspraak maken op een mijter en op een plaats in de grote raad van het land. Het welzijn van volk en Kerk was zeer zeker zijn zaak. Ze hadden lange tijd beraadslaagd aan de welvoorziene dis van de abt en het liep tegen de nonen toen Hugh Cadfael opzocht in de kruidentuin.

'Je hebt het zeker al gehoord? Het nieuws dat Nicholas Harnage me gisteren heeft gebracht? Hij zei dat hij eerst hierheen was gegaan, naar zijn heer. Robert van Gloucester zit gevangen in Rochester en alles stokt terwijl beide kampen denken over wat er nu moet gebeuren – wíj hoe we hem het best kunnen gebruiken en zíj hoe ze het zonder hem moeten redden.' Hugh ging op de stenen bank in de schaduw zitten en zette zijn gelaarsde voeten uit elkaar. 'Nu begint het gedonder. En ze kan maar beter opdracht geven de koning uit zijn ketenen te bevrijden, anders zou Robert ook wel eens gekluisterd kunnen worden.'

'Ik betwijfel of ze ervoor zal zorgen,' zei Cadfael. Hij zweeg even, leunde op zijn schoffel en plukte wat onkruid uit zijn keurige, geurende bedden. 'Stephen is nu meer dan ooit haar enige wapen. Ze zal de hoogst mogelijke prijs voor hem bedingen; haar broer zal nauwelijks genoeg zijn om haar tevreden te stellen.'

Hugh lachte. 'Robert zelf volgt dezelfde gedachtengang, begrijp ik uit het verslag van de jonge Harnage. Hij weigert een uitwisseling tegen de koning in overweging te nemen, zegt dat hij geen eerlijke ruil is tegen een koning en dat we, om de weegschaal in evenwicht te brengen, de hele achterhoede moeten loslaten die tegelijk met hem gevangen is genomen, om het gewicht dat Stephen in de schaal legt goed te maken. Maar wacht maar eens af! Al zegt de keizerin op dit ogenblik hetzelfde, binnen een maand zullen verstandiger mensen haar aan het verstand hebben gebracht dat ze niets, maar dan ook helemaal niets kan zonder Robert. Londen laat haar nooit meer binnen, laat staan binnen handbereik van de kroon. Ze mag Stephen dan in een kerker hebben – hij is nog altijd koning.'

'Robert is degene die zich moeilijk zal laten overreden,' voerde Cadfael aan.

'Zelfs hij zal de waarheid uiteindelijk onder ogen moeten zien. Als ze wil doorvechten, kan ze dat alleen met Robert naast zich. Hij laat zich wel overtuigen. Hoe node ze hem ook zullen loslaten, vóór het eind van het jaar hebben we Stephen terug.'

Ze zaten nog in de tuin toen Nicholas en Reginald Cruce daar aankwamen. Ze hadden bij het binnenrijden van de stad eerst in het kasteel en bij het doorrijden ervan nogmaals bij Hughs huis bij de Lieve-Vrouwekerk vergeefs naar Hugh gevraagd. Op aanraden van zijn poortwachter waren ze regelrecht naar de abdij gereden. Toen hij hun laarzen op het grind hoorde en hen om de bukshaag zag komen, stond Hugh op en liep hen tegemoet.

'Je bent net op tijd terug. Is er nieuws?' En tegen de tweede man zei hij, hem belangstellend aankijkend: 'Ik heb tot nu toe niet de eer gehad kennis met u te mogen maken, heer, maar u bent ongetwijfeld de heer van Lai. Nicholas hier heeft me verteld hoe de zaken er in Wherwell voorstaan. Ik zal u van dienst zijn zoveel ik kan. En wat nu?'

'Mijn heer schout,' zei Cruce luid en kordaat, als iemand die gewend is de toon te zetten, 'er is met betrekking tot mijn zuster reden tot verdenking van roof en moord en ik wens gerechtigheid.'

'Dat wenst ieder fatsoenlijk mens en dat wens ook ik. Neem plaats en laat me horen welke redenen voor verdenking u hebt en naar wie ze wijzen. Ik geef toe dat de zaak ernstig genoeg lijkt. Vertel me wat u thuis nog meer hebt ontdekt.'

Het was gloeiend heet in de middagzon en zelfs in hemdsmouwen zweette Cruce overvloedig. Ze trokken zich terug in de schaduw en namen daar plaats en Cadfael, gastvrij in zijn eigen rijk en geenszins van plan zich midden onder het werk te laten wegjagen, ging in zijn werkplaats een kruik wijn en enkele bekers voor hen halen. Hij schonk hun in en trok zich terug, maar niet zover dat hij niet

kon horen wat er werd gezegd. Hij wist al wat er eerder was gebeurd en op bepaalde punten was zijn nieuwsgierigheid al veranderd in waakzaamheid. Hij voorzag omstandigheden waarin men
hem nodig kon hebben. Zijn zieke piekerde over het meisje en kon
zich niet veroorloven nog verder uit te teren. Cadfael was aan zijn
medekruisvaarder gehecht in een saamhorigheid van gedeelde er-
varingen en wederzijdse hoogachting. Hij was een van de weinigen
die, zoals Guimar de Massard, onbezoedeld en ridderlijk uit een
misvormde, mislukte heilige oorlog kwamen. En er, hoe langzaam
ook, aan stierven. Cadfael wilde alles weten wat zijn lichamelijke
of geestelijke welzijn aanging.

'Mijn heer,' zei Nicholas ernstig, 'u zult zich alles herinneren wat ik
u heb verteld over de leden van het huishouden van mijn heer Cruce die zijn zuster naar Wherwell hebben begeleid. Drie van de vier
hebben we in Lai ondervraagd en ik ben ervan overtuigd dat ze ons
de waarheid hebben verteld. Maar de vierde... en juist híj is de
enige die haar de laatste dag van haar reis, de laatste paar mijlen,
heeft vergezeld – hij werkt er niet meer en hém moeten we vinden.'
Samen vertelden ze het hele verhaal, bij tijden in koor, heel harts-
tochtelijk.

'Hij vertrok vroeg in de ochtend met haar uit Andover. De drie
anderen, die opdracht hadden gekregen om achter te blijven, hebben hen zien vertrekken.'

'En hij kwam pas laat tegen de avond terug, te laat om die avond
nog naar huis te vertrekken. Toch ligt Wherwell maar drie of vier
mijl van Andover.'

'En van hen vieren,' zei Cruce fel, 'was hij de enige die zo vertrouwelijk met haar was en zo vertrouwd werd, dat hij kan hebben geweten, móet hebben geweten wat voor bruidsschat ze bij zich had.'

'En die was?' vroeg Hugh scherp. Zijn geheugen was uitstekend.
Er was niets dat hem twee keer moest worden verteld.

'Driehonderd marken in baar geld en enkele kostbaarheden voor
gebruik in de kerk. Mijn heer, we hebben mijn schrijver, die nauwkeurig boek houdt, een lijst laten opstellen van wat ze heeft meegenomen en hier hebben we twee afschriften. Een ervan zou u kunnen laten rondgaan in deze streek, waar de man geboortig is; de
andere zal Harnage meenemen om hem bekend te laten maken
rondom Winchester, Wherwell en Andover, waar ze is verdwenen.'

'Mooi!' zei Hugh uit de grond van zijn hart. 'De munten kunnen nooit met zekerheid worden opgespoord, maar de kerkversieringen misschien wel.' Hij pakte de rol aan die Nicholas hem toestak en las met somber gefronst voorhoofd: 'Desgelijks een stel kandelaars van zilver, gemaakt in de vorm van hoge blakers, omkranst door wijnranken, met dompers bevestigd aan zilveren kettingen, eveneens versierd met druiveblanderen. Desgelijks een staand kruis ter hoogte van een mannenhand, op een zilveren voetstuk van drie treden en bezet met halfedelstenen van bergkristal, amethist en agaat, te zamen met een soortgelijk kruis van hetzelfde metaal en dezelfde stenen, een pink lang, aan een dunne zilveren halsketting, om te worden gedragen door een priester. Desgelijks een zilveren hostiedoos, klein, waarin varens gegrift. Ook zekere stukken edelsmeedkunst die haar toebehoorden, zoals een halsketting van geslepen stenen uit de heuvels boven Pontesbury, een armband van zilver met wikkeranken erin gegrift en een zeldzame ring van zilver, bezet met glazuurversieringen in de vorm van gele en blauwe bloemen.' Hij keek op. 'Ongetwijfeld te herkennen als ze worden gevonden, bijna stuk voor stuk. Uw schrijver heeft goed werk geleverd. Ja, ik zal dit laten bekendmaken onder al mijn rakkers en pachters in dit graafschap, maar het lijkt me dat ze eerder in het zuiden zullen worden opgespoord. Wat die man betreft: als hij hier is geboren, heeft hij verwanten met wie hij misschien voeling houdt. U zei dat hij is vertrokken om dienst te nemen?'

'Slechts enkele weken nadat hij naar mijn vaders huishouden was teruggekeerd, ja. Mijn vader was onlangs overleden; de graaf van Worcester, mijn opperheer, eiste een lichting manschappen en deze Adam Heriet bood zich vrijwillig aan.'

'Hoe oud?' vroeg Hugh.

'Een jaar of zo over de vijftig. Een sterke man met zwaard of boog. Hij was mijn vaders houtvester en jachtmeester. Waleran zal zich gelukkig hebben geprezen met hem. De anderen waren jonger, maar onervaren.'

'En waar kwam die Heriet vandaan? Uw vaders medewerker moet op een van uw eigen havezaten thuishoren.'

'Hij is geboren in Harpecote, als de jongste zoon van een vrije die daar een kavel bebouwde. Zijn oudere broer erfde de grond en nu is hij in het bezit van een neef. De broers konden niet goed met elkaar overweg; dat vertelde mijn vader tenminste. Maar dat neemt niet weg dat we daar misschien een spoor van hem kunnen vinden.'

'Hadden ze nog meer verwanten? En is die knaap nooit getrouwd?'

'Nee, nooit. Van andere verwanten weet ik niets, maar er kunnen er nog een paar rond Harpecote wonen.'

'Laat hen met rust,' zei Hugh beslist. 'U kunt het beter aan mij overlaten daar op onderzoek uit te gaan. Hoewel ik betwijfel of iemand die hier geen banden heeft naar het graafschap zou terugkeren als hij eenmaal in krijgsdienst is geweest. Hij zal eerder te vinden zijn waar jij naar toe gaat, Nicholas. Doe je best!'

'Dat was de bedoeling,' zei Nicholas grimmig en hij stond op om zonder uitstel aan de slag te gaan. De rol met Julians bezittingen rolde hij op en hij stopte hem achter het borststuk van zijn mantel. 'Ik moet eerst mijn heer Godfrid even spreken om hem te laten weten dat ik de jacht niet opgeef zolang er nog een greintje hoop is. Daarna ga ik op weg.' En weg was hij, met snelle passen die overgingen in een ren voordat hij uit het gezicht was verdwenen. Cruce stond op zijn beurt op en hij keek Hugh enigszins aarzelend aan, alsof hij betwijfelde of hij in hem een van wraakzuchtige woede vervulde bondgenoot in de onderneming zou vinden.

'Mag ik dit dan aan u overlaten, mijn heer? En u zult het krachtdadig aanpakken?'

'Dat zal ik doen,' zei Hugh droog. 'En u bent in Lai? Zodat ik weet waar ik u indien nodig kan vinden?'

Cruce vertrok, voorlopig tot zwijgen gebracht, maar allesbehalve tevreden. Bij de hoek van de heg keek hij aarzelend achterom, alsof hij vond dat de heer schout al te paard had moeten zitten of er minstens aanstalten toe moest maken, om wille van de wraak van het geslacht Cruce. Hugh staarde hem koeltjes na tot hij achter het dichte buksscherm was verdwenen.

'Hoewel ik maar beter haast kan maken,' zei hij toen met een wrange glimlach, 'want als die daar die knaap het eerst vindt, geef ik geen duit voor zijn kansen om er zonder een paar gebroken botten of zelfs een gebroken nek af te komen. En al zou het uiteindelijk zover komen, dan toch niet in de handen van Reginald Cruce en ook niet zonder een eerlijk geding.' Hij mepte Cadfael hartelijk op zijn rug en draaide zich om. 'Nou, ook al is de jacht op koningen

en keizerinnen gesloten, we hebben nu in elk geval tijd om op kleiner wild te jagen.'

Onrustig gestemd ging Cadfael naar de vespers. Hij werd achter-
volgd door beelden van een meisje te paard, met zilver, ruwe edelstenen en baar geld in haar zadeltassen, terwijl ze slechts enkele
mijlen van haar doel verwijderd afscheid nam van haar laatst bekende metgezellen, om vervolgens te verdwijnen als ochtenddauw
in de zomerzon, alsof ze nooit had bestaan. Een vleugje damp boven de weide en weg... Als degenen, oud en jong, die zich zoveel
zorgen om haar maakten, zouden weten dat ze dood was en bij
God, zouden ook zij rust hebben gehad. Nu was er geen sprake van
rust voor iedereen die in dit ingewikkelde web van onzekerheid
verstrikt raakte.

Tussen de novicen, schooljongens en jonge oblaten – de laatsten
van hun soort, want abt Radulfus wilde geen kinderen meer toela-
ten tot een kloosterleven dat hun door anderen werd opgedrongen
– stond Rhun, kwiek, stralend en glimlachend terwijl hij zong. Een
maagd naar aard en aanleg evengoed als naar leeftijd, niet bezocht
door de lichamelijke pijnen die de meeste mannen verscheurden,
maar zich als door een wonder bewust van de smart en vol barmhartigheid, zoals maar weinigen zijn tegenover pijnen die hun eigen vlees ongemoeid laten.

De vespers glansde in deze tijd van het jaar in gezeefd zonlicht dat
Rhuns vlasblonde schoonheid kristalhelder deed uitkomen, over
de rijen van de broeders flitste en in de sombere, smeulende duisternis van broeder Urien brandde. Het vonkte in de schittering van
zijn grote, zwarte ogen, om af te koelen tot fijngevoelige schemering waar broeder Fidelis zich had teruggetrokken in de schaduwen
van de muur, waakzaam aan de zijde van zijn heer, zonder oor of
oog voor wat er rondom hem gebeurde zoals hij ook geen stem had
om mee te zingen. Zijn beschaduwde ogen keken slechts naar Humilis, zijn tengere lichaam stond klaar om elk ogenblik de nog bro-
zere gestalte die kaarsrecht naast hem stond op te vangen of te ondersteunen.

Nou ja, sommige dingen hebben nu eenmaal voorrang als je iemand vereert en een eenmaal gestelde taak duurt tot het bittere
einde. God en de heilige Benedictus zouden dat begrijpen en eer-
biedigen.

Cadfael, wiens gedachten eigenlijk ook bij verhevener zaken hadden moeten zijn, dacht onwillekeurig: hij dooft zienderogen uit.
Het komt misschien nog wel eerder dan ik dacht. Er is niets dat het
nu nog kan verhinderen of zelfs maar uitstellen.

8

Als Robert van Gloucester niet in het water van de Test in het nauw was gedreven en gevangen was genomen, en als keizerin Maud niet halsoverkop met het overblijfsel van haar leger langs Ludgershall en Devizes naar Gloucester was gevlucht, zou de jacht op Adam Heriet wellicht veel langer hebben geduurd. Maar de kille verstarring van de patstelling tussen de twee legers, wier koningen allebei schaak stonden, gaf menig krijgsman die zich verveelde en blij was met elk verzetje de kans zijn benen te strekken en er elders zijn gemak van te nemen zolang de luwte duurde en de hoge heren ruzieden en onderhandelden. Onder wie, in de strijdmacht van de graaf van Worcester, een al wat oudere, ervaren zwaardvechter en boogschutter.

Hugh zelf was afkomstig uit het noorden van het graafschap, maar dan van de Welshe grens. De havezaten in het noordoosten, dat overging in de vlakte van Cheshire, waren hem veel minder vertrouwd. Ginds in het minder ruige land van het honderdschap van Hodnet, was de grond vet en goed bebouwd en waren de gemaaide korenvelden vol logge, tevreden grazende koeien die het weinige etgroen dat er in een droog jaargetijde was benutten en tegelijk hun uitwerpselen achterlieten om de grond voor het volgende jaar te bemesten. Er woonden hier en daar pachters van de abdij in deze streek en er werden schapen van de abdij op de akkers gedreven nu de oogst was binnengehaald. Het feit dat ze de grond beliepen en bemestten was bijna even waardevol als hun vacht.

De havezaat Harpecote lag op een open vlakte, met aan de windkant een klein bosland en ten zuiden ervan een lage heuvelkam, die meentgrond was. Het huis was klein en van hout, maar de velden waren uitgestrekt en de schuren en stallen die tegen de omheining leunden waren goed onderhouden en waarschijnlijk welgevuld. Cruce's rentmeester kwam het erf op om de schout en zijn twee wachtmeesters te begroeten en ze de weg te wijzen naar de hoeve van Edric Heriet.

Het was een van de grotere huizen van het gehucht, met aan de voorkant een moestuin en aan de achterkant een kleine boomgaard, waar een groezelig meisje met opgeschorte rokken de was over de heg hing. Kippen renden door het gras van de boomgaard en er stond een geit aan een touw gebonden. Volgens zeggen was deze Edric een vrije, die een kavel verbouwde die hij in pacht had van zijn heer, een zeldzaam wordend verschijnsel in een land waar een akkerman in toenemende mate gebonden was door het verrichten van herendiensten. Die Heriets moesten goede landmannen zijn en harde werkers, dat ze hun land konden houden en ervan konden leven. Zulke mensen, die alle hulp nodig hadden die ze konden krijgen, konden jongere zoons goed gebruiken. Adam was klaarblijkelijk het eigengereide zwarte schaap dat dienst had genomen omwille van het geld en zich had bekwaamd als krijgsman, houtvester en jachtmeester in plaats van als landbouwer.

Een grote, vlasblonde, haveloze kerel in een sjofel leren overkleed kwam gebukt uit de lage stal toen Hugh en zijn rakkers bij de poort bleven staan. Hij keek hen aan, verstrakte en staarde hen – gezag erkennend al kende hij de man die ermee was bekleed niet – met een achterdochtig gezicht aan.

'Zoekt u hier iets, heren?' Beleefd maar niet onderdanig sloeg hij hen aandachtig gade en versperde zijn poort als een schildwacht.

Hugh wenste hem een goede dag met de bijzondere vriendelijkheid die hij gebruikte tegenover zich onbehaaglijk voelende, arme mensen die zich bitter bewust waren van hun ondergeschiktheid. 'U moet Edric Heriet zijn, hebben ze me verteld. We zoeken iemand die ons kan vertellen waar we een zekere Adam van die naam kunnen vinden, die uw oom moet zijn. U bent voor zover we weten zijn enige verwant en misschien dat u ons kunt vertellen waar we hem moeten zoeken. Dat is alles, mijn vriend.'

De grote, jonge man, stellig niet ouder dan dertig en hoogstwaarschijnlijk de echtgenoot van het smoezelige maar knappe meisje in de boomgaard en de vader van de zuigeling die ergens in de krocht lag te krijsen, schuifelde onzeker met zijn voeten, nam een besluit en vermande zich. Zijn gezicht klaarde enigszins op.

'Ik ben Edric Heriet. Wat wilt u van mijn oom? Wat heeft hij gedaan?'

Dat beviel Hugh wel. De verwantschapsbanden mochten dan weinig hecht zijn, maar die daar zou zijn mond niet opendoen voordat hij wist wat er in de lucht hing. Wanneer er gevaar dreigde, was het hemd nader dan de rok.

'Niets verkeerds, bij mijn beste weten. Maar we willen hem vragen wat hij weet over iets waar hij enkele jaren geleden bij betrokken is geweest, toen hij door zijn heer van Lai werd uitgestuurd voor een opdracht. Ik weet dat hij sinds die tijd dient onder de graaf van Worcester, wat de reden is waarom hij, gezien de woelige tijden, misschien moeilijk te vinden is. Als u iets van hem hebt gehoord of ons kunt zeggen waar we hem kunnen vinden, zouden we u uiterst dankbaar zijn.'

Hij was nieuwsgierig nu, zij het nog onzeker. 'Ik heb maar één oom en die heet inderdaad Adam. Ja, hij is jachtmeester geweest op Lai en ik heb van mijn vader gehoord dat hij in krijgsdienst is gegaan bij de opperheer van zijn heer, al heb ik nooit geweten wie dat was. Maar hij is zolang ik me kan heugen nooit hier geweest. Ik heb hem nooit meer gezien sinds ik een kind was dat de vogels van het land moest verjagen. Ze hebben nooit goed met elkaar overweg gekund, die twee broers. Het spijt me, heer,' zei hij en hoewel het twijfelachtig was of hij veel spijt voelde, het was duidelijk dat hij wat zijn onwetendheid betrof de waarheid sprak. 'Ik heb er geen benul van waar hij nu kan zijn of waar hij al die jaren heeft gezeten.'

Hugh legde zich er node bij neer en dacht even na. 'Twee broers, zei u? Meer niet? Geen zuster? Geen banden met het graafschap?'

'Ik heb een tante, heer, één maar. Ons gezin was klein; mijn vader moest zich uitsloven om het land te bewerken nadat zijn broer was weggegaan en tot ik was opgegroeid, en twee jongere broers onder mij. Nu redden we het aardig. Tante Elfrid was de jongste van de drie. Ze is getrouwd met een kuiper, een halfbloed-Normandiër, een kleine, donkere kerel uit Brigge die Walter heet.' Zich niet bewust van enig gebrek aan fijngevoeligheid keek hij omhoog naar de kleine, donkere Normandische heer op de hoge, schonkige appelschimmel en verbaasde zich over Hughs stralende glimlach. 'Ze zijn in Brigge gaan wonen; ik geloof dat ze kinders hebben. Misschien weet zij iets. Zij konden beter met elkaar opschieten.'

'En verder niemand?'

'Nee, mijn heer, dat was het. Ik meen,' zei hij aarzelend maar vertederd, 'dat hij de peetoom is van Elfrids oudste. Misschien doet dat hem nog iets.'

'Dat zou best eens kunnen,' zei Hugh zachtmoedig, denkend aan zijn eigen dwingeland van een erfgenaam, van wie Cadfael de peetvader was, 'dat zou wel eens heel goed kunnen. Ik ben je zeer verplicht, vriend. We zullen er in elk geval eens navraag doen.' Ongehaast keerde hij zijn paard. 'Een goede oogst,' zei hij over zijn schouder. Hij glimlachte, klakte met zijn tong om zijn paard aan te sporen en was verdwenen, op de voet gevolgd door zijn rakkers.

Walter de kuiper had een winkel in het op een heuveltop gelegen stadje Brigge, in een smalle steeg niet ver van de schaduw van de kasteelmuren. De winkel was in een smalle, diepe kelder die uitkwam op een open, helder licht erf waar het naar gezaagd hout rook en die vol geheel of gedeeltelijk voltooide kuipen, tonnen en vaten stond en de gereedschappen en benodigdheden van zijn ambacht. De grond achter de lage muur daalde steil en grazig af naar waar de Severn kronkelde, bijna zoals hij kronkelde in Shrewsbury, vlak bij de voet van het stadje, breed en kalm nu het zomer was, met zandbanken die boven het water uitstaken, maar klaar om wakker en woelig te worden wanneer het plotseling zou gaan regenen.

Hugh liet zijn rakkers wachten in de steeg, klom zelf van zijn paard en liep door de donkere werkplaats naar het erf erachter. Een sproetige knaap van een jaar of zeventien stond over zijn rijschaaf gebogen een duig glad te schaven. Een andere, een jaar of twee jonger, zat aandachtig lange wilgetenen te vlechten om de duigen bijeen te houden wanneer de ton in de bodemhoepel werd gezet. Weer een andere jongen, misschien tien jaar oud, was ijverig de houtkrullen aan het opvegen, die hij in zakken propte om ze te verbranden. Het leek erop dat Walter een nest vol helpers in zijn zaak had, want ze leken allemaal op elkaar en waren allemaal overduidelijk zoons van dezelfde vader. De kleine, kwieke, donkere man, haalmes in de hand, keek op van zijn schaafbok.

'U wenst, heer?'

'Meester kuiper,' zei Hugh, 'ik zoek een zekere Adam Heriet, die volgens zeggen een broer is van uw vrouw. Bij zijn neef in Harpecote weten ze niet waar hij is, maar ze dachten dat hij misschien nauwere banden met u zou onderhouden. Als u me zou kunnen vertellen waar hij te vinden is, zou ik u zeer dankbaar zijn.'

Er viel een stilte, plotseling en diep. Walter staarde ernstig voor zich uit en de hand met het haalmes met het gebogen lemmet zakte langzaam naar zijn zij terwijl hij nadacht. Handvaardigheid was hem aangeboren, maar denken ging weloverwogen en langzaam. De drie jongens stonden even zwijgend te kijken en staarden zoals hun vader staarde. De oudste, veronderstelde Hugh, moest Adams petekind zijn, als Edric het bij het rechte eind had.

'Heer,' zei Walter ten slotte, 'ik ken u niet. Wat moet u met de verwanten van mijn vrouw?'

'Ik zal me voorstellen, Walter,' zei Hugh vriendelijk. 'Mijn naam is Hugh Beringar, ik ben de schout van dit graafschap. Ik zoek Adam Heriet om hem een paar vragen te stellen over een nu drie jaar oude zaak, waarin hij ons naar ik vertrouw kan helpen recht te doen. Als u ervoor kunt zorgen dat ik hem te spreken krijg, helpt u hem misschien niet minder dan mij.'

Zelfs een wetsgetrouw man zou daar, gezien de omstandigheden, zo zijn twijfels over kunnen hebben, maar een wetsgetrouw man met een fatsoenlijke zaak en een vrouw en kinderen om voor te zorgen, zou zich ook wel twee keer bedenken voordat hij de schout een eerlijk antwoord weigerde. Walter was geen dwaas. Hij schuifelde nadenkend met zijn voeten door het zaagsel en de kleine schaafkrullen die zijn zoon over het hoofd had gezien en zei met alle uiterlijke tekenen van oprechtheid en goedwillendheid: 'Welnu, mijn heer, Adam is enkele jaren in krijgsdienst geweest, maar het schijnt dat het nu bijna rustig is ginds in het zuiden, zodat hij enkele dagen vrijaf heeft gekregen. U bent toevallig stipt op tijd, heer, want hij is op dit ogenblik in huis.'

De oudste jongen was intussen stil in de richting van de huisdeur geslopen, maar zijn vader pakte hem onopvallend bij zijn mouw en wierp hem een snelle blik toe die hem deed verstarren. 'Deze knaap hier is Adams petekind en naamgenoot,' zei Walter onschuldig terwijl hij hem met de hand waarmee hij hem vasthield naar voren duwde. 'Breng de heer schout naar de kamer, jongen, dan trek ik mijn jas aan en kom jullie achterna.'

Het was niet wat de jonge Adam had bedoeld, maar hij gehoorzaamde, uit ontzag voor zijn vader of omdat hij erop vertrouwde dat deze het het beste wist. Maar zijn sproetige gezicht stond stuurs toen hij Hugh door de deur voorging naar de grote kamer die dienst deed als leefruimte en slaapstee voor zijn ouders. Een raam zonder luiken, dat uitzicht bood op de steile oever, liet volop licht binnen in het midden van de kamer, maar de hoeken weken terug in een naar hout geurende duisternis. Aan een grote schraagtafel zat een potige, kalende man met een bruine baard. Hij had zijn ellebogen gemakkelijk op het tafelblad gezet en vóór hem stond een kroes bier. Hij had het verweerde uiterlijk van een man die alleen in de guurste jaargetijden niet buiten leeft en er ging een onbekommerde kracht uit van zijn onverstoorbare rust. De vrouw die net met een pollepel van het schotelrek in haar hand uit de keuken kwam, was even weelderig gebouwd en had dezelfde diepbruine huid. De jongens hadden hun pezige bouw, hun donkere haren en hun blanke huid die sproette in de zon van hun vader.

'Moeder,' zei de jongen, 'hier is de heer schout. Hij vraagt naar oom Adam.'

Zijn stem was vlak en luid en hij bleef even staan, de deuropening versperrend, voordat hij naar binnen liep en Hugh langs liet. Meer kon hij niet doen. Het raam was groot genoeg voor een snelle man, als hij iets op zijn geweten had, om er doorheen te springen en zich over de helling uit de voeten te maken naar een rivier waar hij nu doorheen kon waden zonder natte knieën op te lopen. Hughs hart werd vertederd door het trouwe petekind en hij zorgde ervoor dat de jongen zelfs geen schim van een glimlach te zien kreeg. Een dromerige ziel blijkbaar, die een schout alleen maar nuttig vond om mindere mensen in moeilijkheden te brengen. Maar Adam de oudere bleef een ogenblik aandachtig en belangstellend zitten voordat hij opstond en Hugh hartelijk begroette.

'Mijn heer, u hebt uw man gevonden. Die naam behoort aan mij toe.'

Een van Hughs rakkers zou nu over de helling onder het raam lopen, terwijl de andere bij de paarden bleef. Maar dat konden de man of de jongen niet weten. Adam had klaarblijkelijk genoeg meegemaakt om zich niet gemakkelijk bang of aan het schrikken te laten maken en had tot dusver geen reden voor een van beide gezien.

'Wees gerust,' zei hij. 'Als het om mannen gaat die uit koning Ste-

110

phens leger zijn gedrost, hoeft u hier niet te zoeken. Ik heb toestemming om mijn zuster te bezoeken. Er zullen best een paar
weglopers zijn, voor zover ik weet, maar daar hoor ik niet bij.'
De vrouw ging langzaam en verbaasd naast hem staan, onthutst
maar niet geschrokken. Ze had een rond, gezond, blozend gezicht
en oprechte ogen.
'Mijn heer, mijn broer is van ver gekomen om me op te zoeken.
Daar is toch zeker niets verkeerds aan?'
'Helemaal niets,' zei Hugh en ging zonder inleiding en op dezelfde
zachtzinnige toon verder: 'Ik zoek inlichtingen over een vrouw die
drie jaar geleden is verdwenen. Wat weet u van Julian Cruce?'
Het was koeterwaals voor moeder en zoon en voor Walter, die
juist achter Hugh de kamer was binnengekomen, maar duidelijke
landstaal voor Adam Heriet. Hij verstarde waar hij stond, half
overeind gekomen van de bank, met zijn handen op de schraagtafel steunend. Zo bleef hij hangen en keek met achterdochtig en
strak gezicht naar Hugh. Hij kende de naam, een naam die hem
jaren terugzette in de tijd. Alle bijzonderheden van die reis keer-
den nu in zijn herinnering terug en hij draaide ze koortsachtig in
zijn gedachten in het rond als de kralen van een rozenkrans in de
handen van een bange man. Maar hij was niet bang, alleen op zijn
hoede voor gevaar, voor de pijn van de herinnering, voor de noodzaak om snel na te denken en misschien te kiezen tussen de waarheid, de halve waarheid en de leugen. Er kon van alles omgaan
achter dat vastberaden, ondoorgrondelijke gezicht van hem.
'Mijn heer,' zei Adam, langzaam uit zijn verstarring ontwakend,
'inderdaad, ik weet zeker iets over haar. Ik ben met haar mee gereden, ik en drie anderen uit haar vaders huishouden, toen ze de
sluier ging aannemen in Wherwell. En ik weet ook, aangezien ik in
die streek ben gelegerd, ik weet ook dat het nonnenklooster daar is
platgebrand. Maar al drie jaar verdwenen? Hoe is dat mogelijk,
gezien het feit dat haar verwanten wisten waar ze was? Nú verdwenen – ja, maar al te zeker, want ik heb sinds de brand vergeefs naar
haar gevraagd. Als u sindsdien meer over mijn vrouwe Julian te
weten bent gekomen, dan smeek ik u, vertel het me. Ik ben er niet
achter kunnen komen of ze nog leeft of dood is.'
Het zou volkomen oprecht hebben geklonken als hij zich in die
korte ogenblikken van stilte niet zo had moeten beheersen. Toch

was het misschien meer dan de halve waarheid. Als hij eerlijk was, zou hij daar naar haar hebben gezocht, na de slachting. Als hij oneerlijk was – wel, hij kende de omstandigheden en kon er gebruik van maken.

'U bent met haar naar Wherwell gegaan,' zei Hugh zonder iets te beantwoorden of los te laten. 'Hebt u haar veilig binnen de kloosterpoort afgeleverd?'

De stilte was inderdaad kort maar geladen. Als hij brutaal ja zei, loog hij. Zo niet, dan vertelde hij althans misschíen de waarheid.

'Nee, mijn heer, dat niet,' zei Adam moeilijk. 'Ik zou willen dat ik het had gedaan, maar ze wilde het niet. We hadden de laatste nacht in Andover doorgebracht en daarna ben ik de laatste paar mijlen met haar mee gegaan. Toen we nog geen mijl meer van het klooster waren – maar het was nog niet in zicht en er lag bosland tussen – stuurde ze me terug en zei dat ze de rest van de weg alleen wilde afleggen. Ik heb gedaan wat ze vroeg. Ik had altijd gedaan wat ze vroeg sinds ik haar, nauwelijks een jaar oud, in mijn armen droeg,' zei hij met een eerste flits van vuur in zijn donkere ogen, als een korte bliksemschicht uit een wolkendek.

'En de drie anderen?' vroeg Hugh zachtmoedig.

'Die hadden we in Andover achtergelaten. Toen ik terugkwam, zijn we samen naar huis vertrokken.'

Hugh zei nog niets over het tijdverschil. Dat kon hij beter achterhouden om hem ermee te overvallen als hij niet meer bij zijn trouwe verwanten was en minder zeker van zichzelf.

'En u hebt sinds die dag niets meer van Julian Cruce vernomen?'

'Nee, mijn heer, niets. En als u wél iets weet, in Gods naam, zeg het me, goed of slecht.'

'Was u die vrouwe toegewijd?'

'Ik had mijn leven voor haar willen geven. Ik zou op ditzelfde ogenblik mijn leven voor haar willen geven.'

Nou, dat komt misschien nog, dacht Hugh, als je de beste toneelspeler blijkt te zijn die ooit een masker heeft opgezet. Hij wist niet wat hij moest denken van deze man, wiens korte opflakkeringen van hartstocht alle schijn van waarheid hadden, maar die tegelijk zijn woorden met zeldzame zorgvuldigheid koos.

Waarom, als hij niets te verbergen had?

'Heb je een paard hier, Adam?'

De man hief een lange, berekenende blik naar hem op uit diepliggende ogen onder borstelige wenkbrauwen. 'Ja, mijn heer.'

'Dan moet ik je vragen het te zadelen en met me mee te rijden.'

Het was een verzoek dat hij niet kon weigeren. Adam Heriet was zich daar heel goed van bewust, maar het werd tenminste gebracht op een manier die hem in staat stelde met beheerste waardigheid op te staan en te vertrekken. Hij duwde de bank terug en kwam overeind.

'Waarheen, mijn heer?' En tegen de sproetige jongen die hen in de schaduw weifelend gadesloeg: 'Ga mijn paard voor me zadelen, jongen, en maak je nuttig.'

Adam de jongere ging, zij het met tegenzin en met een lange blik over zijn schouder. Enkele ogenblikken later klonk er hoefgetrappel op de aangestampte grond van het erf.

'Je bent ongetwijfeld op de hoogte,' zei Hugh, 'van alle omstandigheden rondom de beslissing van de vrouwe om in het klooster te gaan. Je weet dat ze als kind was uitgehuwelijkt aan Godfrid Marescot en dat hij de verloving verbrak om monnik te worden in Hyde Mead.'

'Ja, dat weet ik.'

'Na de brand in Hyde en de daaropvolgende verwarring kwam Godfrid Marescot naar Shrewsbury. Sinds de plundering van Wherwell snakt hij naar nieuws over het meisje en of je hem dat nu wel of niet kunt geven, Adam, ik wil dat je met me meegaat om hem te bezoeken.' Nog geen woord over het onbetekenende feit dat ze niet op haar plaats van bestemming was aangekomen. Uit dat ervaren en beheerste gezicht was ook onmogelijk op te maken of Adam het wel of niet wist. 'Als je geen licht op de zaak kunt werpen,' zei Hugh vriendelijk, 'kun je minstens met hem over haar praten, een herinnering delen die, zoals het er nu voor staat, al zwaar genoeg is om alléén te dragen.'

Adam haalde diep, langzaam, omzichtig adem. 'Graag, mijn heer. Hij was een goed man, zeggen ze allemaal. Oud voor haar, maar een goede man. Het was doodjammer. Ze had het altijd over hem, trots, alsof hij haar koningin zou maken. Jammer dat zo'n meisje in het klooster terecht moest komen. Ze zouden een prachtig paar hebben gevormd. Ik rij graag met u mee.' En tegen de man en de vrouw die verbaasd en ongerust naast elkaar stonden, zei hij kalm:

'Shrewsbury is niet ver. Voor je het weet ben ik terug.'

Het was een merkwaardige en tegelijk alledaagse rit naar Shrewsbury. De hele weg gedroeg deze geharde, veerkrachtige wapenknecht zich alsof hij niet wist dat hij een gevangene was, verdacht van iets dat hem nog niet duidelijk was, hoewel hij maar al te goed wist dat er twee wachtmeesters aan weerszijden van hem reden, voor het geval hij een sprong naar de vrijheid zou wagen. Hij reed goed en had een heel behoorlijk paard onder zich; hij had ongetwijfeld een goede naam en werd vertrouwd door zijn bevelhebber, dat hij mocht gaan als hij zin had en van een goed paard voorzien bovendien. Wat zijn eigen toestand betrof, daar vroeg hij niets over en hij liet geen ongerustheid blijken. Maar voordat ze Saint Giles in zicht kregen, had hij al minstens drie keer gevraagd: 'Mijn heer, hebt u ooit iets over haar gehoord sinds de woelingen in Wherwell?'
'Heer, hebt u navraag gedaan rond Wherwell? Hebt u een spoor gevonden? Er moeten daar heel wat nonnen zijn verstrooid.'
En ten slotte, plotseling smekend: 'Mijn heer, zeg het als u het weet: leeft ze of is ze dood?'
Op geen van deze vragen kreeg hij een rechtstreeks antwoord, omdat er geen was. Ten slotte, toen ze langs de lage heuvel van Saint Giles reden met zijn lage daken en bescheiden toren, zei hij peinzend: 'Het moet een zware reis zijn geweest voor een zieke oude man, heel dat eind vanaf Hyde alleen. Het verbaast me dat heer Godfrid het heeft gekund.'
'Hij was niet alleen,' zei Hugh bijna afwezig. 'Ze zijn met z'n tweeën uit Hyde Mead gekomen.'
'Maar goed ook,' zei Adam, goedkeurend knikkend, 'want ze zeiden dat hij ernstig gewond was. Hij had onderweg wel kunnen bezwijken, zonder helper.' En hij haalde langzaam en omzichtig adem.
De rest van de weg legde hij zwijgend af, misschien vanwege de donkere schaduw van de abdijmuur aan zijn linkerhand, die de middagzon afkapte met een scherpe, zwarte messnede over de stoffige weg.

Ze reden onder de boog van het poorthuis door en zagen het gebruikelijke gewemel van de namiddag, volgend op het halve uur of zo dat de jongere broeders mochten spelen en de oudere na de maaltijd een dutje mochten doen. Nu werden ze wakker en togen ze weer aan het werk, aan hun tafel in de schrijfkamer, in de tuinen langs de Gaye, bij de molen of in de viskwekerij in de vijver. Bij het zien van Hughs schonkige appelschimmel kwam broeder poortwachter uit zijn hok, wierp een blik op de rakkers die hem vergezelden en keek met enige begrijpelijke nieuwsgierigheid naar de onbekende die bij hen was.

'Broeder Humilis? Nee, u zult hem niet in de schrijfkamer vinden en evenmin in de slaapzaal. Vanmorgen na de mis viel hij flauw terwijl hij hier de binnenplaats overstak. Hoewel de val hem weinig kwaad heeft gedaan doordat de jonge broeder hem in zijn armen opving en hem voorzichtig liet zakken, duurde het even voordat hij bijkwam. Ze hebben hem naar de ziekenzaal gebracht. Broeder Cadfael is nu bij hem.'

'Het spijt me dat te horen,' zei Hugh terwijl hij ontsteld en bezorgd zijn paard inhield. 'Dan kan ik hem nu moeilijk lastigvallen...' En toch, als dit een stap was op weg naar het volgens Cadfael onvermijdelijke en elke dag naderbij komende einde, kon Hugh zich niet veroorloven het onderzoek dat licht zou kunnen werpen op het lot van Julian Cruce uit te stellen. Humilis zelf snakte ook naar nieuws.

'O, hij is al weer bijgekomen,' zei de poortwachter, 'en zichzelf weer even goed meester – onder God, ons aller meester! – als vroeger. Hij wil weer naar zijn eigen cel in de slaapzaal. Hij zegt dat hij al zijn plichten hier nog een tijdje kan vervullen, maar ze zullen hem wel houden waar hij is. Hij is volledig bij zijn verstand en heeft nog al zijn wilskracht. Als u nieuws voor hem hebt dat van enig belang is, zou ik minstens gaan kijken of ze u bij hem laten.'

'Ze', als het op gezag in de ziekenzaal aankwam, waren broeder Edmund en broeder Cadfael en aan hun beslissing zou niet te tornen zijn.

'Wacht hier!' zei Hugh, een besluit nemend, en hij sprong uit het zadel en liep over de binnenplaats naar de noordwestelijke hoek, waar het ziekenverblijf in de hoek van de abdijmuur stond. Ook de twee wachtmeesters stegen af en hielden hun gevangene nauwlettend in het oog, hoewel Adam volkomen bereid leek alles waarvoor hij ter verantwoording mocht worden geroepen het hoofd te bieden. Hij bleef enkele ogenblikken onaangedaan op zijn paard zitten, steeg toen af en gaf zijn teugels over aan de stalknecht die was komen aanlopen om voor Hughs rijdier te zorgen. Ze wachtten in stilte terwijl Adam met waakzame belangstelling om zich heen keek naar de groep gebouwen.

Hugh liep broeder Edmund tegen het lijf toen deze uit de deuropening van de ziekenzaal kwam en hij legde hem zijn verzoek voor. 'Ik hoor dat je broeder Humilis daar binnen hebt. Is hij in staat bezoek te ontvangen? Ik heb die ene ontbrekende man hier; met een beetje geluk kunnen we hem samen iets ontfutselen voordat hij te veel tijd heeft gehad om over zijn verdediging na te denken.'

Edmund knipperde even met zijn ogen; het viel hem moeilijk zijn eigen zorgen te vergeten voor die van een ander. Toen zei hij na een korte aarzeling: 'Hij wordt met de dag zwakker, maar hij rust nu goed uit. Hij tobt over die zaak met dat meisje omdat hij denkt dat hij er de oorzaak van is. Zijn geest is echter sterk en vastbesloten. Ik denk dat hij je zeker zal willen zien. Cadfael is bij hem – zijn wond is weer opengegaan toen hij viel, terwijl hij nog maar net was geheeld, maar hij is schoon. Ja, ga maar naar binnen.' Zijn gezicht zei, hoewel zijn lippen het niet uitten: 'Wie weet hoe lang hij nog heeft? Een gerust hart zou zijn leven kunnen rekken.'

Hugh keerde terug naar zijn mannen. 'Kom, we mogen binnen.' En tegen de twee wachtmeesters: 'Wacht buiten de deur.'

Hij hoorde de vertrouwde klank van Cadfaels stem zodra hij, gedwee op de voet gevolgd door Adam, het ziekenverblijf betrad. Ze hadden broeder Humilis niet in de grote zaal gelegd, maar in een van de afzonderlijke, rustige cellen en de tussendeur stond open. Een brits, een kruk en een kleine tafel voor boek of kandelaar vormden de hele inrichting en de wijd open deur en kleine ramen zonder luiken lieten licht en lucht binnen. Broeder Fidelis zat op zijn knieën bij het bed en ondersteunde de zieke, terwijl Cadfael de heup en de lies verbond waar het tere, nieuwe littekenweefsel enigszins was opengegaan. Ze hadden hem uitgekleed en het dek was teruggeslagen, maar Cadfaels brede lichaam belemmerde het uitzicht vanaf de deuropening en bij het geluid van de binnentredende voetstappen trok Fidelis het laken haastig op tot het midden van de zieke. Het lange lichaam was zó uitgemergeld, dat de jonge-

116

man het met één arm kon optillen. Maar het ingevallen gezicht was even helder en vastberaden als altijd en de holle ogen straalden. Hij onderwierp zich met een wrange en geduldige glimlach alsof het voor zijn zieleheil was. Het was de jongen die zo ijverig zijn best deed om het toegetakelde lichaam aan de blikken van oningewijden te onttrekken. Nadat hij het laken omhoog had getrokken, draaide hij zich om om het schone linnen hemd dat klaarlag te pakken en open te vouwen. Hij schoof het over Humilis' hoofd, hielp de magere armen behendig in de mouwen en tilde de zieke op om de plooien onder hem glad te strijken. Pas toen draaide hij zich om en keek naar de deuropening.

Hugh was bekend en aanvaard, zelfs welkom. Humilis en Fidelis keken als één man naar degene die hem volgde.

Achter Hughs rug gleed de blik van de langere vreemdeling snel over de gezichten, een nauwelijks merkbare flikkering van een scherpe blik die neerdaalde en opvloog, een bliksemsnel overzicht bij wijze van raming van hetgeen waarmee hij te maken zou kunnen krijgen. Broeder Cadfael hoorde hier klaarblijkelijk thuis en vormde geen bedreiging. De zieke man in het bed kende hij van naam en faam, maar de derde broeder, die doodstil naast de brits stond en wiens grote ogen glansden in de schaduw van de kap, was misschien moeilijker te plaatsen. Adam Heriet keek het laatst en het langst naar Fidelis voordat hij zijn ogen neersloeg en van zijn gezicht een gesloten boek maakte.

'Broeder Edmund zei dat we binnen mochten komen,' zei Hugh, 'maar als we u vermoeien, zet ons dan maar weer buiten. Het spijt me te horen dat u zich niet goed voelt.'

'Het beste geneesmiddel,' zei Humilis, 'is wanneer u beter nieuws voor me hebt. Broeder Cadfael zal het niet erg vinden dat een tweede dokter zijn mening geeft. Ik ben niet zo ziek, het was maar een flauwte – de hitte wordt met de dag drukkender.' Zijn stem was iets minder vast dan gewoonlijk, wat lijziger ook, maar hij ademde gelijkmatig en zijn ogen waren helder en kalm. 'Wie is de man die u hebt meegebracht?'

'Nicholas zal u voor hij vertrok wel hebben verteld,' zei Hugh, 'dat we drie van de vier mannen die vrouwe Julian begeleidden toen ze naar Wherwell vertrok al hebben ondervraagd. Dit is de vierde – Adam Heriet, die haar het laatste stuk van de weg heeft vergezeld, zijn kameraden in Andover achterlatend om op zijn terugkeer te wachten.'

Broeder Humilis' broze lichaam verstrakte en hij ging rechtop zitten. Broeder Fidelis knielde neer en sloeg achter het kussen zijn arm om hem heen, terwijl hij zijn hoofd boog in de schaduw achter de magere schouder van zijn heer.

'Is dat zo? Dan kennen we nu al degenen die haar hebben bewaakt. Dus jij,' zei Humilis terwijl hij de gedrongen gestalte en het ondoorgrondelijke, bruine gezicht opnam waarvan het door de zon verbrande voorhoofd naar hem toe was gebogen als dat van een geprikkelde stier, 'jij moet degene zijn die al van kindsbeen af van haar heeft gehouden.'

'Zo is het,' zei Adam Heriet kordaat.

'Vertel hem,' zei Hugh, 'hoe en wanneer je voor het laatst afscheid hebt genomen van de vrouwe. Kom, het is jouw verhaal.'

Heriet haalde lang en diep, maar zonder enig spoor van angst of spanning adem en vertelde het nogmaals zoals hij het Hugh in Brigge had verteld. 'Ze vroeg me weg te gaan en haar alleen te laten. En dat deed ik. Ze was mijn vrouwe en kon me naar eigen goeddunken bevelen geven. Ik deed wat ze vroeg.'

'En je ging terug naar Andover?' vroeg Hugh zachtzinnig.

'Ja, mijn heer.'

'Niet bepaald haastig,' zei Hugh met dezelfde misleidende zachtmoedigheid. 'Het is maar een paar mijl van Andover naar Wherwell en je zegt dat je een mijl vóór Wherwell bent weggestuurd. Toch kwam je pas uren later in Andover aan, toen het al begon te schemeren. Waar heb je al die tijd gezeten?'

De ijzige schok die door Adam ging en zijn adem even deed stokken, was onmiskenbaar. Zijn zorgvuldig geloken ogen werden groot, wierpen een verwilderde blik op Hugh en werden toen weer neergeslagen. Het kostte hem enige duidelijk waarneembare moeite om zijn stem te beheersen en zijn gedachten te ordenen, maar hij speelde het met heldhaftige soepelheid klaar. Zelfs zijn korte stilzwijgen leek te kort voor een bevlogen spinsel van leugens.

'Mijn heer, ik was nog nooit zo ver in het zuiden geweest en ik dacht in die tijd dat ik er ook nooit meer zou terugkeren. Ze stuurde me weg en de stad Winchester was vlak bij. Ik had erover ge-

118

hoord, maar ik had nooit gedacht haar nog eens te zien. Ik ben naar de stad gereden en ben er de hele dag gebleven. Er heerste vrede, toen, je kon over straat lopen, de grote kerk bekijken, de maaltijd gebruiken in een bierhuis, allemaal zonder bang te hoeven zijn. Dat deed ik en pas laat in de avond ging ik weer naar Andover. Als ze u dat hebben verteld, hebben ze de waarheid gesproken. We zijn pas daags daarna weer naar huis gegaan.'

Het was Humilis, die de stad Winchester kende als de palm van zijn hand, die de ondervraging op dit punt overnam, droog en kalm, ogen en stem weer waakzaam en levendig. 'Wie zal het je kwalijk nemen dat je een paar uur vrijaf nam, nu je je opdracht had voltooid? En wat heb je in Winchester allemaal gezien en gedaan?'

Adams wantrouwige ademhaling werd weer rustig. Dit leverde hem geen moeilijkheden op. Hij stak van wal met een wijdlopige beschrijving van de stad van bisschop Henry, van de noordpoort waar hij was binnengekomen, tot de weiden van het Heilig Kruis en van de kathedraal en het kasteel van Wolvesey tot de noordwestelijke velden van Hyde Mead. Hij kon een nauwkeurige beschrijving geven van de gevels in de steile High Street, van de vergulde schrijn van de heilige Swithun en van het prachtige kruis dat bisschop Henry aan de kathedraal van zijn voorganger, bisschop Walkelin, had geschonken. Het leed geen twijfel dat hij alles had gezien wat hij beweerde te hebben gezien. Humilis wisselde blikken uit met Hugh en verzekerde hem dat. Hugh noch Cadfael, die enigszins ter zijde stond en alles in zich opnam, was ooit in Winchester geweest.

'Dus dat is alles wat je weet over het lot van Julian Cruce,' zei Hugh ten slotte.

'Ik heb nooit meer iets van haar gehoord, mijn heer, sinds we die dag afscheid namen,' zei Adam met alle schijn van waarheid. 'Tenzij u me nu iets kunt vertellen waarnaar ik, zoals u weet, telkens weer heb gevraagd.' Maar hij vroeg niet langer en zelfs deze herhaling had al haar vroegere aandrang verloren.

'Eén ding kan en wil ik je vertellen,' zei Hugh plotseling ruw. 'Julian Cruce is nooit in Wherwell aangekomen. De priores van Wherwell heeft nooit van haar gehoord. Ze is sinds die dag verdwenen en jij bent de laatste die haar heeft gezien. Wat is je antwoord daarop?'

Een minuut lang staarde Adam hem met stomheid geslagen aan. 'U wilt toch niet beweren dat dit waar is?' zei hij langzaam.

'Dat beweer ik inderdaad, al denk ik dat het niet nodig is het jou te vertellen, want je wist het beter dan wie ook. Zoals je nu de enige bent die kan, die móet weten waar ze naar toe is gegaan, want Wherwell heeft ze nooit bereikt. Waar ze naar toe is gegaan, wat haar is overkomen en of ze nu op deze aarde is of eronder.'

'Ik zweer bij God,' zei Adam langzaam, 'dat toen ik op verzoek van mijn vrouwe afscheid van haar nam, ik haar gezond en wel achterliet en ik bid dat ze dat ook nu is, waar ze ook mag zijn.'

'Je wist, nietwaar, wat voor kostbaarheden ze bij zich had? Was het genoeg om je in de verleiding te brengen? Heb je, vraag ik je nu als schout, heb je je meesteres beroofd en haar geweld aangedaan toen ze met je alleen was, zonder getuigen in de buurt?'

Fidelis liet Humilis voorzichtig weer in het kussen zakken en bleef rechtop naast hem staan. De beweging trok Adams aandacht en hield die een ogenblik gevangen. Hij zei luid en duidelijk: 'Verre van dat; ik zou mijn leven voor haar hebben gegeven en ook nu nog, liever dan toe te staan dat ze ook maar één ogenblik verdriet zou hebben.'

'Goed,' zei Hugh kortaf. 'Dat is je verdediging. Maar ik moet en zal je vasthouden tot ik meer weet. Want ik zal meer weten, Adam, voordat ik deze zaak laat rusten.' Hij liep naar de deur waar zijn wachtmeesters op zijn bevelen wachtten en riep hen binnen. 'Neem deze man mee en breng hem onder in het kasteel. In verzekerde bewaring.'

Zonder een woord van verbazing of verzet ging Adam met hen mee. Hij had niet anders verwacht; de gebeurtenissen hadden hem te zeer in het nauw gedreven om nu niet de deur achter hem te sluiten. Hij leek ook niet bijster ontdaan of bang, maar hij was een moedige, nuchtere man die zich niet zou blootgeven. In de deuropening wierp hij één blik achterom, een blik die hen allemaal omvatte, maar die niets zei en niets verraadde aan Hugh en weinig aan Cadfael. Een korte vonk, te klein nog om enig licht te werpen.

9

Broeder Humilis sloeg het vertrek van de gevangene en zijn bewakers met een lange, vaste blik gade. Toen ze weg waren liet hij zich met een diepe zucht achterover zakken en staarde naar het lage, stenen gewelf boven zijn hoofd.

'We hebben u uitgeput,' zei Hugh. 'We zullen u nu laten rusten.'

'Nee, wacht!' Fijne zweetdruppeltjes parelden op zijn voorhoofd. Fidelis boog zich naar voren en depte ze af en heel even flitste er een bezorgde glimlach naar hem op, die overging in een sombere frons.

'Zoon, ga naar buiten, de zon en de frisse lucht in. Je besteedt te veel tijd aan mijn verzorging en je ziet dat ik nu niets nodig heb. Het is niet goed dat je mij tot je enige taak hier maakt. Over enige tijd slaap ik.' Het was door de kalmte van zijn stem, hoe zwak ook, niet duidelijk of hij een gewone, rustgevende sluimering op een warme namiddag bedoelde of de laatste slaap van het lichaam bij het ontwaken van de ziel. Hij legde zijn hand even op die van de jongeman in de zachtst denkbare aanraking, een streling bijna. 'Ja, ga, ik wil het. Maak mijn werk af, jouw hand is vaster dan de mijne en de kleinigheden – ze zijn nu te fijn voor me.'

Met een beheerst gezicht keek Fidelis naar hem omlaag, keek even op naar de twee toeschouwers en sloeg toen weer onderdanig die heldere grijze ogen neer die zo'n scherpe tegenstelling vormden met de krullige, bronzen ring van zijn kruinschering. Hij deed wat hem was gevraagd, misschien zelfs graag, in elk geval met bereidwillige en snelle stappen.

'Nicholas heeft me niet verteld,' zei Humilis toen de laatste lichte voetstap was weggestorven, 'wat het voor kostbaarheden waren die mijn verloofde had meegenomen. Waren ze zo uitzonderlijk dat ze herkend zouden worden als ze ooit zouden opduiken?'

'Ik betwijfel of er twee van zulke zijn,' zei Hugh. 'Goud- en zilversmeden maken meestal zelf hun ontwerpen en zelfs als ze een stel maken, vraag ik me af of de stukken ooit tot in onderdelen gelijk zijn. Deze waren in elk geval uitzonderlijk genoeg. Wie ze eenmaal had gezien, zou ze altijd herkennen.'

'Mag ik weten wat voor dingen het waren? Ik heb begrepen dat ze muntgeld had – bruikbaar voor iedereen die het wegneemt. Maar de rest?'

Hugh, wiens geheugen voor woorden zo nauwgezet was als een spiegel, beschreef ze bereidwillig: 'Een stel kandelaars van zilver, gemaakt in de vorm van hoge blakers, omkranst door wijnranken, met dompers bevestigd aan zilveren kettingen, eveneens versierd met druivebladeren. Een staand kruis ter hoogte van een mannenhand, op een zilveren voetstuk van drie treden en bezet met halfedelstenen van bergkristal, amethist en agaat, te zamen met een soortgelijk kruis van hetzelfde metaal en dezelfde stenen, een pink lang, aan een dunne zilveren halsketting, om te worden gedragen door een priester. Een zilveren hostiedoos, klein, waarin varens gegrift. Ook zekere stukken edelsmeedkunst die haar toebehoorden, zoals een halsketting van geslepen stenen uit de heuvels boven Pontesbury, een armband van zilver met wikkeranken erin gegrift en een zeldzame ring van zilver, bezet met glazuurversieringen in de vorm van gele en blauwe bloemen. Dat is alles. Ongetwijfeld allemaal uit dit graafschap verdwenen. Als ze ooit worden gevonden, zal het ergens in het zuiden zijn, waar ze samen met haar zijn verdwenen.'

Humilis bleef stil en met gesloten ogen liggen en zijn lippen bewogen geluidloos terwijl hij de bezittingen opsomde. 'Een heel klein vermogen,' zei hij fluisterend. 'Maar niet te klein voor sommige arme donders. Denk je echt dat ze voor die paar dingen kan zijn vermoord?'

'Er zijn mannen, en vrouwen,' zei Hugh grimmig, 'die voor heel wat minder zijn gestorven.'

'Ja, dat is zo. Een klein kruis,' zei Humilis wiens lippen weer bewogen toen hij zich de zinnen herinnerde, 'ter lengte van een pink, bezet met gele stenen en groene agaat en amethist... Behorend bij een soortgelijk altaarkruis, maar bedoeld om te worden gedragen. Ja, dat zou worden herkend.'

Zweetdruppeltjes van zwakheid parelden weer over zijn voorhoofd, een dikke druppel liep omlaag in de rimpels van een gesloten ooglid. Cadfael veegde de druppels weg en beduidde Hugh met gefronste wenkbrauwen vóór hem uit naar buiten te gaan.

'Ik ga slapen...' zei Humilis en hij glimlachte vaag en vluchtig.

In de grote kamer aan de andere kant van de stenen gang, waar twaalf bedden in twee rijen aan weerszijden van een gangpad stonden, tilden broeder Edmund en een andere broeder, die met zijn rug naar hen toe stond en wiens krachtige, kaarsrechte gestalte ze daardoor niet herkenden, een brits met de lekebroeder die erin lag op. Ze schoven het langs de muur om plaats te maken voor een nieuwe strozak en een nieuwe zieke. De helper zette zijn kant van het bed neer toen Hugh en Cadfael langs de openstaande deur kwamen. Hij rechtte zijn rug en draaide zich om terwijl hij zijn handen tegen elkaar wreef om de moeten die het bed erin had achtergelaten te doen verdwijnen en ze zagen de donkere, rechte wenkbrauwen en de brandende ogen van broeder Urien. Ongewoon tevreden met zichzelf, de muren en de mensen om hem heen vertoonde hij een vage, gespannen glimlach die zijn lippen deed krullen, maar zijn smeulende blik niet bluste. Hij keek hen aan alsof er een schaduw langsgleed en kruiste zodra ze voorbij waren hun spoor om een armvol gewassen linnen in de kast te leggen die in de gang stond.

Het was gebruikelijk dat in het ziekenverblijf alle deuren open bleven, opdat een roep om hulp oplettende oren veilig zou bereiken en hulp zou doen toesnellen. Stemmen, de gezangen van de getijden, zelfs vogelgeluiden hadden er vrij spel. Alleen wanneer het stormde, stortregende of bitter koud was, werden de deuren en luiken gesloten, maar bij zulk een zomerse hitte zeker niet.

'De man liegt,' zei Hugh terwijl hij naast Cadfael over de binnenplaats liep en piekerde over de mengeling van waarheid en leugen. 'Maar tegelijk vertelt hij de helft van de tijd de waarheid, en welke helft bevat de leugens? Zeg me dat eens!'

'Als ik dat kon,' zei Cadfael zachtmoedig, 'was ik geen gewone sterveling.'

'Ze vertrouwde hem, hij wist wat ze waard was. Hij is de laatste paar mijlen met haar meegereden en sindsdien is er geen spoor van haar,' zei Hugh, zich woest vastbijtend in de feiten. 'En toch heeft hij me onderweg herhaalde malen gevraagd of ik wist of ze leefde of dood was en ik zou hebben gezworen dat hij het meende. Maar moet je hem nu eens zien. Halverwege de ondervraging staat hij daar onwrikbaar als een rots en verzet zich niet eens tegen het feit dat we hem vasthouden en maakt zich niet merkbaar druk meer over háár lot. Wat moeten we daar nou van denken?'

'Of van wat dan ook,' beaamde Cadfael spijtig. 'Ik ben het met je eens: hij liegt ongetwijfeld. Hij houdt iets achter. Maar als hij zich meester heeft gemaakt van alles wat ze bezat, wat heeft hij er dan mee gedaan? Het mag dan geen vermogen zijn, maar het is meer waard dan de schamele wedde, het gevaar en de ontbering van een eenvoudige soldaat. Toch is hij nog steeds zonneklaar een eenvoudige wapenknecht en meer niet.'

'Een wapenknecht, ja,' zei Hugh wrang, 'maar niet eenvoudig. Ik word duizelig van zijn gekronkel en gedraai. Hij kent Winchester goed – ja, misschien, maar waar heeft hij het grootste deel van de afgelopen drie jaar gediend? Sinds de winter is Winchester ingesloten geweest door strijdkrachten. Het zou gek zijn als hij het níet kende. En toch zou ik aanvankelijk hebben durven zweren dat hij echt niets wist en graag wilde weten wat er van dat meisje was geworden. Anders is hij de knapste gebarenspeler die ooit een gezicht heeft getrokken om iemand om de tuin te leiden.'

'Hij leek me niet bijzonder slecht op zijn gemak,' zei Cadfael nadenkend, 'toen je hem binnenbracht. Op zijn hoede, dat wel, en voorzichtig zijn woorden kiezend – wat ze des te meer betekenis geeft,' voegde hij er enigszins opklarend aan toe. 'Daar moet ik eens over nadenken. Maar bang of ongerust, nee, dat zou ik niet willen zeggen.'

Ze waren aangekomen bij het poorthuis, waar de stalknecht wachtte met Hughs paard. Hugh nam de teugels over, zette zijn voet in de stijgbeugel en bleef even zo staan om zijn vriend over zijn schouder aan te kijken.

'Ik zal je eens iets zeggen, Cadfael: de enige zekere uitweg uit deze wirwar is, dat het meisje ergens gezond en wel opduikt. Dan kunnen we allemaal gerust zijn. Maar ja, je hebt dit jaar al meer wonderen meegemaakt dan je toekomen; zelfs jij durft niet om meer te vragen.'

'En toch,' zei Cadfael, piekerend over de warboel van stukjes die niet in elkaar wilden passen, 'is er iets dat me in de hoek van mijn

geestesoog wenkt en als ik kijk, is het weg. Een dwaallichtje maar –
niet eens een vonk…'
'Laat het met rust,' zei Hugh terwijl hij zijn paard naar de poort
keerde. 'Blaas het niet aan, anders dooft het nog helemaal. Maar
wie weet wat er gebeurt als je de andere kant op blaast? Misschien
groeit het uit tot een kaarsvlam die de motten aantrekt en waaraan
ze zich verzengen.'

Broeder Urien deed lang over het opstapelen van het gewassen linnen in de kast in de ziekenzaal. Hij liet Fidelis zonder een teken
van herkenning voorbijlopen en al zijn aandacht bleef gericht op
de drie die in de ziekenzaal waren achtergebleven. De stenen muren kaatsten de geluiden die door de openstaande deuren de gang
in drongen hol terug. Zijn innerlijke onrust had al zijn zintuigen
zozeer gescherpt en gevoelig gemaakt, dat zijn huid jeukte en zijn
nekharen overeind gingen staan onder de marteling van geluiden
die in een ander oor zacht en welluidend zouden hebben geklonken.
Hij verrichtte nauwgezet en gehoorzaam al wat Edmund hem opdroeg: een bed dat moest worden verschoven zonder de half ver-
lamde, stokoude man die erin lag te storen; een nieuwe brits neer-
zetten voor een nieuwe zieke. Hij draaide zich om om openlijk het
vertrek van de schout en de kruidenkenner gade te slaan, terwijl de
woorden die hij zich nog zo scherp herinnerde door zijn hoofd
maalden. Al die voorwerpen van kostbaar metaal en die halfedelstenen, verdwenen met een verdwenen vrouw. Een altaarkruis –
nee, dat was hier van geen belang. Maar een bijpassend kruis aan
een zilveren halsketting… Benedictijnse broeders mogen geen
persoonlijke sieraden, wereldse vruchten, hoe klein ook, houden
zonder uitdrukkelijke, zelden verleende toestemming. Toch waren er broeders die kettingen om hun nek droegen – minstens één.
Hij had er een aangeraakt, tot zijn bittere vernedering, en hij wist
het.
Ook de tijd sprak boekdelen, de tijd en de plaats. Mensen die een
moord hebben gepleegd voor een hopeloze onderneming, of om
het gewin, en die in het nauw worden gedreven, zoeken toevlucht
waar ze maar kunnen. Een buit kan worden verstopt tot vluchten
weer veilig mogelijk is. Maar waarom dan die gebroken kruisvaar-

der volgen naar Shrewsbury? Vluchten moest na de brand in Hyde maar al te gemakkelijk zijn geweest; wie kon in zo'n vlammenzee de tel bijhouden?

Maar niemand wist beter dan hij hoe liefde, of hoe die kwelling ook mocht heten, kan worden opgewekt, gekoesterd, bezit kan nemen van iemands ziel, hier in het klooster nog feller en razender dan in de wereld. Als hijzelf, blind en gek gemaakt, er zo onder kon lijden, waarom een ander dan niet? En waarom zouden twee van zulke slachtoffers niet iets hebben dat hen op zijn minst bond; hun onontkoombare schuld en pijn? Humilis was een zieke man die het niet lang meer zou maken. Er zou plaats zijn voor iemand anders als hij de zijne verliet, wanneer de leegte die hij achterliet ondraaglijk pijn begon te doen. Uriens hart smolt als was bij de gedachte aan wat Fidelis in zijn ondoordringbare stilte moest doormaken.

Hij maakte het werk waarvoor hij naar de ziekenzaal was geroepen af, deed de kast dicht, keek eenmaal rond in de grote zaal en liep naar de binnenplaats. Hij was in de wereld stalknecht en lijfknecht geweest, beheerste geen ambacht en kon toen hij intrad nauwelijks lezen en schrijven. Hij stelde zijn spieren en zijn kracht ter beschikking waar ze nodig waren, binnen of buiten, voor elk werk. Hij had geen hekel aan de inspanning die zulk werk hem kostte en evenmin het gevoel dat zijn ongeschoolde hulp minderwaardig was. De brandstof die hem van binnen aandreef, had een middel nodig om zichzelf van buiten uit te putten of er zou in zijn bed geen slaap voor hem zijn en geen rust wanneer hij wakker werd. Maar wat hij ook deed, hij kon zich niet bevrijden van het maar al te goed herinnerde gezicht van de vrouw die hem had versmaad en hem aan zijn onverzadigbare honger en onlesbare dorst had overgelaten. Hij had haar gave jonge gezicht, een toonbeeld van onschuld, en haar grote, glanzende ogen teruggezien in de jongen Rhun, tot die ogen hem rechtstreeks hadden aangekeken en hem met hun lieflijkheid en medeleven tot op het bot hadden verzengd. Maar haar volle, brandend rosse haar, niet rood maar bruin glanzend, had hij slechts teruggevonden in broeder Fidelis, de bekroning en bekrachtiging van dezelfde grote, grijze ogen, de zuivere kristallen van het geheugen. De stem van de vrouw was helder, hoog en vrijmoedig geweest. Dit spiegelbeeld was stom en kon daardoor nooit ruw of boosaardig zijn, nooit veroordelen, nooit bang maken. En het was mannelijk, gelukkig niet van de wrede, verraderlijke stam van de vrouw. Goed, Fidelis was één keer verrast en geschrokken voor hem teruggedeinsd. Maar hij had toen gezegd en geloofd dat het niet altíjd zo zou zijn.

De bedachtzame tred van een monnik had hij al geleerd, maar niet de gemoedsrust die ermee gepaard moest gaan. Door zijn ogen neer te slaan en zijn handen in zijn beschuttende mouwen voor zijn lichaam te vouwen kon hij binnen deze muren overal gaan en staan en doorgaan voor een van de velen. Hij ging naar waar hij wist dat Fidelis was gestuurd en waar hij ongetwijfeld naar toe zou zijn gegaan, de bank waarop hij zat waarderend vanwege de man die daar eigenlijk had moeten zitten, met het blad velijn vóór zich op de schrijftafel en de potjes kleurstof uitgestald, bezig met het werk waarmee Humilis was begonnen en het op diens verzoek afmakend.

Aan de andere kant van de schrijfkamermuur, in de kloosterhof, onder de zuidmuur van de kerk, probeerde broeder Anselm een gezang uit op zijn kleine handorgel, een reeks telkens herhaalde noten, als de bevlogen roep van een vogel, zoet en droevig. Hij was in gezelschap van een van de leerlingen, die zorgeloos zijn kinderlijke stem verhief zoals alle begaafde kinderen doen, zich afvragend waarom de ouderen zich zo druk maken over dingen die vanzelf komen en geen moeite kosten. Urien wist weinig van muziek, maar hij voelde haar vlijmscherp aan, zoals hij alles voelde, als pijlen die zijn vlees doorboorden. De jongen klonk zuiverder en echter dan welk instrument ook, zonder te beseffen dat hij je hart kon doorboren. Hij zou liever met zijn kameraadjes zijn gaan spelen, buiten aan de Gaye.

De nissen van de schrijfkamer waren diep en de stenen tussenmuren sneden elk geluid de pas af. Fidelis had zijn schrijftafel zó gezet dat hij half in de schaduw zat, terwijl het volle zonlicht zijn blad verlichtte. Hij zat met zijn linkerzijde naar de zon, zodat zijn hand geen schaduw op zijn werk wierp, hoewel de rank die zijn voorbeeld was voor de versiering van de hoofdletter M verlepte in de hitte. Hij had een vaste hand en een fijne streek waarmee hij de tere krullen van de rank volgde en ze voorzag van lichte, frisse bloemen, fijn als spinrag. Toen de zingende jongen werd vrijgelaten uit de les en huppelend voorbij rende, hief Fidelis zijn hoofd zelfs niet op. Toen Urien een lange schaduw wierp en niet door-liep, stokte de hand met het penseel even en hervatte toen de soe-pele, lange streken, maar nog altijd keek Fidelis niet op. Waaruit broeder Urien begreep dat hij was herkend. Naar ieder ander zou deze stomme schilder even hebben opgekeken, naar veel van de broeders zou hij hebben geglimlacht. En hoe kon hij het, zonder te kijken, weten? Door een stilzwijgen even zwaar als het zijne of door een prikkeling die zijn vlees deed gloeien en waardoor zijn nekharen overeind gingen staan wanneer juist deze man naderbij-kwam?

Urien stapte de nis in, ging naast Fidelis staan en keek naar de inge-wikkelde m waar het goud nog aan ontbrak. Keek ook, met nog meer gespannen aandacht, naar het stukje van de dunne zilveren ketting dat in de neerhangende plooien van kraag en kap zichtbaar was, tussen de korte, rossige haartjes in de gebogen nek. Een kruis zo groot als een pink, aan een halsketting, en bezet met gele, groe-ne en paarse stenen... Hij had een vinger onder de ketting kunnen brengen om hem te voorschijn te halen, maar hij raakte hem niet aan. Hij had geleerd dat aanraken hekserij is, die onmiddellijke terugtrekking en kille afstandelijkheid tot gevolg heeft.

'Fidelis,' zei hij met zijn zachtste, smekendste stem aan Fidelis' schouder, 'je ontwijkt me. Waarom? Ik kan de beste vriend zijn die je ooit hebt gehad, als je wilt. Er is niets dat ik niet voor je zou willen doen. En je hebt een vriend nodig. Een die een geheim kan bewaren en even goed kan zwijgen als jij. Laat me je vriend zijn, Fidelis...' Hij zei niet 'broeder'. 'Broeder' is een benaming zonder hunkering, een genoeglijke benaming, niet een die gedachten of geest beroert. 'Laat me je vriend zijn en ik kan alles zijn wat je nodig hebt aan liefde en trouw. Tot de dood!'

Uiterst langzaam legde Fidelis zijn penseel neer, zette zijn handen op de rand van de schrijftafel alsof hij zich schrap zette om op te staan en dit alles met krampachtige gebaren en ingehouden adem. 'Je hoeft niet bang voor me te zijn, ik wens je alleen maar goeds. Verroer je niet, trek je niet terug! Ik weet wat je hebt gedaan, ik weet wat je te verbergen hebt... Niemand zal het ooit van mij te weten komen, als jij het jouwe doet. Zwijgen verdient een belo-ning... liefde verdient liefde!'

Fidelis gleed over het gladde hout van de bank en stond op, zodat

128

de schrijftafel zich tussen hen bevond. Zijn gezicht was bleek en star, de grijze ogen groot van schrik. Heftig schudde hij zijn hoofd en liep om de tafel heen om zich langs Urien te dringen en de nis te verlaten. Maar Urien spreidde zijn armen en versperde hem de weg.

'O nee, deze keer niet! Niet nu! Dat is afgelopen. Ik heb gevraagd, ik heb gesmeekt, nu maak ik je duidelijk dat zelfs vragen voorbij is.' Zijn gespannen zelfbeheersing was opgeflakkerd tot plotselinge en wilde woede, zijn ogen fonkelden. 'Ik heb oren, ik zou je ondergang kunnen zijn als ik daar zin in had. Je kunt maar beter aardig tegen me zijn.' Zijn stem klonk nog steeds zacht, niemand zou hen horen en er liep niemand die hen zou kunnen zien over de betegelde kloosterhof. Hij stapte naar voren en dreef Fidelis dieper in de schaduw van de nis. 'Wat heb je daar om je nek, onder je pij, Fidelis? Wil je het me laten zien? Of zal ik je zeggen wat het is? En wat het betekent!? Er zijn er die er heel wat voor zouden over hebben om het te weten. Ten koste van jou, Fidelis, tenzij je aardig tegen me bent.'

Hij had zijn prooi in de verste hoek gedreven en pinde hem daar met gespreide armen en zijn handen plat tegen de muren aan weerszijden vast, ontsnapping verhinderend. Nog altijd keek het bleke, ovale gezicht hem kil, minachtend zelfs aan en in de grijze ogen brandde een smeulende woede die hem volledig afwees.

Urien sloeg toe als een slang. Zijn hand flitste achter het borststuk van Fidelis' pij, in de wijde plooien, om de zilveren ketting en het zegeteken dat eraan hing, verwarmd door het vlees en het hart eronder, te voorschijn te halen. Fidelis bracht een vreemd, hees geluid voort en leunde tegen de muur en Urien, even ontzet, deinsde wankelend terug en slaakte eveneens een gesmoorde kreet. Een ogenblik lang heerste er een stilte zó diep dat beiden erin leken te verdrinken. Toen pakte Fidelis zijn ketting en stopte zijn schat weer weg in zijn schuilplaats. Dat ene ogenblik had hij zijn ogen gesloten, maar onmiddellijk opende hij ze weer en richtte een sombere, onbuigzame blik op zijn achtervolger.

'Nu meer dan ooit,' zei Urien fluisterend, 'nu zul je die trotse ogen van je neerslaan, die onbuigzame nek buigen en gedwee naar me toe komen, of het lot ondergaan dat wie zo'n heiligschennis begaat over zich afroept. Maar dreigementen zijn overbodig, als je maar naar me wilt luisteren. Ik bezweer je dat ik je zal helpen, o ja, trouw, met heel mijn hart – je hoeft me alleen maar toe te laten tot het jouwe. Waarom niet? En wat voor keus heb je, nu? Je hebt me nodig, Fidelis, even dringend nodig als ik jou. Alleen wij tweeën – en er hoeft geen wreedheid te zijn, alleen tederheid, alleen liefde...'

Fidelis vlamde plotseling op als een kaarsvlam en met de hand waarmee hij niet zijn ontheiligde schat tegen zijn borst drukte sloeg hij Urien op zijn mond en legde hem het zwijgen op.

Een ogenblik lang staarden ze elkaar diep in de ogen, zonder een woord te zeggen of een zucht te slaken. Toen zei Urien moeilijk en op een schorre fluistertoon die nauwelijks verstaanbaar was: 'Genoeg! Nu zul je naar me toe komen. Nu zul jíj degene zijn die smeekt. Uit eigen behoefte en eigener beweging zul je komen en me smeken om wat je nu weigert, of ik vertel alles wat ik weet en wat ik weet is genoeg om je te verdoemen. Je zult naar me toe komen, me smeken en me als een hondje achternalopen, of ik zal je vernietigen. Je wéét dat ik dat kan. Drie dagen geef ik je, Fidelis. Als je me niet vóór de vespers van de derde dag na nu opzoekt en je aan me geeft, *broeder*, zal ik de hel over je afroepen en glimlachend toekijken hoe je brandt!'

Met een ruk draaide hij zich om en rende de nis uit. De lange zwarte schaduw verdween, het middaglicht stroomde weer vredig naar binnen. Een ogenblik lang leunde Fidelis met gesloten ogen en hijgend van uitputting in de donkere hoek. Toen struikelde hij moeizaam weer naar zijn bank, ging zitten en pakte het penseel op met een hand die te heftig beefde om het te kunnen gebruiken. Door het vast te houden vond hij weer houvast aan de werkelijkheid en bood hij, mocht iemand hem zien, de brave aanblik van een verluchter aan het werk. Innerlijk voelde hij een verdovende radeloosheid waarachter hij geen enkel licht zag en geen enkele bevrijding.

Het was Rhun die hem zo vond. Hij was broeder Urien in de kloosterhof tegen het lijf gelopen en had diens strakke gezicht en smeulende, gekwetste blik gezien. Hij had niet gezien uit welke nis Urien was gekomen, maar hier bespeurde, rook en voelde hij aan het tintelen van zijn eigen vlees waar Urien in zijn stuitende woede en pijn was geweest.

Hij zei er geen woord over tegen Fidelis, en ook niet over de bleekheid van het gezicht van zijn vriend of de vreemde stijfheid van diens bewegingen toen hij hem begroette. Hij ging naast hem op de bank zitten en praatte over alledaagse dingen, over de hoofdletter die nog steeds niet af was. Hij pakte het fijne verguldpenseel en vulde voorzichtig de gouden randen van twee of drie bladeren in, met het puntje van zijn tong in de hoek van zijn mond, als een kind dat leert schrijven.

Toen de klok klepte voor de vespers gingen ze samen naar binnen, beiden met een kalm gezicht, geen van beiden met gerust hart.

Rhun sloeg het avondmaal over en ging in plaats daarvan naar de ziekenzaal en naar de kleine kamer waar broeder Humilis lag te slapen. Geduldig bleef hij lange tijd naast het bed zitten, maar de zieke man sliep door. En nu, in deze stilte en eenzaamheid, kon Rhun elke lijn van het afgeleefde, ouder wordende gezicht in zich opnemen en zien hoe de ogen diep in de schedel waren weggezonken, de wangen ingevallen tot uitgemergelde holten en hoe het vlees slap en grauw was geworden. Hij was zelf zó vol leven dat hij met verblindende helderheid het naderen van andermans dood herkende. Hij zag af van zijn aanvankelijke bedoeling, want zelfs als Humilis wakker zou worden en hoezeer hij het beetje leven dat in hem was ook zou inspannen ter wille van Fidelis, Rhun kon nu onmogelijk een deel van zijn last afwentelen op een man die al was beladen met het geestelijke reisgoed van zijn eigen afscheid. Maar hij bleef roerloos zitten wachten tot broeder Edmund na het avondmaal de ronde deed.

Rhun liep hem in de betegelde gang tegemoet.

'Broeder Edmund, ik maak me zorgen over Humilis. Ik heb een tijd naast hem gezeten en het lijdt geen twijfel dat hij zienderogen zwakker wordt. Ik weet dat je hem altijd goed verzorgt, maar ik dacht – zou er geen brits voor Fidelis naast hem kunnen worden gezet? Het zou voor hen alle twee een hele troost zijn. In de slaapzaal bij de anderen ligt Fidelis alleen maar te piekeren en doet hij geen oog dicht. En als Humilis 's nachts wakker zou worden, zou hij het fijn vinden als hij Fidelis in de buurt zag, zoals altijd gereed om hem te helpen. Ze hebben samen de brand in Hyde meegemaakt...' Hij haalde adem en keek naar broeder Edmunds gezicht.

'Ze staan elkaar nader,' zei hij ernstig, 'dan vader en zoon.'
Broeder Edmund ging zelf naar de slapende man kijken. Diens ademhaling was oppervlakkig en snel. De lichte deken lag vlak en soepel over het lange lichaam.
'Het zou best kunnen,' zei Edmund. 'Er staat een ongebruikte brits in de voorkamer van de kapel en hij kan er hier bij, al is de ruimte wat krap. Kom, help me met dragen, dan kun je daarna broeder Fidelis gaan vertellen dat hij vannacht hier kan komen slapen als hij dat wil.'
'Hij zal er blij mee zijn,' zei Rhun stellig.

De boodschap werd aan Fidelis overgebracht als een beslissing van broeder Edmund, genomen voor de gemoedsrust en de betere verzorging van zijn zieke, wat alleen maar verstandig leek. En Fidelis was inderdaad blij. Als hij al vermoedde dat Rhun de hand had gehad in het verlenen van de toestemming, was dat alleen merkbaar aan de vluchtige glimlach die, te snel om te worden opgemerkt, over zijn ernstige gezicht trok. Hij pakte zijn gebedenboek en stak dankbaar de binnenplaats over naar de kamer waar Humilis, die nauwelijks zevenenveertig jaar oud was en die het té korte leven dat nu zo zacht en gelaten naar zijn einde kroop in galop had geleefd, zijn lichte oude-mannenslaap sliep. Fidelis knielde naast het bed neer om met zijn zwijgende lippen de avondgebeden te prevelen.
Het was de drukkendste nacht van de hete, zwoele zomer. Een laag wolkendek onttrok de sterren aan het oog. Zelfs binnen de stenen muren was de hitte ondraaglijk. En hier was tenminste echte afzondering, weg van de plichten en verplichtingen van de broederschap; geen lage tussenwanden die hen scheidden van hun gekozen verwanten, maar stenen muren en de binnenplaats en het smorende gewicht van de nacht. Fidelis trok zijn pij uit en legde zich in zijn linnen onderkleding te slapen. Tussen de twee smalle britsen, op het schap naast het gebedenboek, bleef de kleine olielamp de hele nacht branden met een langzaam dovende gouden vlam.

10

In zijn lichte sluimering, half slaap half bewusteloosheid, droomde broeder Humilis dat hij iemand hoorde schreien, heel zacht, bijna geluidloos op de hortende ademhaling na, het beheerste maar radeloze huilen van een sterke geest die tot wanhoop was gedreven en geen uitweg meer zag. Hij werd er zo onrustig van dat hij langzaam uit zijn droom in de werkelijkheid ontwaakte, maar toen heerste er slechts stilte. Hij wist dat hij niet alleen was in de kamer, hoewel hij niet had gehoord dat de tweede brits werd binnengebracht en ook niet degene had horen binnenkomen die naast hem wilde slapen. Maar nog voordat hij zijn hoofd had omgedraaid en bij het zwakke schijnsel van het lamplicht de witte gedaante zag die op de strozak lag, wist hij wie het was. De aan- of afwezigheid van dit wezen was nu de hartslag van zijn leven. Als Fidelis in de buurt was, stroomde zijn bloed sterk en geruststellend; zonder hem werd het lusteloos en zwak.

En dus moest het Fidelis zijn die alleen in het donker had zitten huilen, verdragend wat hij niet kon veranderen, wat ook de last van zonde of zorg mocht zijn die stom in hem opwelde en geen verlichting vond.

Humilis schoof de deken van zich af, ging rechtop zitten en zette zijn voeten op de stenen vloer tussen de twee bedden. Hij hoefde niet te gaan staan, hij hoefde alleen maar de kleine lamp voorzichtig op te tillen en zich voorover te buigen naar de slapende, het licht afschermend om te voorkomen dat het té fel op het gezicht van de jongeman zou vallen.

Zo gezien, afstandelijk en ondoorgrondelijk, was het een spookachtig gezicht. Onder de ring van krullend haar dat de kleur had van rijpe kastanjes, was het voorhoofd hoog en tegelijk breed, ivoorblank boven vlakke, krachtige wenkbrauwen die donkerder waren dan de haren. Grote, gewelfde oogleden, vaag dooraderd als bloembladeren, verborgen de heldere, grijze ogen. Een streng gezicht, de kaak scherp afgetekend en vastberaden, de mond streng, de jukbeenderen hoog en trots. Als hij inderdaad tranen had gestort, waren die nu gedroogd. Er lag slechts een fijne dauw van zweet op zijn bovenlip. Humilis bleef lange tijd aandachtig naar hem zitten kijken.

De jongen had zijn pij uitgetrokken om gemakkelijker te liggen. Hij lag op zijn zij, met zijn wang in het kussen. Het losse linnen hemd hing open aan zijn hals, de ketting die hij droeg lag opgerold in de holte van zijn nek en het voorwerp dat eraan hing lag open en bloot op het kussen.

Geen met halfedelstenen bezet kruis, maar een ring, een smalle, gouden vingerring in de vorm van een kronkelende slang, met twee rode splinters als ogen. Een oude ring, heel oud, want de fijne lijnen van kop en schubben waren in de loop der tijd glad geworden en de kronkelingen waren vliesdun.

Humilis zat naar dit kleine, veelbetekenende voorwerp te staren en kon zijn blik niet afwenden. De lamp beefde in zijn hand en haastig en voorzichtig zette hij hem weer op het schap, bang dat hij een druppel hete olie op de ontblote keel of de gestrekte arm zou morsen en Fidelis zou wekken uit wat minstens vergetelheid was, zo niet echte rust. Nu wist hij alles, het beste en het ergste, alles wat er te weten was, behalve hoe hij een uitweg uit dit web moest vinden. Niet voor zichzelf – zijn weg lag duidelijk vóór hem en het was geen lange reis – maar voor deze slapende...

Humilis legde zich weer op bed, bevend door het besef van een groot wonder en een groot gevaar, en wachtte op de ochtend.

Bij het krieken van de dag, lang vóór de primen, stond broeder Cadfael op en ging naar de tuin, maar zelfs daar was het benauwd. Een loden stilte hing over de wereld onder een dunne zoldering van wolken, waar de opkomende zon ongehinderd doorheen scheen te branden. Hij daalde af naar de Meole over de vergeelde helling van de erwtenvelden, waarvan de ranken allang waren gemaaid en binnengehaald om als ligstro te dienen, met achterlating van de bleke stoppels, die voor de volgende oogst zouden worden ondergeploegd. Cadfael schopte zijn sandalen uit, waadde het kalme, ondiepe water in en merkte dat het warm was waar hij op een beetje verkoeling had gehoopt. Dit weer, dacht hij, kan niet lang

meer aanhouden; het moet aflopen. Ergens zal de storm in alle he-
vigheid losbarsten en als er onweer komt, wat naar de geur van de
lucht en het tintelen van mijn huid te oordelen zeker het geval zal
zijn, zal Shrewsbury zijn deel krijgen. Onweer volgde, net als de
handel, de rivierdalen.

Nu hij eenmaal uit bed was, had hij de verfijnde kunst van het
nietsdoen verleerd. Hij vulde de tijd tot de primen met wat werken
tussen de kruiden en met sproeien zolang de zon, rond en mat achter haar nevelsluier, nog aan het klimmen was. Die handelingen
konden zijn handen en ogen verrichten terwijl zijn geest peinsde
over het ingewikkelde lot van mensen voor wie hij een sterke genegenheid had gekregen. Het leed geen twijfel dat Godfrid Marescot
– aan hem denken als aan een verloofd man stond gelijk met hem
zijn oude naam geven – deze wereld met gestage, onwankelbare
tred aan het verlaten was en elke dag zijn pas versnelde, alsof hij zo
gauw mogelijk weg wilde zijn. Desondanks keek hij elke dag over
zijn schouder voor het geval zijn verloren bruid hem op de voet
volgde in plaats van verderop langs de weg op hem te wachten. En
wat kon wie dan ook tot zijn geruststelling zeggen? En wat kon
Nicholas Harnage, die te lang had gewacht met haar te prijzen en
naar haar gunst te dingen, tot troost zijn?

En mijl van Wherwell en nooit meer teruggezien, evenmin als de
kostbaarheden en het geld dat ze bij zich had, verleidelijk genoeg
voor wie kwaad wilde. En slechts één man als zichtbare en voor de
hand liggende verdachte: Adam Heriet, met alle aanwijzingen tegen hem, behalve Hughs gewetensvolle overtuiging dat hij oprecht
had gesnakt naar nieuws over haar. Hij had gevraagd en gevraagd
en was er pas mee opgehouden toen ze Shrewsbury hadden bereikt. Of had hij alleen maar gehengeld, niet zozeer naar nieuws
over haar als wel naar een blik, hoe kort ook, in Hughs geest, een
ondoordacht woord dat hem vertelde hoeveel de wet al wist en
hoeveel kans hij nog had om zich door liegen, zwijgen of wat dan
ook door het dreigende gevaar te slaan?

Nog meer ongerijmde vragen doken uit het duister op als de niet
gesnoeide takken van de heggen van een verwaarloosde doolhof.
Om te beginnen: waarom koos het meisje voor Wherwell? Het was
natuurlijk mogelijk dat ze zo ver mogelijk van huis had willen zijn.
Geen slecht uitgangspunt wanneer je een nieuw leven wilde begin-

nen. Of omdat het een van de belangrijkste benedictinessenkloosters van het hele zuiden was, waar een begaafde zuster kans had om macht te verwerven? En waarom had ze drie van haar begeleiders opgedragen in Andover te blijven in plaats van haar de hele weg te vergezellen? Natuurlijk, de ene die ze bij zich hield was sinds ze een kind was haar vertrouweling en gewillige slaaf geweest. Als dat inderdaad zo was. Hij stond als zodanig bekend, ja, maar waarheid en gerucht gingen soms ieder hun eigen weg. En als het wél zo was, waarom stuurde ze zelfs hém dan weg kort voordat ze haar reisdoel bereikte? Misschien moest hij dat nauwkeuriger verwoorden: had ze hem inderdááá weggestuurd? Maar waar had hij dan de tijd doorgebracht voordat hij naar Andover was teruggekeerd? Zich vergaapt aan de wonderen van Winchester, zoals hij beweerde? Of met duisterder zaken? Wat was er geworden van de kostbaarheden die ze bij zich had? Geen groot vermogen, behalve voor een man die helemaal geen vermogen bezat; voor hem betekende het welvaart. En altijd weer: *wat is er van haar geworden?*

En in de wirwar begon hij een glimp van een mogelijk antwoord te ontwaren en dat vage vermoeden ontstelde en verontrustte hem meer dan al het andere. Want als hij gelijk had, kon dit niet goed aflopen voor zover hij het kon zien. Overal waar hij keek, was het pad versperd door doornen. Geen uitweg zonder nog grotere verwoestingen. Tenzij er een wonder gebeurde.

Ten slotte ging hij, de klok gehoorzamend, naar de primen, waar hij vurig bad om verlichting. De behoeftigen en de verdienstelijken moeten elders stellig nog beter bekend zijn dan hier, dacht hij; wie ben ik dat ik me aanmatig een plaats in te nemen die veel te groot voor me is?

Broeder Fidelis woonde de primen niet bij; zijn lege plaats deed pijn als de overgevoeligheid na het trekken van een tand. Rhun stond stralend naast de lege koorstoel van zijn vriend en keek niet één keer naar broeder Urien. Dergelijke problemen mochten zijn aandacht niet afleiden van de dienst en de liturgie. Later op de dag zou hij tijd hebben om na te denken over Urien, wiens gewelddadigheid niet was vergeven, maar slechts tijdelijk verhinderd. Rhun, half kind nog en met de zekerheid en helderheid van een kind, schrok niet terug voor de verantwoordelijkheid voor andermans ziel. Naar zijn biechtvader gaan en hem alles vertellen wat hij van Urien wist en vermoedde, zou betekenen dat hij Urien beroofde van de waarde van het sacrament van de biecht en dat hij roddelde over een kameraad die in moeilijkheden verkeerde. Het eerste was in Rhuns ogen aanmatigend, een soort geestelijke diefstal, en het laatste verwerpelijk, het klikken van een schooljongen. Maar er moest iets worden gedaan, iets meer dan alleen maar zorgen dat Fidelis buiten bereik bleef van Uriens folterende begeerte. Intussen bad, zong en eerde Rhun met een blij hart en hij vertrouwde erop dat zijn heilige hem de weg zou wijzen.

Cadfael maakte korte metten met het ontbijt, vroeg verlof om te gaan en ging Humilis bezoeken. Toen hij met schoon linnen en een groene, geneeskrachtige zalf bij hem aankwam, zat zijn zieke geschoren en gewassen rechtop in zijn bed. Hij had al gegeten en had inderdaad iets naar binnen kunnen krijgen; hij had de gelegenheid gekregen in afzondering zijn behoefte te doen en naast zijn bed stonden een kom water en een kom wijn. Fidelis zat op een lage kruk naast het bed, klaar om als hij zelfs door een blik of gebaar maar het vermoeden kreeg dat hij nodig was onmiddellijk in beweging te komen. Humilis glimlachte toen Cadfael binnenkwam, maar zijn lippen en wangen waren bleekblauw en doorzichtig als ijs. Inderdaad, dacht Cadfael bij het zien van deze begroeting, hij staat op het punt uit deze wereld te vertrekken. Het kan geen dagen meer duren. Het vlees smelt zienderogen van zijn botten en het gaat op in rook, in lucht. Zijn geest ontgroeit zijn lichaam; binnenkort breekt hij uit en wordt zichtbaar; er is niet genoeg ruimte voor in dit broze pakje botten.

Fidelis keek op en glimlachte eveneens. Hij boog zich naar voren om de lichte deken terug te slaan van de verschrompelde botten, stond toen op van zijn kruk om plaats te maken voor Cadfael en bleef staan om de helpende hand te bieden. Er zou nu wel veelvuldig een beroep worden gedaan op de nederige diensten die hij met zoveel liefde aanbood. Het was een wonder dat zijn lichaam hem nog gehoorzaamde, maar er was een wil aanwezig die zijn rechten niet wilde opgeven – zeker niet voor iets minders dan liefde.

'Heb je geslapen?' vroeg Cadfael terwijl hij een nieuw verband aanlegde.

'Ja, en goed ook,' zei Humilis. 'Te meer omdat Fidelis bij me was. Ik heb zo'n voorrecht niet verdiend, maar ik ben zwak genoeg om te vragen of het kan worden verlengd. Wil je een goed woordje voor mij doen bij vader abt?'

'Zeker, als dat nodig zou zijn,' zei Cadfael hartelijk, 'maar hij weet het al en vindt het goed.'

'Als ik dan toch word verwend,' zei Humilis, 'zeg dan eens tegen die verpleger, biechtvader en dwingeland van me dat hij zichzelf ook eens moet verwennen. Hij zou minstens naar de mis moeten gaan nu ik dat zelf niet kan en een ommetje door de tuin maken voordat hij zich hier weer bij mij opsluit.'

Fidelis hoorde het glimlachend aan, maar het was een glimlach van een onuitsprekelijke droefheid. Hij weet maar al te goed, dacht Cadfael, dat het niet lang meer kan duren. Hij telt elk ogenblik en laadt het met betekenis. Onwetende liefde verspilt wat wetende liefde belaadt en overlaadt met tekenen van eeuwigheid.

'Hij heeft gelijk,' zei Cadfael. 'Ga naar de mis, dan blijf ik hier tot je terug bent. Je hoeft je niet te haasten; ik vermoed dat broeder Rhun op je staat te wachten.'

Fidelis legde zich neer bij wat hij als doelbewust wegsturen beschouwde en ging zwijgend naar buiten, hen niet minder zwijgend achterlatend tot zijn slanke schaduw van de drempel was verdwenen en op de binnenplaats was.

Humilis leunde achterover in zijn opgeschudde kussens en slaakte een zó diepe zucht dat zijn uitgeteerde lichaam eigenlijk had moeten opstijgen als disteldons.

'Staat broeder Rhun echt op hem te wachten?'

'Dat weet ik wel zeker,' zei Cadfael.

'Dan is het goed. Zo iemand heeft hij nodig. Een onschuldige met zoveel aangeboren kracht! O, Cadfael, ik zou iets willen geven voor de eenvoud en de wijsheid van een duif. Ik zou willen dat Fidelis zo was, maar hij is het tegenovergestelde, de aanvulling, de in zichzelf gekeerde. Ik moest hem wegsturen omdat ik met je moet praten. Cadfael, ik maak me zorgen over Fidelis.'

Het was geen nieuws. Cadfael knikte oprecht en zei niets.

'Cadfael,' zei de geduldige stem, ontspannen nu ze alleen waren, 'ik heb je een beetje leren kennen in de tijd dat je me hebt behandeld. Je weet even goed als ik dat ik op sterven lig. Waarom zou ik erom treuren? Ik ben een dood verschuldigd die me al honderd keer bijna heeft opgeëist. Ik maak me geen zorgen over mezelf, maar over Fidelis. Ik ben bang hem hier alleen achter te laten, gevangen in dit leven zonder mij.'

'Hij is niet alleen,' zei Cadfael. 'Hij is een broeder van dit huis. De diensten en de vriendschap van iedereen hier staan tot zijn beschikking.' De scherpe, wrange glimlach verbaasde hem niet.

'Ook de mijne,' zei hij, 'als dat iets meer voor je betekent. En die van Rhun zeker. Je zei zelf dat de trouw van Rhun niet iets is om te versmaden.'

'Nee, dat is ook zo. De heiligen van de eenvoud zijn uit zijn hout gesneden. Maar jij bent niet eenvoudig, broeder Cadfael. Je bent soms angstaanjagend ingewikkeld en ook dat is goed. Bovendien denk ik dat je me begrijpt. Je begrijpt de aard van de behoefte. Zul je namens mij voor Fidelis zorgen, zijn vriend zijn, in hem geloven, zo nodig zijn schild en zwaard zijn als ik er niet meer ben?'

'Ja, dat zal ik, naar beste vermogen,' zei Cadfael. Hij boog zich naar voren om een speekseldraadje weg te vegen uit een mondhoek die moe en slap was van het praten. Humilis zuchtte en liet hem lijdzaam begaan. 'Jij weet,' zei Cadfael, 'waar ik slechts naar kan raden. Als ik goed heb geraden, is er sprake van een moeilijkheid die mijn of jouw wijsheid te boven gaat. Ik beloof mijn uiterste best te doen. De afloop ligt niet in mijn handen, maar alleen in die van God. Maar ik zal doen wat ik kan.'

'Ik zou tevreden sterven,' zei Humilis, 'als mijn dood Fidelis zou kunnen redden. Maar ik vrees dat mijn dood, die niet lang meer kan uitblijven, zijn moeilijkheden en zijn lijden alleen maar kan verergeren. Als ik ze met me mee kon nemen naar mijn hemelse rechter, zou ik ze met graagte aanvaarden en heengaan. God verhoede dat hij ooit zal worden bespot en bestraft om wat hij heeft gedaan.'

'Als God het verhoedt, kan de mens hem niet deren,' zei Cadfael. 'Ik besef wat er moet worden gedaan, maar hoe, ik zou het niet weten. Nou ja, Gods blik is helderder dan de mijne; misschien ziet hij een uitweg en opent hij mijn ogen ervoor wanneer de tijd rijp is. Er is een pad door elk bos en een veilige weg door elk moeras; je hoeft hem alleen maar te vinden.'

Een zwakke glimlach gleed langzaam over het gezicht van de zieke man; toen werd hij weer ernstig. 'Ik ben het moeras waaruit Fidelis een veilige weg moet vinden. Ik had mijn naam moeten verengelsen; het zou niet meer dan passend zijn geweest; ik ben tenslotte voor de helft Saksisch – Godfrid van het Moeras in plaats van Godfrid Marescot. Mijn vader en mijn grootvader vonden het beter om volledig Normandisch te worden. Nu is het allemaal eender; we vertrekken allemaal door dezelfde poort.' Hij bleef enige tijd stil en zwijgend liggen en het was te zien dat hij zijn gedachten ordende en zijn laatste krachten verzamelde. 'Er is nog iets dat ik zou willen voordat ik sterf. Ik zou de havezaat Salton nog eens willen zien, waar ik ben geboren. Ik zou er Fidelis mee naar toe willen nemen, één keer met hem buiten het klooster willen zijn, op de plaats die me geboren heeft zien worden. Ik had eerder toestemming moeten vragen, maar het kan nog. Wil je een goed woordje voor me doen bij de heer abt en hem vragen me dit ene genoegen te doen?'

Cadfael keek hem aarzelend en ontsteld aan. 'Je kunt niet rijden, dat is zeker. Wat voor vervoermiddel we ook zouden gebruiken om je ernaar toe te brengen, het zou te veel van je krachten vergen.'

'Niets wat ik doe kan nu meer dan enkele uren toevoegen aan het leven dat me nog rest, maar ik zou maar al te graag een deel van de tijd die me overblijft ruilen voor een glimp van de plaats waar ik kind ben geweest. Vraag het voor me, Cadfael.'

'We zouden de rivier kunnen nemen,' zei Cadfael weifelend, 'maar die kronkelt zo dat de reis twee keer zo lang wordt. En met dit lage water zou je een schuitevoerder nodig hebben die elke ondiepte en elke stroming kent.'

'Je kent ongetwijfeld zo iemand. Ik weet nog dat we vroeger onder onze eigen oever zwommen en visten. Jongens uit Shrewsbury zijn altijd al van hun geboorte af waterratten geweest. Ik kon zwemmen voordat ik kon lopen. Er moeten meer van die mensen langs de waterkant wonen.'

Zo was het en Cadfael kende de beste van allemaal, wiens kennis van de Severn zich uitstrekte tot elk eilandje, elke inham en elke ondiepte en die in elk jaargetijde nauwkeurig kon zeggen waar iets dat in het water was gegooid weer zou aanspoelen. Madog van de Dodenschuit ontleende zijn bijnaam aan de vele droeve diensten die hij had verleend aan bedroefde verwanten die, wanneer de sneeuw stroomopwaarts in Wales begon te smelten, zoons of broers hadden verloren in de vloed, of al te ondernemende kinderen die een ogenblik onbewaakt achterbleven terwijl hun moeders de was op de struiken langs de oever uitspreidden, of vissende vaders die met te veel bier op in hun jol waren uitgevaren. Hij had geen hekel aan zijn bijnaam, al hield hij zich liever bezig met vissen en overzetten. Wat hij voor de doden deed, moest per slot van rekening door iemand worden gedaan en als hij er nou beter in was dan wie ook, waarom zou hij er dan geen eer in stellen? Cadfael kende Madog, een al wat oudere Welshman net als hij, al vele jaren en had verscheidene keren reden gehad om zijn hulp in te roepen, die nooit werd geweigerd.

'Zelfs nu het water zo laag staat,' zei Cadfael peinzend, 'zou Madog een jol over de beek naar de rivier kunnen brengen, maar een jol kan jou en Fidelis niet tegelijk dragen. Maar zijn lichte roeiboot heeft heel weinig diepgang. Ik denk dat hij die wel naar de molenvijver kan brengen. De beek is zover stroomopwaarts nog diep genoeg vanwege de molentocht die er weer in uitmondt. We zouden je door de kleine poort naar de molen kunnen brengen en je aan boord zetten...'

'Zover zou ik wel kunnen lopen,' zei Humilis vastberaden.

'Je zou er verstandig aan doen je krachten te sparen voor Salton. Wie weet,' zei Cadfael bij het zien van de lichte blos die het magere, grauwe gezicht verwarmde bij het vooruitzicht te kunnen terugkeren naar het eerste huis dat hij zich uit zijn jeugd herinnerde, 'wie weet doet het je ontzettend goed.'

'Zul je het de heer abt vragen?'

'Dat zal ik doen,' zei Cadfael. 'Zodra Fidelis terug is, ga ik meteen naar hem toe.'

'Zeg hem dat er haast bij is,' zei Humilis en hij glimlachte.

Abt Radulfus luisterde met zijn gebruikelijke schrandere ernst en dacht enige tijd zwijgend na alvorens iets te zeggen. Buiten de schemerige spreekkamer in zijn verblijf klom de hete zon, nog steeds versluierd door een dunne nevel die haar een koperkleurige glans verleende en het deed lijken alsof ze nog feller brandde. De rozen botten uit, ontloken en verwelkten dezelfde dag.

'Is hij er sterk genoeg voor?' vroeg de abt ten slotte. 'En is het niet een te zware belasting voor broeder Fidelis om al die tijd verantwoordelijk voor hem te zijn?'

'Hij vraagt het juist zo dringend omdat zijn krachten hem in de steek beginnen te laten. Als zijn verzoek kan worden ingewilligd, dan moet het nú gebeuren, zo snel mogelijk. En hij heeft gelijk: het verandert weinig aan het aantal dagen dat hem nog rest. Of ze morgen eindigen of over een week... Maar voor zijn gemoedsrust zou dit bezoek een groot verschil kunnen betekenen. Wat broeder Fidelis betreft: hij is nog nooit teruggedeinsd voor een taak die hem uit liefde is opgelegd en zal dat ook nu niet doen. En als Madog hen brengt, zijn ze in de beste handen. Niemand kent de rivier zo goed als hij. En hij is volkomen te vertrouwen.'

'Ik geloof je op je woord,' zei Radulfus gelijkmoedig. 'Maar het is een hele onderneming voor zo'n broze man. Natuurlijk, het is zijn vurige wens en hij heeft alle recht die naar voren te brengen. Maar hoe denk je hem aan boord te krijgen? En bovendien, is hij er zeker van dat hij welkom is op Salton? Zullen er daar bereidwillige verzorgers zijn om hem onder hun hoede te nemen?'

'Salton maakt tegenwoordig deel uit van een leen dat hij heeft afgestaan aan een neef die hij nauwelijks kent, vader, maar de rentmeester en de bedienden daar zullen zich hem herinneren. We kunnen een draagstoel voor hem maken en hem naar de molen brengen. De ziekenzaal ligt vlak bij de muur; de kleine poort naar de molen is vlak bij.'

'Goed,' zei de abt. 'Het kan beter zo snel mogelijk gebeuren. Als je weet waar je die Madog kunt vinden, geef ik je toestemming hem vandaag op te zoeken. Als hij bereid is, kan de reis het beste morgen aanvangen.'

Cadfael bedankte hem en vertrok, heel tevreden over zichzelf. Hij was tegenwoordig niet meer zo gemakkelijk bereid als vroeger ongevraagd vrij te nemen, tenzij het een zaak van leven of dood was, maar hij had er geen enkel bezwaar tegen om een eenmaal verleende toestemming volledig uit te buiten. Het vooruitzicht van een maaltijd bij Hugh en Aline in de stad in plaats van in de stille, kale eetzaal en daarna een ontspannen speurtocht langs de waterkant naar Madog of naar nieuws over hem, en een kameraadschappelijk gesprek wanneer hij hem had gevonden, had alle aantrekkingskracht van een feestdag. Maar voordat hij het klooster verliet, liep hij nog even binnen bij Humilis om hem te vertellen hoe hij was gevaren. Fidelis zat weer trouw naast het bed, even teruggetrokken en onopvallend als altijd.

'Abt Radulfus willigt je verzoek in,' zei Cadfael, 'en hij heeft me toestemming gegeven Madog vandaag nog voor je te gaan zoeken. Als hij bereid is, kun je morgen naar Salton.'

Hughs huis bij de Lieve-Vrouwekerk had een ommuurde achtertuin, met in het midden een kleine kruidentuin met banken eromheen en lommerrijke vruchtbomen. Daar zat Aline Beringar op het dicht met geurige kruiden bezaaide, kortgeknipte gras, met haar zoon naast zich. Hoewel hij met Kerstmis pas twee werd, stond Giles groot, stoer en stevig op zijn voeten; hij was forser gebouwd dan zijn donkere, tengere vader of zijn slanke, blonde moeder. Hij had iets weg van allebei: licht bronskleurig haar en ronde bruine ogen, een ijzeren wil die hij wellicht van beiden had geërfd, maar die hij nog niet kon intomen. Hij had met dit warme weer niets aan en was van top tot teen zo bruin als een hazelnoot.

Hij zat te spelen met een paar houten riddertjes, kleurrijk beschilderd en met een touwtje door hun middel. Hun voeten waren verzwaard met kleine klompjes lood en hun benen en hun zwaardarm waren zodanig bevestigd dat, wanneer er aan het touwtje werd getrokken, ze hun wapen ophieven en uiterst bloeddorstig rondsprongen en naar elkaar staken. Constance, zijn trouwe slavin, had hem in de steek gelaten om toezicht te houden op de toebereidselen voor het avondmaal en het kind riep gebiedend om zijn peetvader om de lege plaats in te nemen. Slechts mild klagend over zijn krakende gewrichten ging Cadfael op zijn knieën in het gras zitten en trok gehoorzaam aan de koordjes. In dit soort kunstjes was hij doorkneed sinds de geboorte van Giles. Bovendien moest hij opletten dat zijn tegenstander niet merkte dat hij met opzet werd bevoordeeld, anders klonk er een kreet van ridderlijke woede. De erfgenaam en oogappel van de Beringars wist wanneer hij als een kind werd behandeld en had er een hartgrondige hekel aan, overtuigd als hij ervan was dat hij ieders gelijke was. Maar als hij werd verslagen, was hij evenmin bijzonder te spreken. Je moest een koorddanser zijn om zijn ongenoegen te vermijden.

'Je moet Hugh zeker hebben,' zei Aline bedaard door de kreten van opwinding van haar zoon heen terwijl ze haar benen introk om hun de ruimte te geven voor hun spel. 'Hij komt zo thuis voor het eten. We hebben wildbraad – ze zijn begonnen met afschieten.'

'Net als nog een paar wetsgetrouwe burgers in de stad, vermoed ik,' zei Cadfael terwijl hij heftig aan de koordjes trok om de houten zwaardjes als molenwieken te laten zwaaien.

'Eén meer of minder, wat maakt het uit? Hugh weet wanneer hij een oogje moet dichtknijpen. Het is goed vlees, en in overvloed – en de koning kan er zoals het er nu voorstaat geen gebruik van maken. Maar misschien dat het nu niet lang meer duurt,' zei Aline, glimlachend boven haar naaldwerk terwijl ze haar lichtblonde hoofd en blanke gezicht over haar naakte zoon boog, die languit in het gras lag en met twee stevige, bruine knuistjes aan zijn touwtjes trok. 'Robert van Gloucester wordt bewerkt door zijn vrienden, die erop aandringen dat hij instemt met een ruil. Hij weet dat ze zonder hem machteloos is. Hij kan niet anders dan toegeven.'

Cadfael ging op zijn hurken zitten en liet de touwtjes los. De twee houten krijgers vielen slap in elkaars armen, alle twee verslagen. Giles rukte verontwaardigd om ze weer tot leven te wekken en moest enige tijd vergeefs worstelen.

'Aline,' zei Cadfael ernstig terwijl hij in haar zachtmoedige gezicht keek, 'als ik je ooit onverwacht nodig zou hebben en je zou komen halen of laten halen – zou je dan komen? Waarheen dan ook? En meebrengen wat ik je zou vragen?'

'Afgezien van de zon en de maan,' zei Aline glimlachend, 'alles wat je me zou vragen zou ik meebrengen en ik zou komen waarheen je maar wilde. Waarom? Waar denk je aan? Is het een geheim?'

'Voorlopig,' zei Cadfael spijtig, 'nog wel. Want ik ben bijna even blind als ik jou moet laten, meisjelief, tot ik een uitweg zie, als het ooit zover komt. Maar inderdaad, misschien dat ik je binnenkort nodig heb.'

De bengel Giles, uit zijn spel gehaald en zijn belangstelling voor het onbegrijpelijke gesprek van de ouderen verliezend, pakte zijn gevallen ridders op en liep hoopvol de geur van zijn maaltijd achterna.

Hugh kwam hongerig en haastig van het kasteel en luisterde achter het wildbraad dat Aline op tafel bracht peinzend en aandachtig naar Cadfaels verslag van de ontwikkelingen in de abdij.

'Ik herinner me dat er toen ze aankwamen werd gezegd – was jij degene die het me vertelde? Heel goed mogelijk! – dat Marescot in

Salton was geboren en ernaar hunkerde het nog eens te zien. Jammer dat hij er zo slecht aan toe is. Het ziet er niet naar uit dat die zaak met dat meisje vóór zijn dood wordt opgehelderd. Waarom zou hij niet krijgen wat zijn vertrek aangenaam en draaglijk maakt? Het kan hem hoogstens een paar uren of dagen ongetwijfeld moeizaam leven kosten. Maar ik zou willen dat we wat het meisje betreft meer voor hem hadden kunnen doen.

'Dat kan misschien nog,' zei Cadfael, 'als het God belieft. Je hebt niets meer gehoord van Nicholas in Winchester?'

'Nog steeds niet. Niet te verwonderen in een stad en een streek die zo door vuur en oorlog worden geteisterd.'

'En hoe is het met je gevangene? Heeft hij zich nog niet méér herinnerd over zijn reis naar Winchester?'

Hugh lachte. 'Heriet is verstandig genoeg om te weten waar hij veilig is en hij zit heel tevreden in zijn kerker, met goed eten, een goed onderkomen en een goed bed. Afzondering is geen kwelling voor hem. Verhoor hem en hij herhaalt wat hij al eerder heeft gezegd, zonder over een of andere kleinigheid te struikelen, hoe vaak je ook probeert hem te laten vallen. Alle rechtskundigen van de koning samen zouden niet méér uit hem weten te krijgen. Trouwens, ik heb ervoor gezorgd dat hij te weten is gekomen dat Cruce twee keer hier is geweest en bloed wil zien. Het is misschien nodig de gevangenis te laten bewaken om Cruce te weren, maar niet om Heriet binnen te houden. Hij houdt zich rustig en beidt zijn tijd; het lijdt geen twijfel dat we hem ten slotte kwijtraken bij gebrek aan bewijs.'

'Denk je dat hij dat meisje ooit een haar heeft gekrenkt?'

'Jij wel?'

'Nee. Maar hij is de enige die weet wat er met haar is gebeurd en hij zou er verstandig aan doen als hij zijn mond opendeed, zij het tegen jou alleen. Verdere getuigen zijn overbodig. Denk je dat je hem aan het praten kunt krijgen als je hem te verstaan geeft dat het tussen jullie tweeën zou blijven?'

'Nee,' zei Hugh eenvoudig. 'Wat voor reden heeft hij om me zo te vertrouwen als hij drie jaar lang niemand heeft vertrouwd en nog altijd zijn mond houdt, zelfs ten koste van zichzelf? Nee, ik denk dat ik hem wel ken. Hij zal blijven zwijgen als het graf.'

En inderdaad, dacht Cadfael, er zijn geheimen die onvindbaar diep begraven zouden moeten worden, dingen en zelfs mensen die onherroepelijk kwijt zouden moeten raken, omwille van zichzelf, omwille van ons allemaal.

Hij nam afscheid en liep door de stad naar de waterkant onder de westelijke brug die naar Wales leidde. En daar zat Madog van de Dodenschuit op zijn gebruikelijke plekje te werken aan de rand van een nieuwe jol, samengesteld uit gevlochten hazelaartwijgen die hij had geschild en in het ondiepe water van de brug had doorweekt. Hij was een gedrongen, vierkant gebouwde, harige Welshman met o-benen en van onbestemde leeftijd, zij het kennelijk voor de eeuwigheid gemaakt. Niemand kon zich herinneren dat hij er ooit jonger had uitgezien en het verstrijken van de tijd scheen hem niet ouder te maken. Hij gluurde Cadfael aan vanonder dikke, borstelige wenkbrauwen die grijs waren geworden, hoewel zijn haar nog zwart was, en begroette hem ontspannen terwijl zijn bruine handen met geoefende behendigheid bleven doorvlechten aan de twijgen.
'Zo, oude vriend, je bent deze zomer bijna een vreemde geworden. Wat heb je voor nieuws dat je me hier komt opzoeken – want ik neem aan dat dat je doel was, aan deze kant van de stad? Ga zitten en neem er even je gemak van.'
Cadfael ging naast hem in het gele gras zitten en wierp een schattende blik op het lage water van de Severn.
'Je zult wel zeggen dat ik alleen maar kom als ik je nodig heb. Maar we hebben inderdaad een druk jaar achter de rug, met van alles en nog wat. Hoe goed bevaarbaar is het water nu, met die droogte? Er zijn stroomopwaarts natuurlijk een heleboel gevaarlijke ondiepten, na zo lange tijd zonder regen.'
'Geen die ik niet ken,' zei Madog onverstoorbaar. 'Natuurlijk, vissen is zinloos en ik zal niet zeggen dat je met een volle schuit in Pool zou kunnen komen, maar ik kan overal komen waar ik wil zijn. Waarom? Heb je werk voor me? Een dagloon kan ik altijd gebruiken, als het niet te moeilijk is.'
'Makkelijk genoeg, als je jezelf en nog twee mensen naar Salton kunt krijgen. Alle twee lichtgewichten, want de een is vel over been en de andere jong en slank.'
Belangstellend leunde Madog achterover en vroeg alleen maar: 'Wanneer?'

'Morgen, als er niets tussen komt.'

'Over de weg is het veel korter,' merkte Madog op terwijl hij zijn vriend met stijgende nieuwsgierigheid aankeek.

'Het is voor een van die twee te laat om ooit nog te rijden. Hij is op sterven na dood en wil de plek waar hij is geboren nog eens zien.'

'Salton?' Schrandere donkere ogen glansden achter dikke, zilvergrijze wenkbrauwen. 'Dan moet het een de Marisco zijn. Ik heb gehoord dat jullie de laatste van hen in huis hebben.'

'Ze noemen zichzelf tegenwoordig Marescot. Van de Moerassen zou beter zijn, zegt Godfrid; hij is per slot van rekening van Saksische komaf. Ja, die. Zijn tijd loopt af. Hij wil de kring van geboorte tot dood sluiten voordat hij sterft.'

'Vertel op,' zei Madog eenvoudig en hij luisterde stil en bedaard terwijl Cadfael hem de aard van zijn scheepslast en wat er van hem werd verwacht uitlegde.

'Nou,' zei hij toen Cadfael alles had verteld, 'ik zal je zeggen wat ik denk. Dit weer kan niet lang meer duren, maar dat neemt niet weg dat het nog wel een week of zo zal aanhouden. Als die paladijn van je zo naar zijn pelgrimstocht verlangt als je zegt, als hij het erop wil wagen, breng ik mijn boot morgen na de primen naar de molenvijver. Ik zal een stuk zeildoek meebrengen dat ik altijd over mijn spullen leg, maar waar als het moet ook een ridder of een benedictijnse broeder onder kan liggen.'

'Zo'n wasdoek,' zei broeder Cadfael nuchter, 'zou wel eens heel toepasselijk kunnen zijn voor broeder Humilis. En hij zal hem niet afwijzen.'

11

In de straten van Winchester begonnen de stinkende, geblakerde puinhopen van de brand plaats te maken voor bedeesde sprankjes nieuwe hoop naarmate degenen die waren gevlucht terugkeerden om de overblijfselen van hun winkels en woonhuizen te doorzoeken. Degenen die waren gebleven, gingen kordaat aan de slag om het puin te ruimen en hout aan te voeren om met de wederopbouw te beginnen. De kooplieden van Engeland vormden een taai, veerkrachtig ras; na elke tegenslag kwamen ze met frisse moed terug, namen de herstelwerkzaamheden met grimmige vastberadenheid ter hand, bereid de buikriem aan te halen tot er weer winst kon worden gemaakt. Pakhuizen werden gezuiverd van bedorven waar en klaargemaakt om nieuwe koopwaar te herbergen. Winkeliers verzamelden wat nog verkoopbaar was, ruimden geplunderde kamers op en richtten tijdelijke kramen in. Het leven hervatte met verbazingwekkende snelheid en kracht zijn gewone regelmaat, met nog iets er bovenop om het noodlot te tarten. Hoe vaak je ons ook velt, zeiden de kooplui van de stad, we krabbelen weer overeind en beginnen waar we werden onderbroken; en jij zult het het eerst beu worden.

De legers van de koningin, die zowel hier en ver naar het westen als in het zuidoosten de touwtjes stevig in handen hadden, namen er hun gemak van, bestendigden wat ze hadden en voelden zich veilig in het besef dat ze hun tijd konden beiden en koning Stephen zouden terugkrijgen. Er moesten een paar schrandere legeraanvoerders zijn geweest, zowel Engelse als Vlaamse, die geen reden zagen om blij te zijn over het uitwisselen van opperbevelhebbers. Want hoe belangrijk Stephen ook mocht zijn als boegbeeld dat koste wat kost moest worden geprezen en beschermd, en wat voor taaie vechter hij ook mocht zijn, als het op het smeden van krijgsplannen aankwam was hij de mindere van zijn dappere gemalin. Niettemin was zijn vrijlating van doorslaggevend belang. Ze telden bedaard hun winst en wachtten tot de vijand hem uitleverde, wat vroeg of laat moest gebeuren. Ze moesten hun ziel in lijdzaamheid bezitten terwijl de onderhandelaars redekavelden en twistten. De afloop was onontkoombaar.

Met de lijst van de kostbaarheden van Julian Cruce in zijn zak zwierf Nicholas Harnage koppig door de stad Winchester. Hij deed overal navraag waar dergelijke goederen, gestolen, verkocht of geschonken, boven water hadden kunnen komen. Hij was begonnen bij de hoogste – de vertegenwoordiger van de heilige vader in Engeland, de prins-bisschop van Winchester – Henry van Blois, die juist zijn geschonden waardigheid bijeenraapte en zich met indrukwekkende vastberadenheid in de woordenstrijd mengde. Hij deed alsof hij nooit was overgelopen en nogmaals overgelopen en nooit met gevaar voor eigen leven in zijn eigen kasteel in zijn eigen stad opgesloten had gezeten. Er was wat doorzettingsvermogen voor nodig om tot zijne hoogwaardigheid door te dringen, maar Nicholas had in dit geval genoeg doorzettingsvermogen om zelfs door deze stekelige verdediging te dringen.

'Valt u me lastig met dergelijke kleinigheden?' had bisschop Henry gevraagd nadat hij de lijst die Nicholas hem had voorgelegd met dreigend gefronst voorhoofd had gelezen. 'Ik weet niets van zulke opzichtige snuisterijen. Ik heb ze geen van alle ooit gezien; niet één ervan is in het bezit van een godshuis dat ik ken. Waarom zou ik me er druk over moeten maken?'

'Mijn heer, het gaat om het leven van een vrouwe,' zei Nicholas geprikkeld. 'Ze heeft het doel dat ze zichzelf had gesteld, een leven van toewijding in de abdij van Wherwell, nooit bereikt. Ze verdween voordat ze er aankwam en het is mijn bedoeling haar als ze nog leeft te vinden en haar als ze dood is te wreken. En alleen met behulp van wat u die opzichtige snuisterijen noemt kan ik hopen haar op te sporen.'

'Daarmee,' zei de bisschop kortaf, 'kan ik u niet helpen. Ik verzeker u dat geen van die dingen ooit in het bezit is geweest van de oude domkerk of van een kerk of klooster waarover ik het toezicht heb. Maar u mag navraag doen in andere huizen in deze stad en zeggen dat uw speurtocht mijn goedkeuring heeft. Meer kan ik niet doen.'

En daar moest Nicholas het mee doen. Het gaf hem inderdaad een aanzienlijk gezag, voor het geval hem zou worden gevraagd met welk recht hij zich met deze zaak bemoeide. Al was hij dan tijdelijk van het toneel verdwenen geweest, Henry van Blois zou als een feniks uit zijn as herrijzen, even geducht als altijd. Je kon er staat op maken dat het vuur dat hem bijna had verteerd iedereen zou verzengen die zich zijn gramschap op de hals haalde.

Van kerk tot kerk en van priester tot priester leurde Nicholas met zijn lijst, maar hij ontmoette niets dan schuddende hoofden en hulpeloos gefronste wenkbrauwen alom, zelfs waar men hem duidelijk gunstig gezind was. Geen enkel overgebleven godsdienstig huis in Winchester wist iets van de bij elkaar behorende kandelaars, het met stenen bezette kruis of het zilveren hostiedoosje dat deel had uitgemaakt van Julian Cruce's bruidsschat. Er was geen enkele reden om aan hun woorden te twijfelen; ze hadden geen reden om te liegen of zelfs maar uitvluchten te zoeken.

Bleven over de straten, de winkels van de goud- en zilversmeden en de ongeregelde marktkooplui die alles wat zich aandiende kochten en verkochten. Nicholas begon hen allemaal stelselmatig te ondervragen en in een zo rijke stad met een zo welvarende klantenkring van kerkelijke hoogwaardigheidsbekleders en rijke instellingen waren het er veel.

Zo kwam hij, op de ochtend van dezelfde dag waarop broeder Humilis verzocht naar zijn geboorteplaats te mogen gaan, in een kleine, door de oorlog getekende winkel in High Street, in de schaduw van de kerk van de heilige Maurice. De gevel had veel te lijden gehad van de branden en de zilversmid had een luik aangebracht, zoals bij een marktkraam, en er zijn werkbank naar toe geschoven om het volle daglicht op zijn werk te hebben. Het opgeklapte luik beschermde zijn ogen tegen de schittering, maar liet het ochtendlicht vallen op de gesp waar hij aan bezig was en de fijne stenen die hij erop aanbracht. Een man in de bloei van zijn leven, waarschijnlijk tamelijk gezet toen de tijden goed waren, maar nu enigszins vermagerd na de ontberingen van het lange beleg. Zijn huid hing slap en grauw om hem heen, als een te grote mantel om een man in de vastentijd. Hij keek waakzaam op door een lok grijzend haar en vroeg of hij de heer van dienst kon zijn.

'Ik begin te denken dat de kans maar al te klein is,' gaf Nicholas spijtig toe, 'maar laten we het in elk geval proberen. Ik ben op zoek naar nieuws, wat voor nieuws ook, over bepaalde stukken kerkzilver en versieringen die drie jaar geleden in deze omgeving zijn verdwenen. Handelt u in zulke dingen?'

'Ik handel in alles dat van goud of zilver is. Ik heb zelf indertijd kerkzilver gemaakt. Maar drie jaar is een lange tijd. Wat is er zo bijzonder aan? Gestolen, denkt u? Ik bemoei me niet met verdacht spul. Als ik twijfel aan iets dat me wordt aangeboden, raak ik het niet eens aan.'

'Er was in dit geval misschien niets dat u afschrikte. Het is best mogelijk dat ze zijn gestolen, maar dat was misschien nergens aan te merken. Ze behoorden niet toe aan een kerk of klooster in het zuiden. Ze waren meegebracht uit Shropshire en zijn waarschijnlijk in die streek gemaakt. Iemand zoals u zou ze als werk uit het noorden herkennen. De kruisen zijn mogelijk heel oud en Saksisch.'

'En wat zijn het voor dingen? Lees me uw lijst voor. Mijn geheugen is niet feilloos, maar misschien herinner ik me iets, zelfs na drie jaar.'

Langzaam las Nicholas de lijst voor, uitkijkend naar een glimp van herkenning. 'Een stel kandelaars van zilver, gemaakt in de vorm van hoge blakers, omkranst door wijnranken, met dompers bevestigd aan zilveren kettingen, eveneens versierd met druivebladeren. Twee bij elkaar behorende kruisen van zilver, het grootste zo groot als een mannenhand, op een zilveren voetstuk van drie treden, het andere aan een halsketting en bedoeld om te worden gedragen door een priester, beide bezet met halfedelstenen van bergkristal, amethist en agaat...'

'Nee,' zei de zilversmid, overtuigd zijn hoofd schuddend, 'die zou ik niet vergeten hebben, net zomin als de kandelaars.'

'... een kleine zilveren hostiedoos waarin varens zijn gegrift...'

'Nee, heer, ik herinner me er niet één van. Als ik mijn boeken nog had, kon ik het voor u nazoeken. De schrijver die ze voor me bijhield, is altijd erg nauwgezet geweest; hij zou elk voorwerp zelfs na jaren nog kunnen terugvinden. Maar ze zijn verdwenen, allemaal, verbrand. Al wat we konden doen was het beste van mijn voorraad redden; de boeken zijn allemaal as.'

Dat is het gemeenschappelijke lot in Winchester deze zomer, dacht Nicholas gelaten. Zelfs de meest gewetensvolle boekhouder zou zijn boeken in de steek laten als zijn leven op het spel stond. Als hij tijd had om iets meer dan zijn leven te redden, zou hij ongetwijfeld zijn kostbaarste spullen meegrissen en de perkamenten laten liggen. Het leek nauwelijks de moeite waard de kleine persoonlijke bezittingen die aan Julian hadden toebehoord op te sommen; die waren nog minder opmerkelijk. Hij aarzelde toen er een smalle deur openging en licht binnenliet vanaf een erf achter de winkel en er een vrouw binnenkwam.

Toen de buitendeur achter haar werd dichtgedaan, verdween ze weer even in het schemerige binnenhuis, maar verscheen weer in het licht toen ze naar de bank van haar man en het felle zonlicht in de straat toe liep en zich naar voren boog om een kroes bier naast de rechterhand van de zilversmid te zetten. Terwijl ze dat deed keek ze met openlijke, beheerste aandacht op naar Nicholas. Ze was een knappe vrouw, enkele jaren jonger dan haar man. Haar gezicht bevond zich nog in de schaduw van het luik dat de ogen van haar man beschutte, maar haar hand was in het volle zonlicht toen ze de kroes neerzette, een blanke, welgevormde hand die op een merkwaardige manier bij de pols leek afgehakt door de zwarte mouw.

Nicholas staarde geboeid naar die hand, zó star dat ze verbaasd bleef staan en zich niet terugtrok uit het licht. Aan de pink zat een ring, te klein misschien om over de knokkel van een andere vinger te passen. Hij was breder dan gebruikelijk en aan de rand was te zien dat hij van zilver was, maar het oppervlak was zo dicht bezet met gekleurd glazuur dat het metaal onzichtbaar was. Het ontwerp toonde kleine bloemen met vier gespreide bloembladeren en afwisselend gele en blauwe bloemen tussen kleine groene blaadjes. Nicholas staarde er vol ongeloof naar als naar een wonderbaarlijke verschijning, maar de ring bleef duidelijk en onmiskenbaar. Er konden onmogelijk twee zulke ringen zijn. De waarde ervan was misschien niet groot, maar het vakmanschap en de verbeeldingskracht die hem hadden gemaakt, onderscheidden hem van alle andere.

'Neemt u me niet kwalijk, meesteres,' stamelde hij terwijl hij terwijl hij zijn beheersing probeerde terug te vinden, 'maar die ring... Mag ik weten waar hij vandaan komt?'

Man en vrouw keken hem nu aandachtig aan, verbaasd maar niet ontsteld.

'Ik ben er eerlijk aan gekomen,' zei ze en ze glimlachte lichtelijk vermaakt om zijn ernst. 'Hij werd enkele jaren geleden te koop aangeboden en omdat ik hem mooi vond, heeft mijn man hem voor me gekocht.'

'Wanneer was dat? Geloof me, ik heb goede redenen om het te vragen.'

'Drie jaar geleden,' zei de zilversmid bereidwillig. 'In de zomer, maar de dag... dat durf ik niet meer met zekerheid te zeggen.'

'Maar ík wel,' zei zijn vrouw lachend. 'En je moest je schamen dat je het vergeten hebt, want het was mijn verjaardag en daarom heb ik je kunnen overhalen. En mijn verjaardag, heer, is de twintigste dag van augustus. Drie jaar heb ik dit mooie ding nu. De vrouw van de drost wilde dat mijn man hem voor haar namaakte, maar dat wilde ik niet. Dit moet de enige in zijn soort blijven. Sleutelbloem en maagdenpalm... zulke tere kleuren!' Ze draaide haar hand in de zon om het glanzende glazuur te bewonderen. 'De stukken die erbij zaten zijn lang geleden verkocht. Maar die waren niet zo mooi als dit.'

'Zaten er dan nog andere stukken bij?' vroeg Nicholas.

'Een halsketting van geslepen stenen,' zei de smid, 'nu weet ik het weer. En een zilveren armband met erwteranken erin gegrift – of misschien was het wikke.'

De ring alleen zou voldoende zijn geweest – de drie samen gaven hem zekerheid. De drie persoonlijke sieraden die aan Julian Cruce toebehoorden waren drie jaar geleden op twintig augustus te koop aangeboden in deze winkel. De eerste duidelijke aanwijzing en de strekking ervan was uitermate onheilspellend.

'Meester zilversmid,' zei Nicholas, 'ik was nog niet klaar met de lijst van wat ik zocht. Die drie dingen zijn naar ik zeker weet naar het zuiden gekomen in het bezit van een vrouwe die op weg was naar Wherwell, maar daar nooit is aangekomen.'

'Het is niet waar!' De smid was bleek geworden en keek zijn bezoeker achterdochtig en weifelend aan. 'Ik heb ze eerlijk gekocht, ik heb niets verkeerds gedaan en ik weet niets, behalve dat een of andere kerel, zo te zien een fatsoenlijke vent, er openlijk mee naar hier kwam om ze te verkopen...'

'O, nee, begrijp me niet verkeerd! Ik twijfel niet aan uw goede trouw, maar ziet u, u bent de eerste die ik heb gevonden die me misschien kan helpen om erachter te komen wat er van die vrouwe is geworden. Denk nog eens na en zeg me wie die man was. Hoe zag hij eruit? Hoe oud, wat voor iemand? U kende hem niet?'

'Nooit gezien of teruggezien,' zei de zilversmid, voorzichtig opgelucht, maar er niet zeker van dat hij door te veel te vertellen niet in een of andere gevaarlijke zaak verwikkeld zou raken. 'Iemand van ongeveer mijn leeftijd, vijftig misschien. Heel gewoon, onopvallend gekleed. Ik zag hem aan voor wat hij beweerde te zijn: een knecht die op een boodschap was uitgestuurd.'

De vrouw wist meer te vertellen. Haar belangstelling was gewekt. Ze zag geen reden om bang te zijn dat ze erbij betrokken zou raken, daarentegen wel een reden om te helpen, voor zover ze kon. Ze had een beter oog voor mannen dan haar echtgenoot en ze wilde Nicholas' goedkeuring en welwillendheid verwerven.

'Het was een stevige, gedrongen man,' zei ze, 'even bruin als zijn leren jas. Het was niet zo'n warme zomer als nu; zijn bruine huidskleur was van die blijvende soort die 's winters alleen wat lichter zou worden, de soort die het gevolg is van het hele jaar buiten leven – een boswachter of jager misschien. Bruine baard, bruine haren, behalve op zijn kruin, die al kaal werd. Hij had een hard, open gezicht en een snelle blik. Ik zou me hem nooit zo goed hebben herinnerd als hij niet degene was die me mijn ring heeft opgeleverd. Maar ik zal u eens iets zeggen: ik denk dat hij zich mij nog lang heeft herinnerd. Hij keek me maar al te lang aan voordat hij de winkel uit liep.'

Ze was eraan gewend, zich ervan bewust dat ze knap werd gevonden en het was een van de redenen waarom ze zich die man zo goed herinnerde. Een reden ook om aandachtig te luisteren naar alles wat ze over hem kon zeggen.

Nicholas slikte zijn brandende verbittering in. Het waren niet de leeftijd, de baard of de kale kruin en zelfs niet de tanige huid waaraan hij de man had herkend, want Nicholas had Adam Heriet nooit gezien. Het waren de omstandigheden, het feit dat hij in het bezit was van de sieraden, de dag, het feit dat de drie anderen in Andover waren gebleven. Hen had Nicholas in elk geval gezien en ze beantwoordden geen van drieën aan de beschrijving. De vierde man, de toegewijde knecht, de vijftigjarige jagermeester en houtvester, een stevige man die met zijn handen werkte, een man met wie Waleran van Meulan blij zou zijn... ja, elk woord dat Nicholas over Adam Heriet had horen zeggen, klopte met wat deze vrouw zei over de man die Julians sieraden had verkocht.

'Ik heb de eigendom inderdaad ter sprake gebracht,' zei de zilver-smid, nog steeds niet op zijn gemak, 'aangezien ze duidelijk van een vrouwe waren. Ik vroeg hem hoe hij eraan was gekomen en waarom hij ze te koop aanbood. Hij zei dat hij alleen maar een knecht was die om een boodschap was gestuurd en dat hij moest doen wat hem werd opgedragen; dat hij te verstandig was om vra-gen te stellen, aangezien iemand die de bevelen van de desbetref-fende man in twijfel trok het gevaar liep op de keien terecht te ko-men of een rug te krijgen als een gestreepte kat. Ik geloofde het zonder meer; er zijn heel wat van zulke meesters. Hij deed er heel luchtig over; waarom zou ik minder luchtig doen?'

'Zegt u dat wel!' zei Nicholas uit de grond van zijn hart. 'Dus u kocht en hij vertrok. Deed hij moeilijk over de prijs?'

'Nee. Hij zei dat hij opdracht had ze te verkopen; hij was geen schatter en dat werd ook niet van hem verwacht. Hij nam aan wat ik ervoor gaf. Het was een redelijke prijs.'

Met ongetwijfeld ruimte voor een redelijke winst, maar waarom ook niet? Zilversmeden zaten niet in zaken om liefdadigheid te be-drijven jegens toevallige verkopers.

'En dat was alles? Zo ging hij weg?'

'Hij wilde net weggaan toen ik hem nariep en hem vroeg wat er was geworden van de vrouw die die dingen had gedragen en of ze ze niet meer kon gebruiken. In de deuropening draaide hij zich om, keek me aan en zei: "Nee, zulke dingen kan ze niet meer gebrui-ken, want de vrouwe van wie ze zijn geweest, is dood".'

De hardheid van het antwoord, de kille kracht, klonk in de stem van de zilversmid door toen hij het herhaalde. Terwijl hij eraan terugdacht herinnerde hij het zich levendiger dan hij ooit had kun-nen denken en het schokte hem terwijl hij het zei. Feller nog stak het Nicholas een mes in het hart en benam het hem de adem. Het klonk zo afschuwelijk waar en het wees bijna zonder enige twijfel in de richting van Adam Heriet. Degene van wie ze waren geweest, was dood. Sieraden waren van geen belang meer voor haar.

In de kille woede die hem verteerde hoorde hij de vrouw, opge-

wonden en geestdriftig nu, zeggen: 'Maar dat is niet alles! Het toeval wilde dat ik achter die man naar buiten liep toen hij wegging,
maar zachtjes, zodat hij me niet zou zien.' Had hij haar een goedkeurende blik toegeworpen, geglimlacht, haar bewonderend aangekeken om haar te lijmen? Nee, niet als hij iets te verbergen had;
nee, dan zou hij eerder onopvallend zijn weggeslopen, blij dat hij
zijn buit van de hand had kunnen doen. Nee, ze was een vrouw, ze
was nieuwsgierig en ze had even niets te doen. Dus was ze naar
buiten gegaan om te kijken of er iets te zien was. En wat had ze
gezien? 'Hij glipte linksaf,' zei ze, 'en daar stond een andere man,
een jonge kerel, dicht tegen de muur op hem te wachten. Of hij
hem het geld gaf, of een deel ervan, kon ik niet goed zien, maar er
werd iets overhandigd. En toen keek de oudste om en hij zag me.
Ze glipten haastig de hoek om, de zijstraat naar de markt in. Meer
heb ik niet gezien. Maar het was meer dan ik had mogen zien,' zei
ze peinzend, zelf verbaasd dat ze er nu meer in zag dan natuurlijk
was.

'Weet u dat zeker?' vroeg Nicholas gespannen. 'Was er iemand bij
hem, een jongere man?' Want de drie onschuldige mannen van Lai
waren in Andover achtergebleven. Als dat niet zo was, zou een van
hen, de onnozele natuurlijk, de boel onmiddellijk hebben verraden.

'Ja, zeker. Een jonge kerel, keurig maar eenvoudig gekleed, zo
een als je wel eens bij herbergen, kermissen of markten ziet rond-
hangen, de besten hopend op werk, de slechtsten hopend op een
kans hun hand in andermans zak te steken.'

Hopend op werk of hopend te kunnen stelen! Of beide, als het aangeboden werk dat behelsde – ja, zelfs als het op moord uitdraaide!

'Hoe zag die tweede eruit?'

Ze fronste haar wenkbrauwen en beet peinzend op haar onderlip.
Ze was doodernstig en zocht in haar geheugen, dat goed bleek.
'Tamelijk maar niet bijzonder lang, ongeveer even lang als de oudere man, maar niet half zo zwaar. Ik zeg jong omdat hij slank en
snel was toen hij wegglipte, en lichtvoetig. Maar zijn gezicht heb ik
niet gezien; hij had zijn kap op zijn hoofd.'

'Ik twijfelde,' zei de smid verdedigend. 'Maar het was gebeurd; ik
had betaald en ik had de spullen. Ik kon verder niets doen.'

'Nee. Nee, het is uw schuld niet. U kon het niet weten.' Nicholas keek weer naar de blinkende ring aan de pink van de vrouw. 'Meesteres, mag ik die ring van u kopen? Voor het dubbele van wat uw man ervoor heeft betaald? Of als u dat niet wilt, mag ik hem dan van u lenen, in ruil voor een vergoeding en mijn belofte dat ik hem terugbreng zo gauw ik kan? U,' zei hij ernstig, 'bent eraan gehecht omdat het een geschenk is, maar ik heb hem nodig.'

Met grote ogen en geboeid staarde ze hem aan terwijl ze de ring aan haar vinger in het rond draaide. 'Waarvoor hebt u hem nodig? Meer dan ik?'

'Ik heb hem nodig om hem te tonen aan de man die hem hier heeft gebracht, de man die naar mijn overtuiging de dood op zijn geweten heeft van de vrouwe die hem vóór u heeft gedragen. Noem een prijs en ik zal hem betalen.'

Ze legde haar vrije hand er verdedigend overheen, maar tegelijk bloosde en straalde ze van opwinding. Ze keek naar haar man, in wiens ogen de berekenende, starende blik van de koopman lag. Hij stond ongetwijfeld op het punt een prijs te noemen die hem in staat zou stellen zijn winkel te herstellen. Plotseling trok ze aan de ring, draaide hem kordaat over haar knokkel en stak hem Nicholas toe.

'Ik leen hem u, voor niets. Maar breng hem persoonlijk terug als u klaar bent en vertel me hoe het is afgelopen. En als u tot de ontdekking mocht komen dat u zich vergist hebt en dat ze nog leeft en haar ring wil hebben, geef hem dan aan haar en betaal me ervoor wat u redelijk vindt.'

Hij pakte de hand die ze met haar schat naar hem uitstak en kuste hem. 'Meesteres, dat zal ik doen! Vraag en ik zal het doen! Ik geef u mijn goede trouw als onderpand.' Hij had niets passends om haar als onderpand aan te bieden; ze won het op alle punten van hem. Haar man keek haar toegeeflijk aan, als iemand die gewend is aan de grillen van een mooie vrouw. Hij stribbelde niet tegen, althans niet voordat de bezoeker weg was. 'Ik dien hier onder FitzRobert,' zei Nicholas. 'Mocht ik u teleurstellen of mocht u ooit denken dat ik u heb teleurgesteld, beklaag u dan bij hem en hij zal u recht doen. Maar ik zal u niet teleurstellen.'

'Doe je zo gemakkelijk afstand van mijn geschenken?' vroeg de zilversmid toen Nicholas uit het gezicht was verdwenen. Maar zijn

stem klonk eerder vermaakt dan verongelijkt. Hij was al weer onverstoorbaar en aandachtig met de gesp bezig.
'Ik heb er geen afstand van gedaan,' zei ze kalm. 'Ik vertrouw op
mijn mensenkennis. Hij komt terug en ik krijg mijn ring terug.'
'En als hij die vrouwe nou eens levend terugvindt en je aan je
woord houdt? Wat dan?'
'Nou,' zei zijn vrouw, 'dan denk ik dat ik genoeg aan zijn dankbaarheid overhoud om alle ringen te kopen die ik maar wil. En ik
weet dat je als ik dat wil zo'n zelfde ring voor me kunt maken. Vertrouw me nou maar: hoe het ook voor hem uitpakt – en ik wens
hem meer geluk dan hij verwacht! – wíj zullen er niet slechter van
worden.'

Nog geen uur later verliet Nicholas in vliegende haast Winchester
door de noordpoort in de richting van Hyde, vlak langs de geblakerde grond en de verwoeste muren van de ongelukkige abdij van
waaruit Humilis en Fidelis naar Shrewsbury waren gevlucht. Maar
deze sporen van rampspoed en ellende verdwenen onopgemerkt
achter hem. Zijn blik was ver vooruit gericht.
De verlammende radeloosheid had niet langer geduurd dan de
lengte van de straat en had plaatsgemaakt voor de onverzoenlijke
razernij van woede en wraakzucht. Nu had hij iets dat zo goed als
zeker was, een kleine getuige, het bewijs van vuig verraad en on-
dankbaarheid. Er was geen enkele twijfel mogelijk dat deze bescheiden sieraden dezelfde waren als die welke Julian bij zich had
gehad; geen enkel toeval had tot gevolg kunnen hebben dat drie
soortgelijke voorwerpen gelijktijdig te koop werden aangeboden.
Twee mensen konden getuigen hoe hij zich van zijn buit had ontdaan, één van hen kon de verkoper maar al te goed beschrijven,
met des te meer zekerheid als ze van aangezicht tot aangezicht met
hem zou komen te staan. En dat zou ze, bij God, doen voordat
alles achter de rug was. Bovendien had ze gezien hoe hij zijn huurmoordenaar op straat ontmoette en hem voor zijn diensten had betaald. Het was onmogelijk die huurling, naamloos en gezichtloos
als hij was, te vinden, behalve door de man die hem had gehuurd.
Maar het onderzoek dat Nicholas naar Adam Heriet had ingesteld
had tot dusver geen enkele aanwijzing over zijn huidige verblijf-
plaats opgeleverd. Er lag nog maar één legertros van Waleran in de

omgeving van Winchester en daar maakte Heriet geen deel vanuit. Maar het zoeken zou doorgaan tot hij werd gevonden, en wanneer hij werd gevonden had hij inmiddels meer uit te leggen dan een paar gestolen uurtjes – het feit dat hij de goederen van het verdwenen meisje in zijn bezit had gehad, dat hij zich ervan had ontdaan in ruil voor geld, dat hij zijn winst had gedeeld met een of andere voortvluchtige onbekende. Voor wat anders dan om hem voor zijn aandeel in roof en moord te betalen?

Als de hoofdschuldige eenmaal was gevonden, zou ook zijn trawant terecht zijn. Het eerste dat hij nu moest doen, was Hugh Beringar op de hoogte brengen en de jacht op Adam Heriet zowel in Shropshire als in het zuiden bespoedigen, tot hij ten slotte werd gevonden en hem de ring zou worden voorgelegd.

Het was kort na de middag toen Nicholas de stad uit reed. Tegen het vallen van de avond bereikte hij Oxford, waar hij een wisselpaard nam en in gestagere, minder uitputtende draf de hele nacht doorreed. Het was een warme, zwoele nacht, die drukkender werd naarmate hij noordelijker kwam. De hemel was onbewolkt, maar desondanks zonder maan of sterren, gitzwart. En overal om hem heen in het holst van de nacht flitsten bliksemschichten door de lucht en doofden onmiddellijk weer uit, een oogwenk lang bomen, daken en verre heuvels zichtbaar makend en weer aan het oog onttrekkend voordat hij ze echt kon zien. En over dat alles een volstrekte stilte, met nergens enig gerommel van de donder dat de loden stilte verbrak. Voorboden van de wraak van God of van zijn ondoorgrondelijke genade?

12

De ochtend brak aan, stralend, versluierd en stil, de opkomende zon een koperen schijf, de molenvijver vlak en mat als een tinnen bord. De rimpelingen die door Madogs roeiriemen werden veroorzaakt toen deze na de primen met zijn boot van de rivier kwam, deden niet meer dan zich stroperig verheffen en met een olieachtige zwaarte neerstrijken.

Broeder Edmund had bezorgd en aarzelend gedaan over de hele onderneming. Hij was er niet gelukkig mee dat hij zijn zieke moest toestaan dit gevaar te lopen, maar omdat de abt toestemming had gegeven, kon hij er niets tegen doen. Bij wijze van vergelijk met zijn geweten zorgde hij ervoor dat al het mogelijke werd gedaan om de reis voor Humilis zo gerieflijk mogelijk te maken. Maar hij meldde zich afwezig toen ze aan boord gingen en wijdde zich aan zijn andere taken. Het waren Cadfael en Fidelis die Humilis in een eenvoudige draagstoel door het poortje in de kloostermuur droegen dat rechtstreeks naar de molen en naar de waterkant leidde. Ondanks zijn lengte woog hij nauwelijks meer dan een halfvolwassen jongen. Madog, kop en schouder kleiner, tilde hem zonder merkbare inspanning op en vroeg Fidelis plaats te nemen op de doft, zodat de oude man op *brychans* en gerieflijk ondersteund door kussens tegen de knieën van de jongeman kon worden gezet. Zo zou de reis hem zo min mogelijk vermoeien. Fidelis trok de magere schouders teder tegen zijn benen, zodat het hoofd met de aan de ochtendlucht blootgestelde kruinschering tegen zijn knieën lag. De krans van donker haar was nog levendig en jong in vergelijking met het zwakke, uitgeputte en oude lichaam. Alleen de ogen straalden ongebruikelijk van opwinding over het avontuur, de vervulling van een vurige wens. Na al zijn grootse daden, het doorkruisen van oceanen en werelddelen, alle veldslagen, overwinningen en worstelingen, stond avontuur ten slotte gelijk met een reis van enkele mijlen over een rivier in Engeland voor een bezoek aan een eenvoudige havezaat in een vredig Engels graafschap.

Geluk, dacht Cadfael terwijl hij hem gadesloeg, bestaat in kleine dingen, niet in grote. Het zijn de kleine dingen die we ons herinneren als tijd en sterfelijkheid naderbij komen en geleid door kleine herkenningspunten begeven we ons ten langen leste nederig naar een andere wereld.

Hij nam Madog even ter zijde voordat hij hen liet vertrekken. De twee in de boot waren al in beslag genomen, de een door de mooie dag, het uitspansel boven hem, het stralende groen van het land buiten het klooster, de ander door zijn geliefde beschermeling. Geen van beiden had oog voor iets anders.

'Madog,' zei Cadfael ernstig, 'als je iets ongewoons zou merken – als er iets vreemds zou gebeuren, iets waarover je je verbaast... om Gods wil, zeg het tegen niemand, alleen tegen mij.'

Madog keek hem van opzij aan, knipoogde hem onder de doornstruiken van zijn wenkbrauwen veelbetekenend toe en zei: 'En jij zult er, neem ik aan, niet van staan te kijken! Leer me je kennen! Ik zie in een donkere nacht verder dan de meeste mensen. Als er iets te melden is, zul jij de eerste zijn en wat mij betreft de enige die ervan hoort.'

Hij gaf Cadfael een stevige mep op zijn schouder, maakte het meertouw los dat hij om een wilgestronk had geslagen en sprong lichtvoetig als een jongen aan boord. Hij duwde de boot onmiddellijk van de kant af en gleed in één beweging door naar de doft. De matte glans van het water deinde lusteloos tussen boot en oever. Madog nam de roeiriemen ter hand en trok de boot moeiteloos rond naar een stroomdraad die lui en slaperig was als een menselijk wezen, maar nog niet dood en in lome beweging.

Cadfael keek hen na. Terwijl de boot draaide, glansde het morgenlicht, hoe nevelig ook, op de gezichten van de twee reizigers; het jonge gezicht en het oude, het ene bezorgd en ernstig gebogen, het andere geheven en bleek glimlachend van genoegen om deze uitgelezen dag. Allebei aandachtig, gespannen, misschien zelfs een beetje onder de indruk van de onderneming die ze waren aangegaan. Toen was de boot gekeerd, de riemen doken in het water en het licht uit het oosten viel op Madogs gedrongen, vaardige gestalte.

Er was eens een veerman geweest die Charon heette, herinnerde

Cadfael zich van zijn zeldzame uitstapjes in de geschriften uit de oudheid, aan wie de zorg was toevertrouwd voor de zielen die uit deze wereld vertrokken. Ook hij nam geld aan van zijn reizigers, hij weigerde hen zelfs als ze hun veergeld niet hadden voldaan. Maar hij zorgde niet voor kleden, kussens en dekzeilen voor de zielen die hij overzette naar de eeuwigheid. En hij had evenmin ooit moeite gedaan om de verloren zielen die de rivier als prooi had opgeëist te zoeken en te bergen. Madog van de Dodenschuit was een beter man.

Hoe zwoel de lucht ook is en hoe laag het water ook staat, boven een rivier hangt altijd een zekere frisheid. Op de stille, metalige glans van de Severn kon je je minstens verbeelden dat er een bries woei, een ademtocht van beneden die de gloed van boven scheen te temperen en Humilis kon juist een broze arm over de rand laten hangen en zijn vingers onderdompelen in het vertrouwde water van de rivier waaraan hij was geboren. Fidelis koesterde hem angstvallig, zette zijn handen schrap om het hoofd in de kussens te ondersteunen, zodat het in de kelk van zijn handpalmen lag, vlees tegen vlees, omwille van de verkoeling, hoewel daar nog geen reden voor was. Hij keek omlaag naar het opgeheven, dromerige gezicht en verlegde voorzichtig zijn handen wanneer Humilis zijn hoofd van links naar rechts draaide om te proberen terwijl ze voorbijgleden beide oevers in zich op te nemen. Fidelis voelde geen kramp, geen vermoeidheid, bijna geen verdriet. Hij had zo lang met één bepaald verdriet geleefd, dat het zich als een kameraad in zijn wezen had gevestigd, een welkome, aardige gast. Ook hier in deze boot, op deze manier samen, ervoer hij een innige, schrijnende vreugde.

Ze voeren op hun vroege tocht om de hele stad heen, want de Severn beschreef stroomopwaarts van de abdij een grote boog om de muren en veranderde de stad bijna in een eiland, op de flessehals van land na die werd bestreken en beschermd door het kasteel. Eenmaal voorbij Madogs westelijke brug, die toegang bood tot de wegen naar Wales, werden de kronkelingen van de rivier verwarrend. Ze zaten nu eens met hun ene, dan weer met hun andere wang naar de klimmende koperen zon. Hier was het water nog diep genoeg, zij het beneden het gewone zomerpeil. De paar ondiepe plekken die er waren lagen onder de oever. Madog kende ze en roeide krachtig en op zijn gemak verder, zich bewust van zijn meesterschap.

'Dit hele stuk herinner ik me nog goed,' zei Humilis, naar de oever van Frankwell glimlachend toen de grote bocht ten noorden van de stad hen weer op een westelijke koers bracht. 'Voor mij is het een puur genoegen, vriend, maar ik vrees dat het voor jou hard werken betekent.'

'Nee,' zei Madog, karig met woorden in het Engels, maar er niet voor terugdeinzend, 'nee, dit water is mijn lust en mijn leven. Ik doe het graag.'

'Zelfs 's winters?'

'In elk jaargetijde,' zei Madog en hij keek even naar de hemel, een onverminderd koperkleurig gewelf, wolkeloos maar heiig.

Voorbij de voorstad Frankwell, buiten de stadsmuren en de lus van de rivier, voeren ze tussen uitgestrekte uiterwaarden die nog vochtig genoeg waren om groener te zijn dan het gras op de hoger gelegen grond. Van de met riet begroeide oevers woei hun een lichte koelte tegemoet, alsof de aarde daar, waar al het andere zijn adem scheen in de houden, ademde. Enige tijd rezen de oevers aan weerszijden van hen op; oude, hoge bomen hingen over het water en wierpen een loden schaduw. Zware wilgen leunden van de oevers over het water en hun wortels waren half blootgelegd door het afkalven van de grond. Toen werd het landschap weer vlak en open aan hun rechterhand, terwijl aan hun linkerhand de oever rees in zandige bermen. Daarboven bevond zich een grazige helling die naar beboste heuvels leidde.

'Het is niet ver meer,' zei Humilis, verlangend in de verte kijkend. 'Ik herken het. Er is hier niets veranderd.'

Hij ontleende een zekere mate van kracht aan het genoegen dat hij aan deze tocht beleefde. Zijn stem was helder en kalm, maar op zijn voorhoofd en bovenlip parelden zweetdruppeltjes. Fidelis depte ze weg en boog zich over hem heen om hem schaduw te geven zonder hem aan te raken.

'Ik ben net een kind dat vrij heeft van school,' zei Humilis glimlachend. 'Het is gepast dat ik die tijd doorbreng op de plaats waar ik kind ben geweest. Het leven is een kringloop, Fidelis. De helft van de ons toegemeten tijd bewegen we ons van onze bron vandaan, laten we onze verwanten en onze vertrouwde plekjes achter, geven hoog op van verre landen en nieuwe vrienden. Maar op het verste punt beginnen we aan de terugweg en trekken we weer naar de plaats waar we vandaan komen. Als de kring zich sluit, kunnen we nergens meer naar toe in deze wereld en is het tijd om te vertrekken. Daar is niets droevigs aan. Het is juist en goed.'

Hij ging wat meer rechtop zitten om recht vooruit te kijken en Fidelis steunde hem onder zijn armen. 'Ginds, achter dat scherm van bomen, ligt de havezaat. We zijn thuis!'

De grond was hier roodachtig en zanderig en vormde een lang, smal strand met verderop een grazige helling en een veelbetreden pad dat tussen de bomen liep. Madog liet zijn boot op het strand lopen, streek de riemen en stapte aan land om de boot op vaste grond te trekken en aan te meren.

'Blijf hier even wachten, dan ga ik het in het huis vertellen.'

De rentmeester van Salton was een man van vijfenvijftig. Hij had de omstreeks negen jaar jongere zoon van zijn heer die op deze havezaat was geboren en er de eerste paar jaar van zijn leven had gewoond niet vergeten. Hij haastte zich persoonlijk naar de rivier met enkele knechts en een haastig in elkaar gezette draagstoel om Godfrid naar het huis te dragen. Het was niet de paladijn van het koninkrijk Jeruzalem die hij kwam verwelkomen, maar de jongen die hij had leren vissen en zwemmen en op driejarige leeftijd op zijn eerste paard had getild. De kameraadschap had niet lang geduurd en misschien had hij er in geen dertig jaar of langer aan gedacht, druk als hij het had gehad met trouwen en zelf een gezin stichten, maar de herinneringen lieten zich gemakkelijk wekken. En ondanks Madogs nuchtere waarschuwing bleef hij met een ruk en ontsteld staan bij het zien van de broze schim die in de boot op hem wachtte. Hij herstelde zich snel en rende haastig naar hem toe om hem hand en knie toe te steken, maar Humilis had het gezien. 'Je ziet wel dat ik erg ben veranderd, Aelred,' zei hij, de naam naar boven halend uit de put van zijn geheugen toen hij hem nodig had. 'We zijn geen van tweeën meer de jongens van vroeger. Ik heb de tand des tijds niet zo best doorstaan, maar zit daar maar niet over in. Ik ben tevreden. En blij, bijzonder blij, je terug te zien op dezelfde grond waar ik je zo lang geleden heb achtergelaten, en in zo'n goede gezondheid.'

'Mijn heer Godfrid, u bewijst me een grote eer,' zei Aelred. 'Alles hier staat u ter beschikking. Mijn vrouw en mijn zoons zullen trots zijn.'

Verbaasd over het geringe gewicht tilde hij zijn gast uit de boot en zette hem voorzichtig in de draagstoel. Als jongen van twaalf, lang geleden, als zoon van de rentmeester van zijn heer, had hij de jongen meer dan eens in zijn armen gedragen. De oudste broer, de erfgenaam van Marescot, tien jaar oud toen, had indertijd minachtend geweigerd kindermeisje te spelen voor een zuigeling. Nu droegen dezelfde armen de laatste schim van een leven en ze merkten dat het nauwelijks zwaarder was dan het kind.

'Ik ben niet gekomen om het je lastig te maken,' zei Humilis, 'maar alleen om een poos naast je te zitten en je nieuws te horen. En om te zien hoe je velden gedijen en je kinderen groeien. Het zal me een waar genoegen zijn. En dit is mijn goede vriend en helper, broeder Fidelis, die zó goed voor me zorgt dat het me aan niets ontbreekt.'

Ze droegen hun last de groene helling op door de windmantel van de bomen, en daar, in de velden van het landgoed, klein maar goed beheerd, lag de havezaat van Salton binnen zijn met stallen en schuren bezette omheining. Een laag, bescheiden huis, niet meer dan een zaal en één kleine kamer boven een stenen krocht en op het erf een afzonderlijke keuken. Buiten de omheining lag een kleine boomgaard en in de koelte onder de appelbomen stond een houten bank. Daar zetten ze Humilis neer, met *brychans* en kussens om zijn spaarzaam bedekte botten te beschermen en ze renden druk heen en weer met bier, vruchten, vers brood, alles wat ze hem konden aanbieden. De vrouw kwam, blozend en verlegen, haar verraste medeleven zo goed als ze kon verbergend. Twee grote zoons kwamen, de oudste een jaar of dertig, de jongste ongetwijfeld verwekt na twee jong gestorven kinderen, want hij was vijftien jaar jonger. De oudste zoon bracht zijn vrouw mee, die naast hem een buiging maakte. Ze was een donker, elfachtig meisje, zwanger reeds.

Onder de appelbomen zat Fidelis zwijgend in het gras, de bank overlatend aan gastheer en gast, terwijl Aelred met plotselinge, ongebruikelijke welsprekendheid praatte over lang vervlogen tijden en verslag deed van alles wat hem sinds die tijd was overkomen. Een stil, rustig leven van hard werken, terwijl kruisvaarders over de wereld zwierven en kinderloos, onvruchtbaar en verminkt thuiskwamen. En Humilis luisterde met een vage, tevreden glimlach en gebruikte zelf zijn stem steeds minder, want hij begon moe te worden en de prikkeling van de opwinding werd zwakker. De zon stond op haar hoogste punt, nog altijd een versluierde, verzengende zon, maar in het westen pakten wolkenflarden zich samen.

'Laat ons nu even alleen,' zei Humilis, 'want ik word gauw moe en ik wil jou niet eveneens uitputten. Misschien dat ik kan slapen. Fidelis zal bij me waken.'

Toen ze alleen waren haalde hij diep adem en zweeg enige tijd, maar hij sliep stellig niet. Hij stak zijn magere hand uit en trok Fidelis aan zijn mouw naast zich, op de plaats die Aelred had verlaten. Een zacht, slaperig loeien kwam hen tegemoet vanuit de stallen, als het nijvere zoemen van bijen. De bijen hadden een drukke zomer met het koortsachtig oogsten van de bloemen die zo welig bloeiden maar zo gauw stierven. Er zou honing in overvloed zijn.

'Fidelis...' De stem die hem even in de steek had gelaten, had zijn helderheid en kalmte teruggekregen – al klonk hij als op een afstand, alsof hij al afscheid begon te nemen. 'Mijn beste, ik heb je hier mee naar toe genomen om bij je te zijn, alleen met jou, juist met jou, hier waar ik ben begonnen. Niemand dan jij hoeft te horen wat ik nu zeg. Ik ken je beter dan mijn eigen ziel. Ik waardeer je zoals ik mijn eigen ziel waardeer en mijn hoop op de hemel. Ik hou meer van je dan van wie ook ter wereld. O, zwijg... stil!'

De arm waarop zijn hand zo teder lag was verstijfd, de stomme keel had een zacht geluid als van een snik geuit.

'God verhoede dat ik je op welke manier dan ook pijn zou doen, al is het slechts door te vrijmoedig te praten, maar de tijd is kort. We weten het alle twee. En ik moet enkele dingen zeggen nu het nog kan. Fidelis... jouw liefdevolle gezelschap is de zegen, de verrukking, de vreugde en de troost van mijn laatste levensjaren geweest. Ik kan je op geen enkele andere manier terugbetalen dan door van je te houden zoals jij van mij hebt gehouden. Meer kan er niet zijn. Denk daaraan wanneer ik er niet meer ben en herinner je dat ik jubelend ben heengegaan, je nu even goed kennend als jij mij kent en je beminnend zoals jij mij hebt bemind.'

Naast hem zat Fidelis stil en stom als een steen. Stenen huilen niet, maar Fidelis huilde, want toen Humilis zich naar voren boog en zijn wang kuste, proefde hij tranen.

Dat was alles wat er gebeurde. En kort daarna stond Madog voor hen en zei dat er mogelijk storm op til was en dat ze er goed aan deden een beslissing te nemen om te blijven waar ze waren of meteen aan boord te gaan en met de stroom mee, voor zover daar met dit lage water sprake van was, zo snel mogelijk terug te gaan naar Shrewsbury.
Het was Humilis' dag en dus was de beslissing aan hem. Humilis keek op naar de westelijke hemel die verduisterde tot een onheilspellende schemering, keek naar zijn metgezel die afwezig en roerloos naast hem zat, alsof hij zich inspande om een droom te laten voortduren. Humilis zei glimlachend dat ze maar moesten gaan.

Aelreds zoons droegen hem naar het strand en Aelred zette hem op zijn plaats op de bodem van de boot op zijn bed van kleden, met Fidelis om hem te steunen en te verzorgen. In het oosten was het nog naargeestig helder; ze voeren in de richting van het licht. Achter hen vermenigvuldigden de dreigende wolken zich met zwarte, onheilspellende snelheid, deinend als overvolle uiers met giftige melk. Onder die duisternis was Wales verdwenen; afstand werd een kwestie van drie of vier mijlen. Ergens in het westen was de zondvloed al losgebarsten. De eerste gezwollen voorboden van een storm kropen heimelijk naderbij, vertroebelden de Severn onder hen en dreven hen vastberaden stroomafwaarts.
Ze waren een eindweegs gevorderd op het stuk tussen de uiterwaarden toen het oosten plotseling, bijna van het ene ogenblik op het andere, verduisterde en de paarszwarte dreiging in het westen weerspiegelde. In een oogwenk verstierf het licht tot schemering en begon het rommelen van de donder, met hoge snelheid uit het westen aanrollend als het geroffel van trommels die hen volgden, of het aanslaan van bassende jachthonden die, op jacht met de halfgoden, een spoor volgen. Madog, onverstoorbaar maar op alles voorbereid, liet de riemen rusten om het zeil dat hij gebruikte om spullen te bedekken open te vouwen en het over Humilis en de boot te spannen. Het was als een scherm boven Humilis' hoofd, dat door Fidelis met gespreide armen werd opgehouden om te voorko-

men dat het de zieke man het ademhalen zou belemmeren.

Toen begon het te regenen, eerst dikke, zware, afzonderlijke druppels die het gespannen zeil striemden als stenen en toen ging de hemel open en liet de hele opgespaarde stortvloed van water los die ze de verdorde aarde verschuldigd was, een vloed die de Severn deed zieden alsof ze kookte en fonteinen van zand van de oevers deed opspatten. Fidelis bedekte zijn hoofd en boog zich voorover om het zeil over Humilis te houden. Madog zette koers naar het midden van de stroom, want de bliksem zou, hoewel ze de loop van de rivier volgde, het eerst en het gemakkelijkst inslaan op wat zich op de oevers het hoogst verhief.

Drijfnat al en in het water even goed thuis als ernaast schudde hij het monter als een vis van zich af. Hij had vaker dergelijke plotseling opstekende en even felle stormen meegemaakt. Hoe hevig het ook tekeerging, hij was er zeker van dat het niet lang zou duren.

Maar ergens ver stroomopwaarts hadden ze deze doop verscheidene uren eerder ondergaan, want het water kwam hen inmiddels als een grote, troebele, bruine golf achterna en dreef hen voor zich uit. Madog liet zich voortjagen en gebruikte zijn riemen slechts om zijn boot midstrooms te houden. En onafgebroken en zwiepend daalde de stortvloed neer en het rollen en kraken van de donder joeg hen op naar Shrewsbury en de bliksemschichten, de donder op de voet volgend, flitsten en vlamden en kruisten hun pad, het enige licht in een gierende duisternis. Ze konden de oevers nauwelijks zien, behalve wanneer een bliksemschicht oplichtte en verdween. De blindheid waarmee dit hen sloeg maakte het felle licht dat erop volgde nog verblindender.

Nat als een zeehond schudde Fidelis het water van zich af en hield het zeil met gespreide, pijnlijke armen boven Humilis' hoofd. Zijn ogen waren stijf gesloten tegen het geweld van de regen en hij sloeg ze slechts een enkele keer met moeite op om door het gordijn van water te turen. Hij zag niet waar ze waren, zag niets dan brandende beelden die het licht door zijn gesloten oogleden drongen, zodat hij met zijn ogen knipperde om de pijn te verdrijven. Eén zo'n flits toonde hem overhangende bomen, spookachtig en dreigend, vergroot door het schrille licht voordat ze door het donker werden verzwolgen. Ze waren dus al voorbij de open uiterwaarden, inmiddels ongetwijfeld tot moerassen geworden, gegeseld en gestriemd door de regen. Ze werden met grote snelheid tussen de bomen door gedreven en waren niet ver meer van mogelijke beschutting in Frankwell.

Ondanks het dekzeil maakten ze water. Het klotste op de bodem van de boot, koud en traag, onaangenaam maar niet gevaarlijk. Ze dreven mee met een stroom die was bezaaid met bladeren en afgerukte takken, modderig, troebel en verraderlijk kolkend. Maar heel binnenkort nu konden ze in Frankwell aan land gaan, beschutting zoeken onder het dichtstbijzijnde dak en nauwelijks iets hebben geleden van dit gewelddadige kabaal.

De donder verzamelde kracht en kraakte, een oorverdovende uitbarsting. Tegelijk sloeg de bliksem in, een verblindende flits. Geschokt opende Fidelis zijn doorweekte ogen, net op tijd om te zien hoe de dikste, oudste, wanstaltigste wilg op de linkeroever opsprong, vlammend openbarstte, zijn wortels half uit de glibberige, zompige oever rukte en openbloeide als een reusachtige bloem van vuur die midstrooms werd gesmeten en laaiend neerkwam.

Madog liet zich over Humilis in de schelp van de boot vallen. Als een steen uit een blijde viel de verbrijzelde boom krakend op de boeg van de boot, verpletterde de boorden en reet hem uiteen als een eierschaal. Stam en boot en vracht gingen diep onder in het drabbige water. Het vuur doofde luid sissend. Alles was donker, alles plotseling koud en in beweging en zwaarder dan lood, sleurde hen omlaag tussen het wier en de zwiepende takken, wentelend en kerend en snel afdrijvend, onweerstaanbaar naar de kalmte en rust van de dood getrokken.

Fidelis vocht en schopte zich met bijna barstende longen naar boven, vechtend tegen de verleidelijke troost van de wanhoop, het rukkende, verlammende gewicht van zijn pij en het zwieren en beuken van rondtollende takken en verstrikkend wier. Hij kwam boven en haalde diep adem, klauwde naar bladeren die door zijn vingers glipten en klampte zich gretig vast aan een tak die bleef steken en zijn hoofd boven water hield. Naar adem snakkend schudde hij het water van zich af, opende zijn ogen en zag een bulderende duisternis. Een net van afgerukte takken omgaf hem en hield hem vast. Gescheurde maar vasthoudende wortels verankerden de deinende en klotsende wilg in de ziedende stroom. Een *bry-*

chan uit de boot wikkelde zich als een slang om zijn arm en rukte hem bijna los. Hij trok zich langs de tak omhoog en zocht ingespannen turend naar een glimp van een hand, een bleek gezicht, spookachtig in de ordeloze schemering.

Een stuk zwarte stof dreef langs, dwars door de warrelende bladeren. De zoom van een mouw kwam boven water, een witte hand dreef voorbij en verdween weer onder water. Fidelis liet los en dook er achteraan, weg van de boom, diep onder de verstrikkende takken. De zoom van de pij gleed door zijn vingers, maar hij vond houvast aan de opbollende plooien van de kap en zwom in de richting van de oever van Frankwell om aan de wilg te ontsnappen. Wanhopig vastklampend verstevigde hij zijn greep en hield het slappe lichaam van Humilis boven zich. Eén keer gingen ze samen onder. Toen was Madog naast hem en hij tilde het gewicht van het bewusteloze lichaam van Fidelis' armen, die het niet langer hadden kunnen dragen.

Een ogenblik lang dreef Fidelis op de rand van de aanvaarding, in een uitputting die de gedachte aan de dood gevaarlijk aantrekkelijk maakte. Het was veel beter los te laten, de strijd op te geven, te gaan waarheen de stroom hem voerde.

En de stroom voerde hem mee en legde hem zacht in het modderige gras van de oever, op zijn buik naast het lichaam van broeder Humilis, waarboven Madog van de Dodenschuit zich vergeefs uitputte.

Plotseling nam de regen af, heel kort, en de wind, wiens ademhaling gierde van woede, ging een ogenblik liggen. De demonen van de donder rolden rommelend stroomafwaarts met achterlating van een doodse stilte tussen de vlagen in en een haast volstrekte roerloosheid. En door die stilte sneed een luide kreet van troosteloosheid, verlies en verdriet hoog over de Severn, joeg de diep ineengedoken, zwijgende vogels op uit het struikgewas en galmde over het water in een lange jammerklacht van oever tot oever, een onherstelbaar verlies uitschreeuwend.

13

Nicholas naderde Shrewsbury toen de hemel onheilspellend donker werd. Hij versnelde zijn pas in de hoop beschutting te vinden in de stad voordat de storm losbarstte. Maar de eerste zware druppels vielen toen hij de Voorstraat bereikte en vóór zijn ogen werd de straat ontdaan van alle leven. Alle bewoners zochten dekking in hun huizen en sloten deuren en luiken voor de komende razernij. Tegen de tijd dat hij langs het poorthuis van de abdij reed, de gedachte om de storm daar af te wachten van zich af zettend nu hij zo dicht bij zijn doel was, had de hemel zich geopend met een stortvloed zó ondoorzichtig en verblindend dat hij merkte dat hij van links naar rechts werd geslingerd toen hij de brug overstak, niet in staat een rechte koers te volgen. Het leek alsof hij de enige overlevende was in een ontvolkte stad op een lege wereld, want er vertoonde zich geen levende ziel.

Onder de boog van de stadspoort bleef hij staan om op adem te komen, zijn ogen droog te vegen en het gewicht van de regen van zich af te schudden. De hele breedte van Shrewsbury lag tussen hem en het kasteel, maar het huis van Hugh bij de Lieve-Vrouwekerk was niet ver weg, alleen maar de steile Wyle op en de vlakke straat daarachter. Hij kon er onderweg naar het Hoge Kruis en de afdaling naar het poorthuis van het kasteel in elk geval aankloppen en vragen. Hij kon nauwelijks natter worden dan hij al was. Hij mende zijn paard de heuvel op. Verstandigere mensen tuurden door de kieren in hun gesloten luiken naar buiten en keken hem na terwijl hij diep voo. over gebogen door de zondvloed galoppeerde. Boven zijn hoofd rolde en kraakte de donder door een middernachtelijk donkere hemel. Bliksemschichten flitsten en trokken het geknetter steeds dichter achter zich aan. Het paard was niet gelukkig, maar het was goed afgericht en zette gehoorzaam maar bevend van angst door.

De poorten van Hughs erf stonden open, de luwte van het huis bood een zekere mate van beschutting en zodra het hoefgetrappel hoorbaar werd op de keien ging de deur van de zaal open en kwam een stalknecht ijlings uit de stallen gerend om het paard in dekking te brengen. Aline stond ongerust in de dreigende duisternis naar buiten te turen en wenkte de reiziger naar binnen.

'Voordat u verdrinkt, heer,' zei ze, één en al bezorgdheid toen Nicholas in de beschutting van de deuropening sprong en zijn drijfnatte mantel liet vallen om hem niet mee naar binnen te hoeven nemen. Ze stonden elkaar ernstig aan te kijken, want het licht was zo zwak dat ze hem niet meteen herkende. Toen hield ze haar hoofd schuin, herinnerde zich weer wie hij was en glimlachte. 'U bent Nicholas Harnage! U bent hier met Hugh geweest toen u de eerste keer in Shrewsbury was. Nu weet ik het weer. Vergeef me dat ik u niet onmiddellijk welkom heette, maar ik ben niet gewend aan middernacht in de middag. Kom binnen, dan zoek ik wat droge kleren voor – al ben ik bang dat die van Hugh u wat krap zullen zitten.'

Hij vond haar openheid en vriendelijkheid hartverwarmend, maar ze konden hem de droevige reden waarom hij hier was niet doen vergeten. Hij keek over haar schouder en zag Constance staan, die haar dwingeland Giles stevig bij de hand hield uit angst dat hij de stortvloed als een nieuwe vorm van vermaak zou beschouwen en naar buiten zou rennen.

'Is de heer schout er niet? Ik moet hem zo snel mogelijk spreken. Ik heb droevig nieuws.'

'Hugh is in het kasteel, maar hij komt tegen de avond terug. Kan het niet wachten? Minstens tot de storm voorbij is? Het kan niet lang duren.'

Nee, hij kon niet wachten. Hij zou de rest van de weg afleggen, koste wat kost. Hij bedankte haar, bijna ongemanierd in zijn haast, zwaaide de natte mantel weer om zich heen, nam zijn paard weer over van de stalknecht en draafde in de richting van het Hoge Kruis. Aline zuchtte, haalde haar schouders op, deed de deur achter zich dicht en liep naar binnen. Droevig nieuws! Wat kon dat betekenen? Iets met koning Stephen en Robert van Gloucester? Hadden de onderhandelingen over de uitwisseling schipbreuk geleden? Of hield het verband met de persoonlijke opdracht van die jongeman? Aline kende het verhaal in grote lijnen en voelde een

milde, bedroefde belangstelling – een meisje dat door haar verloofde van de huwelijksbelofte was ontslagen, een geliefde
schildknaap die op pad werd gestuurd om het haar te vertellen en
die te bescheiden of te gevoelig was om onmiddellijk gehoor te geven aan de aantrekkingskracht die hijzelf voor haar voelde. Leefde
het meisje nog of was ze dood? Het was beter het eens en voor
altijd te weten dan te worden gemarteld door onzekerheid. Maar
'droevig nieuws' kon stellig alleen maar het ergste betekenen.

Spookachtig door de stromende regen bereikte Nicholas het Hoge
Kruis en hij daalde de flauwe helling naar het kasteel en de brede
oprit naar het poorthuis af. Het voorplein stond enkeldiep onder
water; de afwatering was veel te langzaam om de vloed te kunnen
bijhouden. Een wachtmeester boog zich uit de wachtkamer naar
voren en riep de vreemdeling binnen.

'De heer schout? Die is in de zaal. Als u op het binnenplein vlak
langs de muur loopt, wordt het ergste u bespaard. Ik zal uw paard
op stal laten zetten. Of wacht hier even, als u dat liever doet, want
het kan niet eeuwig duren...'

Maar nee, hij kon niet wachten. De ring brandde in zijn beurs en de
vlijmende verbittering in zijn geest. Hij moest het gezag zijn verhaal onverwijld ter ore brengen en zijn tanden in de strot van
Adam Heriet zetten. Hij durfde niet op te houden met haten of hij
zou worden overmand door verdriet. In de hoge, donkere zaal liep
hij met grote passen, een uiterst korte begroeting en zonder plichtplegingen op Hugh af. Hij bood een haveloze aanblik, met zijn natte bruine haren die aan zijn voorhoofd en slapen plakten en het
water dat over zijn gezicht stroomde.

'Mijn heer, ik ben terug uit Winchester, met onomstotelijk bewijs
dat Julian dood is en dat haar goederen lang geleden van de hand
zijn gedaan. En we moeten al het andere laten rusten en alle mannen die u hier hebt en alle mannen die ik in het zuiden kan optrom-
melen naar Adam Heriet laten zoeken. Híj heeft het gedaan – Heriet en zijn huurmoordenaar, een of andere rover die voor zijn werk
is betaald met de opbrengst van Julians sieraden. Als we hem eenmaal in handen hebben, zal hij het niet kunnen ontkennen. Ik heb
bewijs, ik heb getuigen tegen wie hij zelf heeft gezegd dat ze dood
is!'

'Zo zo,' zei Hugh en hij zette grote ogen op. 'Het is niet mis wat je daar beweert. Ik merk dat je niet hebt stilgezeten daar in het zuiden, maar wij hier ook niet. Kom, ga zitten en laat me het hele verhaal horen. Maar laten we je eerst die natte kleren uittrekken en iemand van jouw lichaamsbouw zoeken, voordat je een longontsteking oploopt.' Hij riep de bedienden en stuurde hen om handdoeken, mantel en hozen.

'Het doet er niet toe,' stribbelde Nicholas koortsachtig tegen terwijl hij Hugh bij de arm pakte. 'Wat ertoe doet is het bewijs dat ik heb, een bewijs dat naar één man wijst, een die op vrije voeten is, God weet waar...'

'Aha, Nicholas, als je achter Adam Heriet aan zit, hoef je niet langer te piekeren. Adam Heriet zit veilig achter slot en grendel in het kasteel hier, een paar dagen al.'

'U hebt hem? U hebt Heriet gevonden? Hij is opgepakt?' Nicholas haalde diep en wraakzuchtig adem en slaakte een geweldige zucht.

'We hebben hem en we houden hem. Hij heeft een zuster die getrouwd is met een ambachtsman in Brigge. Hij was zijn verwanten gaan opzoeken, zoals elk fatsoenlijk mens doet. Nu is hij de gast van de schout en dat blijft hij tot we er het fijne van weten. Zit dus niet meer over hem in.'

'En hebt u iets uit hem gekregen? Wat heeft hij gezegd?'

'Niets van belang. Niets dat eèn eerlijk man in zijn plaats niet eveneens zou hebben gezegd.'

'Dat zal veranderen,' zei Nicholas grimmig en hij stond zichzelf toe voor het eerst zijn eigen doorweekte toestand op te merken. Hij aanvaardde de kleine kamer die hem was gegeven en de kleren die ze hem ter beschikking hadden gesteld. Maar hij was al halverwege zijn verhaal voordat hij zijn gezicht en zijn verwaaide haren had afgedroogd en droge kleren had aangetrokken.

'... nergens een spoor van de kerksieraden, die toch het opvallendst zouden zijn als ze ooit op de markt werden gebracht. En ik weifelde of het de moeite waard was verder te vragen toen de vrouw van die man binnenkwam en ik de ring die ze droeg herkende als die van Julian. Nee, dat is overdreven, ik weet het – laten we zeggen dat hij maar al te goed beantwoordde aan de beschrijving die we van Julians ring hadden. Helemaal rondom geglazuurd met gele en blauwe bloemen...'

'Ik ken de hele lijst uit mijn hoofd,' zei Hugh droog.

'Dan begrijpt u waarom ik er zo zeker van was. Ik vroeg haar waar ze hem vandaan had. Ze zei dat hij lang geleden in de winkel te koop was aangeboden, tegelijk met twee andere sieraden, door een man van een jaar of vijftig. Drie jaar geleden, op de twintigste dag van augustus, want het was haar verjaardag en ze had de ring van haar man ten geschenke gevraagd en gekregen. En de twee andere stukken, alle twee verkocht inmiddels, beschreven ze me als een halsketting van geslepen stenen en een zilveren armband met wikke- of erwteranken erin gegrift. Drie van die en bij elkaar! Ze konden alleen maar van Julian zijn.'

Hugh knikte nadrukkelijk instemmend. 'En de man?'

'De beschrijving die de vrouw van hem gaf, klopt met het weinige dat ik over Adam Heriet heb gehoord, want ik heb hem nog nooit gezien. Vijftig jaar, getaand door een buitenleven als houtvester of jager... U hebt hem gezien, u weet meer. Een bruine baard, zei ze, en kalend, een hard gezicht... Komt dat overeen?'

'Haarfijn.'

'En ik heb de ring. Hier, kijk! Ik heb de vrouw gevraagd of ik hem voor dit doel mocht meenemen en ze vertrouwde hem aan me toe, hoewel ze eraan gehecht was en hem niet wilde verkopen. Ik moet hem teruggeven – als hij zijn werk heeft gedaan! Kan dit een vergissing zijn?'

'Onmogelijk. Cruce en zijn hele huishouding zullen het bevestigen, maar we hebben hen eerlijk gezegd nauwelijks nodig. Nog meer?'

'Jazeker! Omdat het allemaal snuisterijen voor vrouwen zijn, twijfelde de edelsmid aan de eigendom. Hij vroeg of de vrouwe van wie ze waren ze niet meer kon gebruiken. En de man zei, wat de vrouwe betreft van wie ze zijn geweest, nee, die kon ze niet meer gebruiken, want ze was dood!'

'Zei hij dat? Zo onomwonden?'

'Ja. Wacht, er komt nog meer! De vrouw was een beetje nieuwsgierig naar hem en volgde hem toen hij de winkel verliet. Ze zag hem met een jonge knaap die buiten tegen de muur stond en zag dat hij hem iets overhandigde – het geld of een deel ervan, dacht ze. En toen ze merkten dat ze keek, glipten ze de hoek om en verdwenen haastig uit het gezicht.'

'Is ze bereid te getuigen?'

'Daar ben ik van overtuigd. En ze is een goede getuige, zorgvuldig en duidelijk.'

'Blijkbaar,' zei Hugh en hij sloot zijn vingers vastbesloten om de ring. 'Nicholas, je moet nu wat eten en drinken; die stortbui duurt nog wel even. Waarom zou je een tweede keer verdrinken terwijl we onze prooi in verzekerde bewaring hebben? Maar zodra het op-houdt met regenen, gaan jij en ik naar Heriet om hem dit mooie ding te laten zien en te proberen of we dit keer niet meer uit hem kunnen krijgen dan een kinderlijk verhaaltje over je vergapen aan de wonderen van Winchester.'

Sinds het avondmaal had broeder Cadfael zijn tijd verdeeld tussen de molen en het poorthuis. Lang voordat het begon te regenen was hij voor moeilijkheden gewaarschuwd door de zich samenpakken-de wolken. Toen de storm losbarstte, zocht hij beschutting in de molen. Van die uitkijkpost uit kon hij zowel de vijver als de uitlaat ervan in de beek in de gaten houden, benevens de weg naar de stad, voor het geval Madog het raadzaam had gevonden met zijn last in Frankwell aan land te gaan om te schuilen in plaats van helemaal om de stad heen te varen, in welk geval hij te voet zou komen om dat te melden.

De drukke tijd was voor de molen voorbij. Het was er stil en don-ker en er was geen enkel ander geluid dan het eentonige, doffe rof-felen van de regen. Daar vond Madog hem, een drijfnatte en een-zame Madog. Hij was over het pad buiten het klooster gekomen waaraan de klanten uit de stad de voorkeur gaven boven de ingang langs het poorthuis wanneer ze meel wilden laten malen. Hij stond donker afgetekend in de deuropening, zwijgend en met hulpeloos neerhangende armen. Niemand was opgewassen tegen de krach-ten van onweer, storm en donder. Zelfs zíjn uithoudingsvermogen kende zijn grenzen.

'En?' zei Cadfael terwijl een voorgevoel hem verkilde.

'Niet zo best.' Langzaam kwam Madog binnen en het schemerige licht toonde zijn sombere gezicht. 'Iets waarover je je verbaast, zei je! Ik heb mijn verbazing wel gehad en ik kom er regelrecht mee naar jou, zoals je hebt gevraagd. God is mijn getuige,' zei hij, ter-wijl hij zijn baard en zijn haren uitwrong en straaltjes regenwater van zijn schouders schudde, 'dat ik niet weet wat ik ermee aan

176

moet. Misschien dat jij, als je tevoren was gewaarschuwd, weet waar het naar toe moet – ik zou het niet weten.' Hij haalde diep adem en vertelde alles in korte, sombere bewoordingen. 'De regen op zichzelf zou ons niet hebben gedeerd. De bliksem sloeg in een boom, zodat die over ons heen viel terwijl we eronderdoor voeren en ons in tweeën spleet. De boot is gezonken en het is niet te zeggen waar de stukken zullen aanspoelen. En die twee broeders van je...'

'Verdronken?' fluisterde Cadfael ontsteld.

'De oudste, Marescot, wel... In elk geval dood. Ik heb hem eruit gekregen, samen met de jongste, zij het dat ik die moest loslaten. Ik kon ze niet alle twee hebben. Maar ik heb Marescot niet meer tot leven kunnen wekken. Hij heeft nauwelijks tijd gehad om te verdrinken. Waarschijnlijk heeft zijn hart, zwak als het was, het door de schok begeven – de kou, zelfs het lawaai van de donder. Hoe dan ook, hij is dood. Het is afgelopen. Wat die ander betreft – wat zou ik je over die ander voor nieuws kunnen vertellen?' Hij keek Cadfael aandachtig en verbaasd aan. 'Nee, het verwondert je niet, is het wel? Je wist er alles van. En wat doen we nu?'

Cadfael ontwaakte uit zijn verdoving, beet weifelend op zijn lip en staarde naar de regen. Het ergste was voorbij, de hemel werd lichter. Ver in het dal volgde het wegstervende gerommel van de donder het vuilbruine water stroomafwaarts.

'Waar heb je hen achtergelaten?'

'Aan de andere kant van Frankwell, nog geen mijl van de brug. Er staat daar een hut op de oever die door vissers wordt gebruikt. We spoelden er vlak bij aan en ik heb hen daar in dekking gebracht. We zullen een draagbaar nodig hebben om Marescot thuis te brengen, maar wat doen we met die ander?'

'Niets! De andere is weg, verdronken; de Severn heeft hem verzwolgen. En geen opschudding, geen draagbaar; nog niet. Help me, Madog, want het is een netelige zaak, maar als we voorzichtig zijn, komen we er misschien heelhuids af. Ga terug en wacht op me. Ik loop tot de stad met je mee; vandaaruit ga je verder naar de hut en ik kom zo snel mogelijk naar je toe. En geen woord hierover, tegen niemand, omwille van ons allemaal.'

Tegen de tijd dat Cadfael onder de poort van Hughs huis door liep, was het opgehouden met regenen. De daken glommen, de goten stroomden over terwijl de laatste grauwe wolkenflarden werden verjaagd door een nu stralende en vriendelijke zon, wier koperen meedogenloosheid met de storm stroomafwaarts was verdwenen.

'Hugh is nog in het kasteel,' zei Aline terwijl ze verbaasd en blij opstond om hem tegemoet te komen. 'Hij heeft bezoek – Nicholas Harnage is teruggekomen, met droevig nieuws zegt hij, maar hij heeft me niet in vertrouwen genomen.'

'Is hij terug?' Cadfael was even in verwarring gebracht, verontrust zelfs. 'Wat kan hij hebben ontdekt? En aan wie heeft hij het al doorverteld?' Hij schudde zijn gissingen van zich af. 'Nou, dat maakt mijn boodschap des te dringender! Meisje lief, ik heb je nodig. Als Hugh thuis was geweest, zou ik je heer op gepast hoffelijke manier hebben gesmeekt je te mogen lenen, maar zoals het er nu voorstaat... ik heb je een uur of twee nodig. Wil je voor een goede zaak met me meerijden? We zullen paarden nodig hebben – een voor jou om heen en terug te gaan en een voor mij om verder te rijden – een van die grote beesten van Hugh die twee mensen tegelijk kan torsen. Wil je mijn voorspraak zijn en ervoor zorgen dat ik weer in een goede reuk kom te staan als ik zo'n paard leen? Geloof me, het is dringend.'

'Hughs stallen hebben altijd voor je opengestaan,' zei Aline, 'zolang we je kennen. En ik leen mezelf voor elke onderneming waarvan jij me verzekert dat ze dringend is. Hoe ver moeten we?'

'Niet ver. Over de westbrug en door Frankwell. Ik moet je ook enkele persoonlijke dingen te leen vragen,' zei Cadfael.

'Zeg me wat je nodig hebt en ga dan de paarden zadelen – Jehan is daar; zeg dat je mijn toestemming hebt. En dan kun je me onderweg vertellen wat dit te betekenen heeft en waar je me voor nodig hebt.'

Adam Heriet keek scherp en waakzaam op toen de deur van zijn gevangenis op een onverwacht tijdstip vroeg in de avond werd geopend. Hij zette zich schrap toen hij zag wie er binnenkwamen. Hij was voorbereid op alle vragen die hij tot nu toe had moeten beantwoorden, maar dit beloofde of dreigde iets nieuws. Het harde, open gezicht dat de vrouw van de edelsmid zo scherpzinnig had opgenomen kwam hem goed van pas. Hij stond hoffelijk op in de aanwezigheid van zijn meerderen, maar met een vormelijke stijfheid en een nietszeggend gezicht die deden vermoeden dat hij zich in geen enkel opzicht hun mindere voelde. De deur ging achter hen dicht, maar de sleutel werd niet omgedraaid. Het was niet nodig; er zou een bewaker voor staan.

'Ga zitten, Adam! We hebben enige belangstelling aan de dag gelegd voor je doen en laten in Winchester, in de tijd waarvan je weet,' zei Hugh zachtmoedig. 'Zou je iets willen toevoegen aan wat je ons al hebt verteld? Of iets willen veranderen?'

'Nee, mijn heer. Ik heb u verteld wat ik heb gedaan en waar ik ben geweest. Meer is er niet te vertellen.'

'Misschien liet je geheugen je in de steek. Niemand is onfeilbaar. Kunnen we je bijvoorbeeld niet herinneren aan de winkel van een zilversmid in High Street? Waar je drie kleine, waardevolle dingen hebt verkocht – die niet je eigendom waren?'

Adams gezicht bleef ondoorgrondelijk, maar zijn ogen flitsten van het ene gezicht naar het andere. 'Ik heb nooit iets verkocht in Winchester. Als iemand dat zegt, hebben ze me voor een ander aangezien.'

'Je liegt!' viel Nicholas uit. 'Wie anders kan die drie dingen hebben gehad? Een halsketting van geslepen stenen, een zilveren armband – en dit!'

De ring lag in zijn open handpalm, werd onder Adams neus geduwd. Het glazuur glansde met een tere schittering. Een klein kunstwerkje, zo enig in zijn soort dat er geen twee van konden zijn. En hij had het meisje van jongs af gekend en moest lang voor die reis naar het zuiden vertrouwd zijn geweest met haar snuisterijen. Als hij dit ontkende, ontmaskerde hij zichzelf als leugenaar, want er waren volop anderen die het konden zweren.

Hij ontkende het niet. Hij staarde er zelfs met goedgespeelde verbazing en verrassing naar en zei onmiddellijk: 'Die is van Julian! Waar hebt u die vandaan?'

'Van de vrouw van de zilversmid. Ze had hem voor zichzelf gehouden en herinnerde zich de man die hem had gebracht heel goed. De beschrijving die ze van je gaf, zal voor de wet goed genoeg zijn om jou erin te herkennen. Ja, dit is van Julian!' zei Nicholas, schor van drift. 'Dit is wat je met haar bezittingen hebt gedaan. Wat heb je met háár gedaan?'

'Dat heb ik u al verteld! Ik heb, in haar opdracht, een mijl of zo van Wherwell afscheid van haar genomen en haar nooit meer gezien.'
'Je liegt dat je scheel ziet! Je hebt haar vermoord.'
Hugh legde zijn hand op de arm van de jongeman, die beefde onder de aanraking, als een jachthond die wordt afgehouden van zijn prooi.
'Adam, je leugens zijn aan ons verspild. Hier is een ring die je zelf herkent als het eigendom van je meesteres en die volgens twee goede getuigen drie jaar geleden op de twintigste dag van augustus is verkocht in een winkel in Winchester, door een man wiens beschrijving jou beter past dan je eigen kleren...'
'Dan zou ze heel wat mannen van mijn leeftijd kunnen passen,' stribbelde Adam brutaal tegen. 'Wat is er zo uitzonderlijk aan mij? Die vrouw heeft me niet aangewezen, ze heeft me niet gezien...'
'Dat komt nog wel, Adam, dat komt nog wel. We kunnen haar en haar man halen om je in je gezicht te beschuldigen. Zoals ík je beschuldig,' zei Hugh vastberaden. 'Dit is te veel om te worden afgedaan als zomaar een verhaaltje of een merkwaardige samenloop van omstandigheden. We hebben niet meer bewijzen nodig dan deze ring en die twee getuigen kunnen leveren – voor beroving, zo niet voor moord. Ja, moord! Hoe ben je anders aan haar sieraden gekomen? En als je je niet aan haar hebt vergrepen, waar is ze nu dan? Ze is nooit in Wherwell aangekomen, werd daar ook niet verwacht. Het was volkomen ongevaarlijk haar uit de weg te ruimen: haar verwanten waanden haar veilig in een nonnenklooster en het nonnenklooster was niet ongerust dat ze wegbleef, want ze had haar komst niet aangekondigd. Dus waar is ze, Adam? Op de aarde of eronder?'
'Ik weet niet meer dan ik u heb verteld,' zei Adam koppig.
'Aha, maar dat weet je wél! Je weet hoeveel je van de zilversmid hebt gekregen – en hoeveel daarvan je hebt doorbetaald aan je huurmoordenaar, buiten de winkel. Wie was het, Adam?' vroeg Hugh zacht. 'De vrouw heeft je met hem gezien, heeft gezien dat je hem betaalde, je met hem de hoek om zien glippen toen je haar bij de deur zag staan. Wie was het?'
'Ik weet niets van zo iemand. Ik zeg u dat ik niet degene ben die daar is geweest.' Zijn stem klonk nog vast, maar enigszins gejaagd nu en wat hoger en hij begon te zweten.

'De vrouw heeft ook hem beschreven. Een jonge knaap van een jaar of twintig, met een kap op zijn hoofd. Geef hem een naam, Adam; misschien verlicht het je last enigszins. Als je zijn naam kent tenminste. Waar heb je hem gevonden? Op de markt? Of was hij lang tevoren besproken?'

'Ik ben nooit in zo'n winkel geweest. Als dit allemaal is gebeurd, is het andere mannen gebeurd, mij niet. Ik ben daar nooit geweest.'

'Maar Julians bezittingen wél, Adam! Dat staat vast. En gebracht door iemand die veel op jou leek. Wanneer die vrouw je in levenden lijve heeft gezien, mag ik misschien zeggen: gebracht door *jou!* Bespaar jezelf een lange onthulling, beken uit eigen vrije wil en geef je gewonnen. Bespaar de vrouw van de zilversmid een lange reis. Want ze zál je aanwijzen, Adam. Dat, zal ze zeggen als ze je ziet, dát is de man.'

'Ik heb niets te bekennen. Ik heb niets misdaan.'

'Waarom koos je net díe winkel, Adam?'

'Ik ben nooit in die winkel geweest. Ik had niets te verkopen. Ik ben er niet geweest...'

'Maar deze ring wel, Adam. Hoe is hij daar gekomen? Samen met de halsketting en de armband nog wel? Toeval? Hoe ver reikt het toeval?'

'Ik heb haar een mijl voor Wherwell achtergelaten...'

'Dood, Adam?'

'Ze leefde toen ik afscheid nam, ik zweer het!'

'Toch heb je de zilversmid verteld dat de vrouwe van wie die stenen waren dood was. Waarom?'

'Ik zeg u, ik ben het niet geweest, ik ben nooit in die winkel geweest.'

'Een andere man zeker? Een vreemdeling. En toch had hij die sieraden, alle drie. Hij leek op jou en hij wist en zei dat de vrouwe dood was. Zoveel merkwaardig toeval, Adam. Hoe verklaar je dat?'

De gevangene liet zijn hoofd achterover tegen de muur zakken. Zijn gezicht was grauw. 'Ik heb haar nooit een haar gekrenkt. Ik hield van haar!'

'En dit is niet haar ring?'

'Het ís haar ring. Dat kan iedereen op Lai u vertellen.'

'Ja, dat kunnen ze, Adam, dat kunnen ze. En dat zullen ze de rechtbank vertellen, als jouw tijd is gekomen. Maar alleen jij kunt ons vertellen hoe je hem, anders dan door moord, in je bezit hebt gekregen. Wie was de man die je hebt betaald?'

'Er was niemand. Ik ben daar niet geweest. Ik was het niet...'

De snelheid was gestaag opgevoerd, de vragen werden als pijlen op hem afgeschoten, en even dodelijk. Telkens en telkens weer hetzelfde onderwerp en ten slotte werd de man moe. Als hij kon worden gebroken, zou het binnenkort gebeuren.

Ze gingen er zó in op, waren zo gespannen als te strak gedraaide snaren, dat ze alle drie schrokken toen er op de deur van de cel werd geklopt en een wachtmeester, zichtbaar ontsteld door opwindend nieuws, zijn hoofd naar binnen stak. 'Mijn heer, neem me niet kwalijk, maar ze vonden dat u het onmiddellijk moest weten... Er wordt in de stad gezegd dat er vandaag in de storm een boot is gezonken. Twee broeders van de abdij zijn in de Severn verdronken, zeggen ze, en Madogs boot is aan flarden gebeukt door een boom die door de bliksem was geveld. Ze zoeken stroomafwaarts naar een van de twee...'

Ontsteld stond Hugh op. 'Madogs boot? Dat moet de tocht zijn geweest waar Cadfael het over had... Verdronken? Weten ze het zeker? Madog is nog nooit een inzittende of een vracht kwijtgeraakt.'

'Mijn heer, wie is opgewassen tegen de bliksem? De boom viel boven op hen. Iemand in Frankwell heeft hem zien vallen. Het is mogelijk dat de heer abt het zelfs nog niet weet, maar in de stad vertellen ze allemaal hetzelfde verhaal.'

'Ik kom!' zei Hugh en hij wendde zich gehaast tot Nicholas. 'God weet dat het me spijt, Nick, als het waar is. Broeder Humilis – jouw Godfrid – verlangde ernaar zijn geboorteplaats in Salton terug te zien en is vanmorgen met Madog vertrokken, dat was althans de bedoeling – hij en Fidelis. Kom mee! We kunnen maar beter gaan kijken wat ervan waar is. Bid tot God dat ze een berg van een molshoop hebben gemaakt, zoals gewoonlijk, en dat hun niets ergers is overkomen dan een onderdompeling... Madog zwemt beter dan de meeste vissen. Maar laten we ons gaan vergewissen.'

Geschrokken was Nicholas overeind gekomen terwijl het langzaam tot hem doordrong. 'Mijn heer? Zo ziek als hij was? O God, zo'n schok kan hij onmogelijk hebben overleefd. Ja, ik ga mee... ik móet het weten!'

En weg waren ze, hun gevangene achterlatend. De deur viel met een klap achter hen dicht en de sleutel werd omgedraaid. Niemand had oog gehad voor Adam Heriet, die zich langzaam op zijn harde bed liet zakken en zijn gezicht in zijn handen begroef, een volkomen ontmoedigd man, uitgeput en leeg. Tranen sijpelden tussen zijn vingers door en vielen op zijn kussen, maar er was niemand die het zag, niemand om het te verklaren.

Haastig menden ze hun paarden door de stad, door straten die verbazingwekkend snel opdroogden in de aangename warmte na de regenbui. Het was nu weer volop licht en de daken, muren en straten dampten, zodat de paarden door een ondiepe, broze zee van stoom liepen. Zonder halt te houden reden ze langs Hughs huis. Ze zouden er trouwens ook geen Aline hebben aangetroffen om hen te begroeten.

Overal waar ze langskwamen begonnen de mensen weer de straten op te komen, in groepjes van twee of drie, met bij elkaar gestoken koppen en bedrijvig bewegende monden. Het nieuws over de ramp had, eenmaal gefluisterd, snel de ronde gedaan. En ditmaal was het geen loos alarm. Toen ze onder de oostpoort door reden en de brug naar de abdij overstaken, hielden Hugh en Nicholas bij het zien van een kleine, droevige stoet die vóór hen over de weg liep de teugels in. Vier mannen vervoerden een draagbaar, een buitendeur die ergens in Frankwell op iemands erf uit zijn hengsels was gelicht en kies met kleden bedekt, met daaronder het lijk van een van de slachtoffers van de storm. Eén slechts, want het was een smalle deur en de vier dragers hanteerden hem alsof het gewicht gering was, hoewel het toegedekte lichaam lang op zijn baar lag. Eerbiedig sloten ze zich aan bij de stoet, zoals veel van de poorters te voet eveneens deden, zodat de plechtige optocht aanzwol tot een begrafenisstoet. Nicholas staarde reikhalzend voor zich uit en mat het stomme, roerloze lichaam met zijn ogen. Zo lang en toch zo licht, vóór zijn tijd tot ouderdom vervallen – het kon niemand anders zijn dan Godfrid Marescot, wiens onbezoedelde geest ten langen leste zijn verminkte, uitgemergelde lichaam had afgelegd. Hij staarde als door een nevel en knipperde ongeduldig zijn tranen weg.

'Is dat die Madog, die man die voorop loopt?'

Hugh knikte zwijgend. Ongetwijfeld had Madog vrienden uit de voorstad opgetrommeld, voor een deel Welshmen aangezien hij zelf een Welshman was, om hem te helpen de dode man naar huis te brengen. Hij voerde zijn helpers plechtig, bedroefd en met grote waardigheid aan.

'En die ander – Fidelis?' vroeg Nicholas toen hij zich de onopvallende gestalte herinnerde die zich altijd in de schaduw terugtrok maar desondanks altijd klaarstond. Hij voelde een steek van zelfverwijt dat hij zo diep om Godfrid treurde en zo weinig om de jongeman die zichzelf de bereidwillige slaaf had gemaakt van Godfrids nobelheid.

Hugh schudde zijn hoofd. Er was er maar één.

Ze waren de brug over en liepen over de oprit naar de Voorstraat, tussen de Gaye aan hun linker- en de molen met de molenvijver aan hun rechterhand en zo naar het poorthuis van de abdij. Daar sloegen de dragers rechtsaf met hun last, onder de poort door, de binnenplaats op, waar zich een zwijgende, ernstige menigte had verzameld om op hen te wachten. Daar zetten ze hun last neer en bleven stil en afwachtend staan.

Het nieuws had de abdij bereikt terwijl de broeders uit de vespers kwamen. Toen ze zo plotseling werden herinnerd aan de dood, dromden abt, prior, ondergeschikten, monniken en novicen in een ontstelde kring bijeen. De poorters die de stoet naar zijn plaats van bestemming hadden gevolgd, bleven aarzelend binnen de poort staan, enigszins ter zijde, en staarden zwijgend en vol ontzag voor zich uit.

Madog benaderde de abt met de van alle slaafsheid gespeende bereidheid van een Welshman om iedereen als zijn gelijke te aanvaarden en hij vertelde zijn onopgesmukte verhaal. Radulfus erkende de wil van God en de hulpeloosheid van de mens met een vergevend handgebaar en stond een lang ogenblik te kijken naar het toegedekte lichaam voordat hij naar voren boog en het kleed wegsloeg van het gezicht.

In het uur van zijn dood had Humilis zijn werkelijke leeftijd hervonden. De dood kon hem zijn verloren en vervallen vlees niet teruggeven, maar had de scherpe, gespannen lijnen verzacht en de diepe rimpels van pijn gladgestreken. Hugh en Nicholas, hoog te paard bij de hoek van het klooster, vingen een korte glimp op van

184

een andere Humilis, overgegaan in bovenmenselijke vreedzaamheid en rust. Radulfus liet het kleed zakken, zegende de baar, de dragers en wenkte zijn ondergeschikten het lichaam op te tillen en naar de rouwkapel te brengen.

Toen pas, toen broeder Edmund – denkend aan de eenzaamheid die die twee verloren broeders hadden gedeeld en Fidelis duidelijk missend – om zich heen keek naar de andere man die was ingewijd in de geheimen van Humilis' gehavende lichaam en hem niet vond, toen pas besefte Hugh dat Cadfael de enige was die ontbrak. Hij die, meer dan wie ook, hier plichtsgetrouw aanwezig had moeten zijn bij alles wat Humilis betrof, was op dit ogenblik elders! Cadfaels afwezigheid bleef Hugh dwarszitten tot hij er later een verklaring voor vond. Het was per slot van rekening mogelijk dat een dode man elders dringende onafgewikkelde zaken had, die hem zelfs dierbaarder waren dan de laatste eer die aan zijn lichaam werd bewezen.

Ze betuigden abt Radulfus hun eerbied en hun deelneming en beloofden dat er, zolang er hoop bleef bestaan dat ze hem zouden vinden, stroomafwaarts naar het lichaam van broeder Fidelis zou worden gezocht. Daarna reden gast en gastheer samen stapvoets terug naar de stad. De schemering viel zacht, de hemel was helder, mild, zich niet bewust van enig kwaad en de lucht was plotseling koel en aangenaam. Aline wachtte met het avondmaal, dat klaar was om te worden opgediend, en verwelkomde de twee terugkerende mannen even bevallig als ze er één zou hebben verwelkomd. En als er nog steeds een paard ontbrak in de stallen, talmde Hugh niet lang genoeg om het te ontdekken; hij liet de paarden aan de stalknechts over en wijdde zijn aandacht aan Nicholas.

'Je moet bij ons blijven,' zei hij tijdens het avondmaal, 'tot de begrafenis. Ik zal Cruce op de hoogte brengen; hij zal de man die ooit zijn zwager had willen worden de laatste eer willen bewijzen. Hij heeft het recht te weten hoe de zaken met Heriet staan.'

Bij die woorden spitste Aline haar oren. 'En hoe staan de zaken met Heriet? Er is zoveel gebeurd vandaag; ik schijn minstens de helft te hebben gemist. Nicholas zei dat hij droevig nieuws had, maar zelfs de regen kon hem niet lang genoeg ophouden om meer te zeggen. Wat is er gebeurd?'

Om beurten vertelden ze haar alles wat er was gebeurd, van de hardnekkige speurtocht in Winchester tot het ogenblik dat het nieuws van Madogs schipbreuk het verhoor van Adam Heriet had onderbroken en ze ontsteld waren weggerend om te horen of het klopte. Aline luisterde met een lichte, bezorgde frons.

'Hij kwam binnenvallen en riep dat er twee broeders van de abdij dood waren, in de rivier verdronken? En hij noemde namen? Daar in de kerker, waar je gevangene bij was?'

'Ik geloof dat ik degene ben die namen heeft genoemd,' zei Hugh. 'Het kwam voor Heriet op het juiste ogenblik. Ik geloof dat hij dicht bij het eind van zijn Latijn was. Nu kan hij ademhalen voor de volgende ronde, al betwijfel ik of het hem zal redden.'

Aline zei er niets meer over tot Nicholas, slaperig na zijn lange rit en de wederwaardigheden van de dag, naar bed ging. Toen hij weg was, legde ze het borduurwerk waar ze mee bezig was weg, ging naast Hugh op de beklede bank naast de lege haard zitten en sloeg verleidelijk een arm om zijn nek.

'Hugh, lieverd – er is iets dat je moet horen – en dat Nicholas niet mág horen, nog niet, niet voordat alles goed en wel achter de rug is. Misschien is het beter als hij het nooit hoort, al raadt hij ten slotte misschien minstens de helft. Maar jóu hebben we nu nodig.'

'Wé?' zei Hugh, niet bijzonder verbaasd. Hij wendde zich naar haar toe, sloeg genoeglijk een arm om haar middel en trok haar tegen zich aan.

'Cadfael en ik. Wie anders?'

'Als ik het niet dacht,' zei Hugh met een zucht en een glimlach. 'Ik verbaasde me al over zijn afwezigheid bij de rampzalige afloop van een onderneming die hij zelf mee op touw had gezet.'

'Maar hij was eigenlijk niet afwezig; hij staat op ditzelfde ogenblik op het punt alles op te lossen. En mocht je straks iemand horen bij de stallen, schrik dan niet: het is Cadfael die je paard terugbrengt en je weet dat je er staat op kunt maken dat hij eerst voor zijn paard zorgt voordat hij aan zichzelf denkt.'

'Ik voorzie een lang verhaal,' zei Hugh. 'Zorg maar dat het belangwekkend is.' Haar blonde haren waren zacht en zoet tegen zijn wang. Hij draaide zich naar haar toe en legde zijn lippen op de hare, heel zacht en kort.

'Belangwekkend is het. Zoals elke zaak van leven en dood. Je zult

zien! En omdat je er in aanwezigheid van Adam Heriet hebt uitge-
flapt dat er twee broeders zijn verdronken, kun je morgen maar
beter zo snel mogelijk naar hem toe gaan en hem zeggen dat hij niet
hoeft te tobben, dat de dingen niet altijd zijn wat ze lijken.'
'Vertel me dan maar eens,' zei Hugh, 'hoe ze wél zijn.'
Ze nestelde zich warm in de boog van zijn arm en vertelde het hem
heel ernstig.

De speurtocht naar broeder Fidelis werd meer dan twee dagen ijverig voortgezet langs beide oevers van de rivier, op elke plaats
waar drijvend afval gewoonlijk aanspoelde. Maar alles wat ze vonden waren zijn sandalen, door de rivier van zijn voeten gerukt en
op de zandbanken bij Atcham geworpen. De meeste lichamen die
in de Severn verdwenen, werden vroeg of laat door de Severn ook
weer aan land gebracht. Dit niet. Shrewsbury en de wereld hadden
broeder Fidelis voor het laatst gezien.

14

De begrafenis van broeder Humilis bracht vertegenwoordigers van de hele landadel in het graafschap en van de meeste benedictijnse kloosters in de omgeving bijeen in het gastenverblijf van de abdij. De schout en de stadsprovoost zouden de plechtigheid ongetwijfeld bijwonen, evenals veel van de vroede vaderen en kooplieden van de stad, meer vanwege de aangrijpende en noodlottige manier waarop de man om het leven was gekomen dan omdat ze hem tijdens zijn korte verblijf in de stad hadden leren kennen. De meesten hadden hem nooit gezien, maar kenden zijn faam voordat hij de kap had aangenomen en ze vonden dat zijn geboorte en dood te midden van hen hun enig recht op hem gaf. Het zou een grootse plechtigheid worden, passend bij een bijzetting in de kerk zelf – een zeldzame eer.

Daags voor de dienst kwam Reginald Cruce aan uit Lai. Hij schepte een boosaardig genoegen in alles wat Nicholas te melden had en voelde een wraakzuchtige voldoening over het feit dat de onverlaat die een lid van het geslacht Cruce had durven aanraken, veilig in de gevangenis zat en stilzwijgend als de schuldige werd beschouwd, al moest zijn berechting wachten tot aan de wettelijke plichtplegingen was voldaan. Hugh deed niets om een schaduw van twijfel over Cruces voldoening te werpen.

Reginald hield de geglazuurde ring in zijn brede handpalm en onderzocht de ingewikkelde versiering belangstellend. 'Ja, ik ken hem terug. Vreemd dat het iets zó kleins is dat hem veroordeelt. Ik herinner me dat ze nóg een ring had waaraan ze gehecht was, misschien te meer omdat ze hem als kind had gekregen, toen haar vingers te dun waren om hem aan te doen. Marescot had hem haar gestuurd toen de huwelijksovereenkomst werd gesloten. Het was een oude ring, een die in zijn geslacht van bruid op bruid was overgegaan. Ze droeg hem altijd aan een ketting om haar hals omdat hij te groot was voor haar vingers. Ik weet zeker dat ze die niet heeft achtergelaten.'

'Er stond maar één ring op de lijst van kostbaarheden die ze had meegenomen,' zei Nicholas terwijl hij het kleine sieraad weer terugnam. 'Ik heb beloofd deze aan de vrouw van de zilversmid in Winchester terug te geven.'

'De lijst bevatte de dingen die als bruidsschat waren bedoeld. De ring die Marescot haar had gestuurd, wilde ze waarschijnlijk houden. Hij was van goud, een slang met rode ogen die zich twee keer om de vinger slingerde. Heel oud; de schubben waren glad gesleten. Ik vraag me af,' zei Reginald, 'waar hij nu is. Er zijn geen Marescots meer, althans niet van die tak, die hem aan hun bruid kunnen geven.'

Geen Marescots meer, dacht Nicholas, en geen Julians. Een dubbel, verdrietig verlies waarvoor wraak, nu hij die stevig in handen leek te hebben, geen enkele genoegdoening vormde. 'En als u tot de ontdekking mocht komen dat u zich vergist en dat ze nog leeft,' had de vrouw van de zilversmid gezegd, 'en haar ring wil hebben, geef hem dan aan haar en betaal me ervoor wat u redelijk vindt.' Al had ik meer goud dan koning en keizerin bij elkaar, dacht Nicholas, de pijn verbijtend die hij met zich meedroeg, het zou niet genoeg zijn om voor zo'n onuitsprekelijk geluk te betalen.

Broeder Cadfael had zich de afgelopen dagen uiterst bescheiden en behoedzaam gedragen. Hij had het getijdenrooster strikt in acht genomen, was aanwezig geweest bij elke dienst, in een poging, zoals hij zichzelf spijtig bekende, zijn welslagen te verdienen en elk mogelijk gevoel van afkeuring dat de hemel jegens hem zou kunnen koesteren, onschadelijk te maken. Hij was er zeker van dat het doel dat hem voor ogen stond niet alleen goed was, maar zelfs van doorslaggevend belang voor het welzijn van de abdij en de Kerk. Het was ook goed voor de gemoedsrust van degenen wier lot het was verder te leven nu Humilis van zijn lichaam was verlost en voor eeuwig veilig was. Maar de middelen – hij was er minder zeker van of de middelen boven alle twijfel verheven waren. Maar wat kan een man, of een vrouw, anders doen dan gebruiken wat zich aandient?

Op de dag van de begrafenis stond hij vroeg op om voor de primen even tijd te hebben voor zijn eigen, vurige gebeden. Er hing veel af van deze dag; hij had goede redenen om ongerust te zijn en zich tot de heilige Winifred te wenden voor lankmoedigheid, vergiffenis en bijstand. Ze had hem al vaker vergiffenis geschonken voor hoogst ongebruikelijke middelen tot wenselijke doelen en zich vriendelijk tegenover hem betoond wanneer strengere patroonheiligen hun wenkbrauwen zouden hebben gefronst.

Maar deze morgen had ze al een smekeling die hem voor was geweest. Iemand lag bijna languit op de drie treden die naar haar altaar leidden. De strakke lijnen van lijf en leden, de krampachtige knoop van de gevouwen handen op de bovenste trede spraken van een nood minstens zo hoog als de zijne. Cadfael trok zich stil terug in de schaduw en wachtte. Na wat een lange, smartelijke tijd leek kwam de smekeling stijf en langzaam als een kreupele van zijn knieën overeind en glipte door de zijdeur naar de kloosterhof. Het was verrassend en verwonderlijk dat broeder Urien zo vroeg in de morgen op deze manier zijn hart uitstortte. Cadfael had misschien nooit voldoende aandacht besteed aan broeder Urien. Wie wel? Wie praatte er met hem, wie ging er vertrouwelijk met hem om? De man had zijn eenzaamheid zelf uitgelokt.

Cadfael stortte zijn gebeden. Hij had gedaan wat hem het beste leek, hij had trouwe en vindingrijke helpers gehad – nu kon hij de hele zaak slechts vol vertrouwen in de toegeeflijke Welshe armen van Sint Winifred werpen, haar eraan herinneren dat ze verre verwanten waren en het verder aan haar overlaten.

Op de ochtend van een zachte, heldere dag werd broeder Humilis, Godfrid Marescot, met gepaste plechtigheid en alle eerbetoon begraven in de zijbeuk van de abdijkerk van de heilige Petrus en Paulus.

Cadfael had vergeefs gezocht naar één bepaalde rouwdraagster, zonder haar te vinden. Hij had de zaak in handen gegeven van de heilige en verliet de kerk dus niet bijzonder ongerust. En toen de broeders, abt Radulfus voorop, de binnenplaats betraden, stond ze daar – keurig, bekwaam en knap als altijd – bij het poorthuis te wachten om zich bij de menigte te voegen, als een eenzame ridder die onbevreesd aantreedt tegen een leger. Ze had de gave om het juiste tijdstip te kiezen; ze had een hele zwerm getuigen opgeroepen. De onthulling moest openbaar en wonderbaarlijk zijn.

Zuster Magdalen van het benedictinessenklooster van Godrics

Voorde, een paar mijl in de richting van de grens met Wales, was in haar jeugd mooi en werelds geweest. Ze was vrijwillig de minnares geweest van een baron en had zich bovendien eerlijk en trouw aan haar overeenkomst gehouden. Even trouw als ze toen was geweest aan haar woord en haar belofte, was ze dat nu in haar nieuwe roeping. Als ze voor deze gelegenheid als gewapend geleide enkele leden van haar toegewijde leger van landmannen uit de bossen in het westen had meegebracht, had ze hen op dit ogenblik kies aan het oog onttrokken. Ze had het rijk voor zich alleen.

Ze was een gezette, blozende vrouwe van middelbare leeftijd, met heldere ogen en levendige bewegingen. De overblijfselen van haar schoonheid werden wijselijk getemperd door de gestrenge witheid van haar kap en de zwartheid van haar habijt. Ze kreeg hierdoor iets gezelligs en genoeglijks, tenminste tot het ontembare kuiltje oogverblindend in haar wang verscheen, als de glinsterende duik van een kleine goudvis, en weer even snel en ingetogen verdween als het water van een stroom die zijn zonnige loop hervat. Cadfael kende haar nu al vele jaren en had meer dan eens de gelegenheid gehad om zich in netelige zaken tot haar te wenden. Zijn vertrouwen in haar was onbegrensd.

Plechtig schreed ze op de abt toe, keek opzij en week enigszins uit naar Hugh en slaagde erin hen beiden, de kerkelijke en de wereldlijke overheid, staande te houden. Alle overige rouwenden, monniken en leken, stroomden de kerk uit en wachtten eerbiedig tot de edelen zich ongehinderd hadden verspreid.

'Mijne heren,' zei zuster Magdalen, een buiging verdelend over Kerk en staat, 'ik vraag u vergeving dat ik zo laat kom, maar de regen heeft enkele delen van de weg overstroomd en ik had geen rekening gehouden met vertraging. *Mea culpa!* Ik zal in afzondering voor onze broeders bidden en hoop de mis die hier voor hen wordt gedaan te kunnen bijwonen om mijn afwezigheid van vandaag goed te maken.'

'Laat of vroeg, zuster, wees ervan verzekerd dat u welkom bent,' zei de abt. 'U zou een dag of twee moeten blijven, tot de wegen weer droog zijn. En u moet zeker mijn gast aan tafel zijn, nu u toch hier bent.'

'U bent heel vriendelijk, vader,' zei ze. 'Laat als ik ben zou ik u niet hebben durven lastigvallen, ware het niet dat ik een brief bij me heb voor de heer schout.' Ze draaide zich om en keek Hugh recht-streeks en heel ernstig aan. Ze had het opgerolde en verzegelde perkament in haar hand. 'Ik moet u vertellen hoe dit in Godrics Voorde is terechtgekomen. Moeder Mariana ontvangt regelmatig brieven van de priores van ons moederhuis in Polesworth. Bij de laatste, die pas gisteren aankwam, was deze andere brief gevoegd, van een vrouwe die juist met een reisgezelschap was aangekomen en nu uitrust van de reis. Hij is gericht aan de heer schout van Shropshire en voorzien van het zegel van Polesworth. Ik heb hem meegebracht omdat hij misschien belangrijk kan zijn. Met uw toe-stemming, heer abt, lever ik hem hier af.'

Hoe ze het deed bleef haar geheim, maar ze had er slag van mensen vast te houden, hun het gevoel te geven dat ze een wonder zouden missen als ze wegliepen. Niemand had zich bewogen, niemand was een luchtig gesprek begonnen. De enige beweging hier op de bin-nenplaats werd veroorzaakt door degenen die nog naar buiten kwamen om zich bij de menigte te voegen en stil langs de rand schuifelden om een plekje te vinden waar ze alles beter konden horen en zien. Er klonk slechts een uiterst zacht geruis van kleren en geschuifel van voeten toen Hugh de rol aanpakte. Het zegel zou ongeschonden zijn, want het was ook het zegel van het doch-terklooster van Polesworth bij Godrics Voorde.

'Met uw verlof, vader? Het zou iets belangrijks kunnen zijn.'

'Natuurlijk, lees gerust.'

Hugh verbrak het zegel en rolde het blad open. Hij las met gefron-ste wenkbrauwen en gespannen aandacht. Overal op de binnen-plaats hielden mensen hun adem in of ademden heel zacht en voor-zichtig. Er hing spanning in de lucht, na alles wat er was gebeurd.

'Vader,' zei Hugh, met een ruk opkijkend, 'dit is een zaak die niet alleen mij aangaat. Anderen hier hebben er veel meer mee te ma-ken en verdienen het onmiddellijk te weten wat hier staat. Het is een wonder! Van zoveel belang dat ik de strekking ervan als open-bare bekendmaking zou moeten verspreiden. Met uw toestem-ming zal ik dat hier en nu doen, in aanwezigheid van dit hele gezel-schap.'

Hij hoefde zijn stem niet te verheffen; alle oren waren gespitst om elk woord op te vangen terwijl hij duidelijk las:

'Mijn heer schout,

Het is me, tot mijn grote ontsteltenis, ter ore gekomen dat in mijn eigen graafschap het gerucht de ronde doet dat ik dood zou zijn, beroofd en vermoord omwille van het gewin. Om die reden stuur ik haastig dit bewijs dat me niets van dien aard is overkomen. Ik verklaar dat ik leef, het goed maak en de gastvrijheid geniet van het huis van de zusters in Polesworth. Ik verwijt mezelf dat levens en eer door mijn toedoen in gevaar zijn gebracht, sommige misschien van mensen die mijn goede vrienden en dienaren zijn geweest. En ik vraag vergeving als ik – ongeweten, maar door mijn stilzwijgen – de oorzaak ben geweest van opschudding en verwarring voor wie ook. Ik zal het goedmaken.
Wat mijn leven tot dusver betreft: ik beken in alle nederigheid dat ik, nog voordat ik mijn doel had bereikt, begon te twijfelen of ik de ware roeping had. Ik heb me daarom teruggetrokken en dienstbaar geleefd, maar geen geloften afgelegd als non. In de priorij Sopwell bij Saint Albans kan een vrome vrouw, door de liefdadigheid van prior Geoffrey, een leven van heiligheid en dienstbaarheid leven. Nu, wetend dat men mij dood waant, wil ik mezelf tonen aan al diegenen die me kennen, opdat niemand omwille van mij nog langer verdriet heeft of gevaar loopt.
Ik smeek u, mijn heer, maak dit bekend aan mijn goede broeder en al mijn verwanten en stuur een betrouwbare man om me veilig naar Shrewsbury te brengen, dan blijf ik voor eeuwig uw dankbare schuldenaar.

Julian Cruce.'

Lang voordat hij aan het eind was gekomen, was er beweging ontstaan, een geroezemoes, een golf die zich als een plotseling opstekende wind een weg baande door de rijen toehoorders en toen een opgewonden zoemen als van een zwerm bijen. En plotseling brak Reginalds stomverbaasde stilzwijgen uit in een gebrul van verwondering, verbijstering en opgetogenheid:
'Mijn zuster lééft? Ze leeft! Bij God, we hadden het volkomen mis...'
'Ze leeft!' zei Nicholas hem versuft en fluisterend na. 'Julian leeft... ze leeft en maakt het goed...'

Het geroezemoes zwol aan tot een donderend koor van verbazing en opwinding en boven dat alles uit dreunde de jubelende stem van abt Radulfus: 'Gods genade is eindeloos. Vanuit de schaduw van de dood toont hij zijn wonderbaarlijke goedheid.'

'We hebben een eerlijk man onrechtvaardig behandeld,' schreeuwde Reginald, even heftig in zijn verontschuldigingen als in zijn aanklacht. 'Hij is haar inderdaad even trouw geweest als hij altijd heeft gezegd. Nu wordt het me duidelijk – alles wat hij verkocht, verkocht hij voor haar, ongetwijfeld voor haar! Alleen die snuisterijen die in de wereld de hare waren – ze had recht op de opbrengst...'

'Ik ga haar persoonlijk in Polesworth ophalen, samen met u,' zei Hugh, 'en Adam Heriet zal als vrij man uit zijn kerker worden gehaald om met ons mee te gaan. Wie heeft er meer recht op?'

De begrafenis van broeder Humilis was in een oogwenk veranderd in de verrijzenis van Julian Cruce, van een rouwdienst in een feest, van goede vrijdag in Pasen. 'Een leven dat ons is ontnomen en een leven dat ons is geschonken,' zei abt Radulfus, 'houden elkaar in volmaakt evenwicht, ten teken dat we dood noch leven hoeven te vrezen.'

Broeder Rhun kwam uit de eetzaal met zijn hoofd vol van een vreemde mengeling van vreugde en verdriet en begaf zich ermee naar de stilte en de eenzaamheid van de abdijboomgaarden langs de Gaye. Als hij de moestuin en de velden achter zich liet en helemaal naar de rand van de abdijvelden ging, zou hij op dit tijdstip in dit jaargetijde niemand meer tegen het lijf lopen. Verderop reikten de bomen tot aan de waterkant en hingen over de rivier. Daar bleef hij staan en staarde stroomafwaarts, waar Fidelis was verdwenen.

Het water was nog troebel en donker, maar het peil was weer enigszins gezakt, al stond het nog zilverglanzend in de kuilen van de uiterwaarden aan de overkant. Rhun dacht aan het lichaam van zijn vriend dat onder die matglanzende spiegel was getrokken en spoorloos was verdwenen. De ochtend was getuige geweest van de opstanding van een dood gewaande vrouw en dat was verheugend, maar het woog niet op tegen zijn verdriet om het verlies van Fidelis. Hij miste hem met een pijnlijke heftigheid, al had hij er tegen niemand iets van gezegd en niet geantwoord toen anderen de woorden vonden die hij niet kon vinden om uitdrukking te geven aan zijn smart.

Hij stak de grens van de abdij over en baande zich een weg door een boomgordel om te kunnen uitkijken over het open land. En daar bleef hij plotseling staan en zette een stap terug. Er was al iemand, iemand die nog ongelukkiger was dan hij. Broeder Urien zat diep ineengedoken in het modderige gras tussen de struiken aan de rand van het water en staarde naar de snelle rimpelingen die voorbijhuiverden. Stroomafwaarts waren de matte waterspiegels die de weiden in de verte sinds de storm bespikkelden gevoed door twee nachten zachtere regen en eenmaal gevuld konden ze niet leeglopen, alleen maar langzaam opdrogen. De roerloze rust ervan, waarin het lichtblauw van de hemel en het voortijlende wit van de wolken zich weerspiegelden, maakte de duivelse snelheid van de grote stroom meer dan een gewoon natuurverschijnsel, eerder een levende, boosaardige macht die mensen opslokte.

Rhun had geen enkel geluid gemaakt, maar Urien werd zich ervan bewust dat hij niet alleen was en draaide hem een afwerend gezicht toe, hologig en vijandig.

'Jij ook?' zei hij lusteloos. 'Waarom jij? *Ik* ben degene die Fidelis heeft vernietigd.'

'Nee, dat heb je níet!' sprak Rhun hem tegen en hij kwam uit de struiken en ging naast hem staan. 'Je mag zoiets niet zeggen of denken.'

'Dwaas. Je weet wat ik heb gedaan; waarom zou je het ontkennen? Je weet het; je hebt gedaan wat je kon om het ongedaan te maken,' zei Urien somber. 'Ik joeg hem op, ik dreigde – ik heb Fidelis vernietigd. Als ik de moed had, zou ik hem op dezelfde manier achterna gaan, maar die heb ik niet.'

Rhun ging naast hem in het gras zitten, dichtbij maar zonder hem aan te raken, en sloeg het gekwelde, verbitterde gezicht gade. 'Je hebt niet geslapen,' zei hij zacht.

'Hoe zou ik moeten slapen, wetend wat ik weet? Niet geslapen, nee, en evenmin gegeten, maar het duurt lang voordat je van honger sterft. Een mens kan wekenlang alleen op water leven. En ik ben al evenmin geduldig als dapper. Er is maar één uitweg voor me en dat is een volledige biecht. O, niet om vergiffenis te krijgen, nee

– vergelding! Ik heb me er hier op voorbereid. Straks ga ik en stort ik mijn hart uit.'

'Nee,' zei Rhun met plotseling, fier gezag. 'Dat moet je niet doen.' Hij wist zelf niet helemaal waarom dit zo dringend was, maar er speelde iets door zijn gedachten, een of andere diep verborgen waarheid waarvan hij slechts een glimp kon opvangen, in zijn ooghoeken. Als hij die probeerde te pakken, verdween ze. Leven en dood waren beide geheimen. Een leven dat ons is ontnomen en een leven dat ons is geschonken, had abt Radulfus gezegd, houden elkaar in volmaakt evenwicht. Een leven ontnomen en een leven geschonken, bijna op hetzelfde ogenblik...

Toen wist hij het. Het licht opende zich schitterend en de last op zijn hart werd weggenomen. Een volmaakt evenwicht, ja! Hij zat als in vervoering, zo vol en overvol inzicht dat al zijn zintuigen naar binnen waren gericht naar de gloed, als koude handen die worden uitgestrekt naar een warm vuur en hij hoorde nauwelijks dat Urien woest zei: 'Ik moet en ik zal. Hoe kan ik dit nog langer alléén dragen?'

Rhun ontwaakte uit zijn gezegende vervoering. 'Je hoeft niet alleen te zijn,' zei hij. 'Je bent nu niet alleen. Ik ben er. Zeg wat je wilt, zeg het tegen mij, maar nooit tegen iemand anders. Zelfs het biechtgeheim is misschien niet geheim genoeg. Dan zou je inderdaad alles hebben verwoest wat Fidelis was, alles wat Fidelis heeft gedaan, het hebben bezoedeld en bemodderd tot een aanfluiting, een schandaal dat een schaduw zou werpen over ons allemaal, op de orde, het meest van al op zijn nagedachtenis...' Daar stokte hij en hij glimlachte. 'Je merkt hoe sterk de macht der gewoonte is. Maar ik weet het – ik weet nu wat je zou kunnen vertellen en wat omwille van Fidelis nooit mag worden verteld. Dat begrijp je toch wel, even goed als ik het nu begrijp. Sticht geen onheil meer! Draag wat je te dragen hebt en wees even zwijgzaam als Fidelis was.'

Uriens harde gezicht beefde en smolt plotseling als was. Hij sloeg zijn armen voor zijn ogen en boog zich in het lange, natte gras voorover. Zijn lichaam schudde in een angstaanjagende storm van droog, ingehouden snikken. Rhun bukte zich en sloeg zijn armen vertrouwelijk om de schokkende schouders. Bij die aanraking welde er een diep, zacht gekreun op in Uriens lichaam en het ebde

toen weer uit hem weg, zodat hij slap en stil achterbleef. Ooit was
het Urien geweest die had aangeraakt en Rhun die hem zachtmoe-
dig had aangekeken en hem van woede en schaamte had vervuld.
Nu raakte Rhun Urien aan, sloeg zijn arm om hem heen en liet die
daar stil liggen en alle woede en schaamte verlieten hem en lieten
hem gelouterd achter.
'Houd het geheim. Je móet, als je van hem hebt gehouden.'
'Ja – ja,' zei Urien gebroken vanachter zijn beschuttende armen.
'Omwille van hem...' Ditmaal bedacht Rhun zich glimlachend en
herstelde wat hij had gezegd. 'Omwille van haar!'
'Ja, ja – tot het graf. Blijf bij me.'
'Ik ben hier. Als we gaan, gaan we samen. Wie weet? Zelfs het
kwaad dat al is gedaan, is misschien niet onherstelbaar.'
'Kunnen de doden weer tot leven komen?' vroeg Urien verbitterd.
'Als het God behaagt,' zei Rhun, die redenen had om in wonderen
te geloven.

Julian Cruce kwam juist op tijd in de abdij van de heilige Petrus en
Paulus aan om de mis voor de zielen van broeder Humilis en broeder Fidelis, samen verdronken tijdens de zware storm, bij te wonen. Het was de tweede dag na de begrafenis van Humilis, een frisse, koele dag met een zachtblauwe hemel en een zachtgroene aarde, waarop de glans van de zomer even werd hersteld. Tegen die
tijd had iedereen in en rond Shrewsbury het verhaal gehoord van
de vrouw die uit de dood was teruggekeerd en iedereen wilde getuige zijn van haar terugkeer. Er had zich een grote menigte verzameld om de binnenplaats om haar te zien aankomen, aan de zijde
van haar broer en gevolgd door Hugh Beringar en Adam Heriet.
Binnen de poort aangekomen stegen ze af en de paarden werden
weggeleid. Reginald nam zijn zuster bij de hand en leidde haar tussen de nieuwsgierige omstanders door naar de kerkdeur.
Cadfael had tegen dit ogenblik opgezien en was naast Nicholas
Harnage gaan staan, waar hij hem waarschuwend aan zijn mouw
kon trekken voor het geval hij van schrik zijn mond voorbij zou
praten. Misschien had hij hem beter kunnen waarschuwen om het
gevaar af te wenden. Maar anderzijds was het beter als de jongeman nooit verband zou leggen en het leek de moeite waard. Als hij
nooit zou hoeven bedenken hoe geducht de mededinger was ge-

weest die hem was voorgegaan en hoe onuitwisbaar de herinnering moest zijn aan een trouw die waarschijnlijk nooit zou worden geëvenaard, zou hij zich minder gehinderd voelen wanneer hij naar haar hand dong. Als hij haar in onwetendheid benaderde, had hij een grote voorsprong. Hij had het vertrouwen en de genegenheid gehad van Godfrid Marescot en had ruimschoots blijk gegeven van zijn bezorgdheid om het meisje zelf. Er was volop reden voor welwillendheid. Als hij haar herkende en in een flits het hele patroon doorzag, zou hij misschien te zeer ontmoedigd zijn om haar zelfs maar te benaderen, want wie kon Humilis opvolgen zonder in zijn schaduw te moeten staan? Maar misschien – heel misschien – was hij zelfs groot genoeg om zich neer te leggen bij zijn achterstand, zijn mond te houden en desondanks zijn geluk op de proef te stellen. Hij was een veelbelovende jongeman. Niettemin stond Cadfael waakzaam en bezorgd naast hem, met zijn hand vlak bij de elleboog van de jongeman.

Aan haar broers arm schreed ze door de menigte. Geen uitzonderlijke schoonheid, gewoon een lang, slank meisje in een donkere mantel en donker gewaad, met een ernstig, ovaal gezicht in de strenge omlijsting van een witte kap en een donkerblauwe huif. Zuster Magdalen en Aline hadden goed werk geleverd. De algehele rouw verbood felle kleuren, maar Aline had zorgvuldig alles vermeden dat herinnerde aan het grove kloosterzwart. Ze hadden ongeveer dezelfde lichaamsbouw, lang en slank, en het gewaad paste goed. De kruinschering zou enige tijd nodig hebben om aan te groeien, maar door de krans van kastanjebruin haar volledig aan het oog te onttrekken en het hoge voorhoofd half te bedekken hadden ze de vorm van het ernstige gezicht sterk veranderd. Ze had haar wenkbrauwen donkerder gemaakt, wat het lichte grijs van haar ogen een blauwige schaduw verleende. Ze hield haar hoofd rechtop en liep langzaam langs de mannen die vele weken zij aan zij hadden geleefd met broeder Fidelis. Ze zagen slechts Julian Cruce, die niets te maken had met de abdij van Shrewsbury, gewoon een wonder uit de buitenwereld, nu belangwekkend, maar weldra vergeten.

Nicholas zag haar naderbij komen en werd vervuld van diepe, gloedvolle dankbaarheid, eenvoudig omdat ze leefde. Misschien dat er in haar leven geen plaats voor hem was, maar het was in elk geval het hare, al die jaren waarvan hij had gedacht dat ze haar door een wrede misdaad waren ontstolen terwijl er naar het scheen geen sprake was van enigerlei misdaad. Hij kon, hij zou een poging wagen, maar nog niet. Geef haar tijd om hem te leren kennen, want ze wist nog niets van hem en hij kon geen aanspraak op haar maken, tenzij Hugh Beringar haar wellicht over zijn aandeel in de speurtocht naar haar had verteld. Maar zelfs dat gaf hem geen rechten. Die zou hij moeten verdienen.

Maar toen ze op gelijke hoogte met hem was, draaide ze haar hoofd om en keek hem in de ogen. Even slechts, maar het was genoeg.

Cadfael zag hem schrikken en trillen, zag zijn lippen bewegen, misschien om in de schok der herkenning een kreet te slaken. Maar uiteindelijk gaf hij geen kik. Cadfael had hem bij zijn arm gepakt, maar die meteen weer losgelaten, want het was niet nodig geweest. Nicholas staarde hem met een stralend, verbijsterd en verbijsterend gezicht aan en fluisterde haastig: 'Maak je niet ongerust. Nu ben ík stom.'

Zo'n snelle en soepele geest, dacht Cadfael goedkeurend, zou zich niet door moeilijkheden laten ontmoedigen. En het meisje was nog maar nauwelijks drieëntwintig. Ze hadden tijd. Waarom zou een meisje dat het toegewijde gezelschap had genoten van een goed man niet de waarde van een andere herkennen? Ik vraag me af, dacht hij, wat Humilis tegen haar heeft gezegd, die laatste dag op Salton? Wist hij uiteindelijk wie ze was? Ik hoop van wel. Hij had ongetwijfeld de kandelaars en het kruis herkend toen Hugh ze hem eenmaal had beschreven, want die had ze vanzelfsprekend mee naar Hyde genomen en met Hyde moesten ze tot stof zijn vergaan. Maar ik denk dat hij toen heeft geaarzeld, half vrezend dat Fidelis betrokken was geweest bij Julians dood, half verbaasd... Maar uiteindelijk had hij het beseft; hij had stellig de waarheid geweten.

In zijn zelf uitgekozen koorstoel naast broeder Urien boog Rhun zich opzij en fluisterde: 'Kijk! Kijk naar de vrouwe! Zij is degene die de gemalin van broeder Humilis had moeten worden.'

Urien keek, maar met lusteloze blikken die alleen zagen wat ze verwachtten te zien. Hij schudde zijn hoofd.

199

'Je kent haar,' zei Rhun. 'Kijk nog eens!'

Hij keek nogmaals en toen herkende hij haar. De last van schuld, verdriet en boetedoening steeg van hem op als een klimmende leeuwerik. Hij hield op met zingen, want zijn keel was toegesnoerd en zijn tong stom. Hij was verdwaald tussen inzicht en verbazing, de erfgenaam van haar stilte.

Julian verscheen vanuit de kerk in het zachte zonlicht met de lege uitdrukking van verwondering, verdriet en verlies nog op haar gezicht. Terwijl hij haar in de schaduw van de kloosterhof gadesloeg, liet Nicholas elk voornemen om haar nu te benaderen varen. Nu hij eindelijk de grootsheid besefte van wat ze had gedaan, werd het hem onmogelijk haar een gewoon huwelijk en een alledaagse liefde aan te bieden. Nog niet, nog lang niet. Maar hij kon zijn tijd beiden, voeling houden met haar broer, haar stapje voor stapje benaderen, zijn hart pas voor haar openen wanneer het hare was verzoend en tot rust gekomen.

Ze was blijven staan en keek om zich heen, terwijl ze haar hand losmaakte uit die van haar broer, alsof ze iemand zocht wie ze erkentelijkheid verschuldigd was. Een bleke glimlach gleed om haar lippen. Met uitgestrekte hand kwam ze naar Nicholas toe. Om haar middelvinger slingerde zich de kleine gouden slang in een dubbele lus; hij zag het zachte glanzen van de robijnrode ogen.

'Heer,' zei Julian met een haast kinderlijk hoge stem, 'de heer schout heeft me verteld hoeveel moeite u zich voor mij hebt getroost. Het spijt me dat ik u en anderen zoveel nodeloos verdriet heb aangedaan. Dank is een armzalige beloning voor zoveel vriendelijkheid.'

Haar hand lag sterk en koel in de zijne. Haar glimlach was nog vaag en afwezig, geen andere persoonlijkheid erkennend dan die van Julian Cruce. Hij had kunnen denken dat ze haar andere ik verloochende als daar niet de heldere, vaste blik in haar grijze ogen was geweest, die zich ver openden om hem te laten delen in een geheim waarbij woorden overbodig waren. Niets hoefde ooit te worden gezegd, alles was bekend en begrepen.

'Vrouwe,' zei Nicholas, 'dat ik u hier levend en wel zie, is alle beloning die ik nodig heb of wens.'

'Maar ik hoop dat u ons gauw in Lai komt bezoeken,' zei ze. 'U zou me er een genoegen mee doen. Ik zou het graag op een betere manier willen goedmaken.'

En dat was alles. Hij kuste de hand die in de zijne lag en ze draaide zich om en liep van hem weg. En het was stellig niets meer dan het voldoen van de verschuldigde dankbaarheid, zoals ze al haar schulden voldeed, tot het laatste greintje pijn, toewijding en liefde. Maar ze had het gevraagd en ze was niet een van die vrouwen die iets vragen als ze het niet menen. En hij zou naar Lai gaan, gauw, ja, heel gauw. Om genoegen te nemen met de aanraking van haar hand en haar bleke glimlach en het vaste vertrouwen dat ze hem zojuist had gegeven, tot het eerlijk en achtenswaardig was op meer te hopen.

Ze zaten in Cadfaels werkplaats in de kruidentuin, in de stilte na het avondeten, zuster Magdalen, Hugh Beringar en Cadfael. Het was allemaal voorbij, de nieuwsgierigen allemaal naar huis, de broeders zich van geen ander kwaad bewust dan het verlies van twee van hen – twee die maar kort bij hen waren geweest en bovendien enigszins teruggetrokken hadden geleefd. Weldra zouden ze heel vage gestalten worden die ze in hun gebeden zouden gedenken terwijl hun gezichten vervaagden.

'Er zouden nog altijd een paar lastige vragen gesteld kunnen worden,' gaf Cadfael toe, 'als iemand de moeite zou nemen er dieper op in te gaan. Maar dat zal niemand ooit doen. De orde kan weer ademhalen. Er komt geen schandaal, er zal geen blaam worden geworpen op Hyde of Shrewsbury, geen geroddel over de pauselijke gezant, geen liedjesschrijvers die smerige versjes maken over monniken en hun vrouwen en ermee de markten rondgaan, geen bisschoppen die hel en verdoemenis over ons uitstorten, geen vittende norbertijnen die tekeergaan over de laksheid en wellust van de benedictijnen... En geen geur van verderf die aan de naam van dat arme meisje blijft kleven en haar voor het leven tekent. God dank!' besloot hij heftig.

Hij had een van zijn beste flessen wijn opengetrokken. Hij vond dat ze het evenzeer verdienden als ze het nodig hadden.

'Ze had Adam van meet af aan in vertrouwen genomen,' zei Hugh. 'Hij was degene die haar kleren bezorgde om haar in een jongeman te veranderen, die haar haren afknipte en de paar dingen die ze als haar eigendom beschouwde voor haar verkocht om haar onderdak te betalen tot ze zich in Hyde aanbood. Toen hij zei dat ze dood was, zei hij dat vanuit een verbitterd hart, want ze was inderdaad dood voor de wereld, uit eigen vrije wil. En toen ik hem uit Brigge hierheen bracht, snakte hij naar nieuws over haar, want hij had haar sinds de brand in Hyde opgegeven. Maar toen ik hem vertelde dat er nog een broeder uit Hyde bij Godfrid was, was hij gerust, want hij wist wie die ander moest zijn. Hij zou liever zijn gestorven dan haar te verraden. Hij wist net zo goed als wij tot welke laagheden mensen in staat zijn.'

'En zij, hoop ik en denk ik,' zei Cadfael, 'moet weten van de trouw en toewijding waartoe althans één mens in staat was. Ze hoort het te weten, want het is de spiegel van haar eigen trouw en toewijding. Nee, er was geen andere oplossing mogelijk. Fidelis moest sterven en spoorloos verdwijnen voordat Julian weer tot leven kon komen. Maar ik had nooit gedacht dat de kans zich zo zou voordoen...'

'Je hebt hem behendig genoeg waargenomen,' zei Hugh.

'Het was nu of nooit. Het had anders kunnen uitpakken. Madog zou nooit een woord hebben losgelaten, maar haar kon het allemaal niet meer schelen sinds Humilis was gestorven.' Hij had haar, half dood, in zijn armen gehad tijdens die rit naar Godrics Voorde om haar toe te vertrouwen aan de zorg van zuster Magdalen, de rossige kruinschering nat en verward tegen zijn schouder, het bleke, natte gezicht hard als ijs, de grijze ogen wijd open, nietsziend.

'Het was het beste dat we konden doen om hem uit haar armen te krijgen. Zonder Aline zouden we verloren zijn geweest. Ik was bijna bang dat we niet alleen de man, maar ook het meisje zouden verliezen. Maar zuster Magdalen is een machtige genezeres.'

'Die brief die ik voor haar heb opgesteld,' zei zuster Magdalen, er met een keurende maar tevreden blik op terugkijkend, 'was de moeilijkste die ik ooit heb moeten schrijven. En van begin tot eind niet één leugen! Niet één. Een beetje misleiding, maar geen leugens. Dat was belangrijk, begrijp je. Weet je waarom ze verkoos stom te zijn? Nou, haar stem vormde natuurlijk een moeilijkheid; die was zo vrouwelijk als maar kan. Haar gezicht – het is een goed gezicht, open en sterk en fijn, een dat net zo goed dat van een jongen kon zijn als van een meisje. Maar haar stem niet. Maar afgezien daarvan,' zei zuster Magdalen, 'had ze nog twee goede redenen om stom te zijn. Om te beginnen had ze zich vast voorgenomen hem nooit iets te vragen, nooit als vrouw een beroep op hem te doen, want ze vond dat hij haar niets verschuldigd was, geen voorrecht, geen mededogen. Wat ze van hem kreeg, moest ze verdienen. En ten tweede was ze er op die manier volstrekt zeker van dat ze nooit tegen hem zou liegen. Wie niet kan praten, kan niet smeken of vleien en kan niet liegen.'

'Dus hij was háár niets verschuldigd en zij hém alles,' zei Hugh, zijn hoofd schuddend over de onpeilbare vreemdheid van vrouwen.

'Aha, maar zij kreeg wat haar toekwam,' zei Cadfael. 'Ze nam wat ze wilde en als het hare beschouwde, helemaal, tot het einde, tot het laatste ogenblik. Zijn gezelschap, zijn verzorging, de geheimen van zijn lichaam, even innig als in een huwelijk – zijn liefde, ver boven de gewone aanspraken van het huwelijk uit. Niemand hoefde haar wijs te maken dat ze vrij was terwijl ze wíst dat ze een getrouwde vrouw was. Ik vraag me af of ze zelfs nú vrij is.'

'Nog niet, maar dat komt wel,' verzekerde zuster Magdalen hem. 'Ze heeft te veel moed om het leven op te geven. En als die jongeman die een oogje op haar heeft, voldoende lef heeft om zijn liefde niet op te geven, kan hij ten slotte nog heel wat bereiken. Hij heeft van dezelfde man gehouden en begint dus met een fikse voorsprong. Trouwens,' voegde ze eraan toe, een blik werpend in een toekomst die zelfs voor een paar mensen die meenden dat ze alleen maar een verleden hadden, een zekere belofte inhield, 'ik betwijfel of dat huishouden van haar broer, met een vrouw en drie kinderen, nog gezwegen van de vierde die onderweg is – nee, ik betwijfel of de rol van ongetrouwde zuster op Lai iets blijvend aantrekkelijks heeft voor een vrouw als Julian Cruce.'

Het halve uur rust na de avondmaaltijd was voorbij, de broeders gingen weer aan het werk. Zo ook Cadfael. Bij de hoek van de bukshaag nam hij afscheid van zijn vrienden. Zuster Magdalen en haar twee stoere bosbewoners zouden over het pad naar het westen terugkeren naar Godrics Voorde en Hugh zette dankbaar koers richting huis. Cadfael liep door de kruidentuin naar het lapje grond waar hij een paar zelfgekweekte appelbomen en een pereboom had staan, net oud genoeg om vrucht te dragen. Innig tevreden overzag hij het schouwspel. Alles wat bleek was geweest als stro, begon weer fris groen te worden. De Meole had nog enkele zichtbare ondiepe plekken, maar was niet langer een miezerig, modderig netwerk van waterstraaltjes die zich een weg baanden door grind en zand. September was weer september, welig en vruchtbaar na de hitte en droogte van de zomer. Een groot deel van de overvloedige hoeveelheid vruchten was door de droogte verschrompeld afgevallen, maar zelfs nu was de oogst nog groot genoeg om dankbaar voor te zijn. Na elk uiterste herstelden de jaargetijden zich en heroverden minstens de helft van wat verloren was gegaan. Zo ook konden de jaargetijden van de mens zich herstellen, met een beetje hulp uit de hemel bij wijze van regen.